Global games

70 Spiele und Übungen
für interkulturelle Begegnungen

HERDER

FREIBURG · BASEL · WIEN

Verlag Haus Altenberg

Impressum:

Global Games
70 Spiele und Übungen für interkulturelle Begegnungen

Hrsg.: Joachim Sauer, Alfons Scholten, Bernhard W. Zaunseder
Redaktion: Gudrun Zipper

Titelgestaltung: WerbeNeun, Essen
Layout: Hermann Giesen
Textsatz: Satzstudio Kontrapunkt, Bautzen
Druck: Koninklijke Wöhrmann B.V., NL-Zutphen

1. Auflage 2004

© 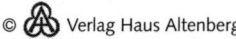 Verlag Haus Altenberg

© Verlag Herder Freiburg im Breisgau

ISBN 3-7761-0117-2 (Verlag Haus Altenberg)
www.jugendhaus-duesseldorf.de
ISBN 3-451-28482-0 (Verlag Herder)
www.herder.de

Weitere Informationen zum Buch erhalten Sie unter: www.global-games.ws

Leider konnten wir trotz redlicher Bemühungen nicht in allen Fällen die Textrechte klären.
Wir bitten deshalb die Betroffenen, sich mit dem Verlag in Verbindung zu setzen,
damit nachträgliche Vereinbarungen getroffen werden können.

Diese Publikation wurde aus Mitteln des Kinder- und Jugendplans gefördert.

Liebe Leserinnen, liebe Leser,

in der kirchlichen Jugendarbeit und Jugendpastoral in Deutschland ist der Weltjugendtag 2005 mitsamt den „Tagen der Begegnung in den Diözesen" zurzeit das zentrale Thema, besonders für die Verantwortlichen und die Vorbereitungsgremien. In den Berichten von den vergangenen großen Treffen in Paris, Rom und Toronto tauchen immer wieder Bilder auf von sehr bewegenden und prägenden Gemeinschaftserlebnissen, von Gesprächen, Gottesdiensten und Feiern mit Jugendlichen aus aller Welt, die die Unterschiede der Sprachen und Kulturen überbrückten. Gleichzeitig wurde in dieser Vielfalt die Beheimatung der Botschaft Jesu Christi in die Kulturen der Welt deutlich.

Kirche wird bei den Weltjugendtagen durch diese Einheit in der Vielfalt als Weltkirche sichtbar, das Zusammenwachsen unserer Welt wird für die jungen Menschen konkret erfahrbar. Globalisierung bekommt ein menschliches Gesicht.

Die Gastfreundschaft, die wir beim Weltjugendtag 2005 den Jugendlichen aus vielen Ländern in unseren Gemeinden und Diözesen sowie in der Erzdiözese Köln gewähren möchten, will vorbereitet und eingeübt werden. Denn die Öffnung der Türen unserer Kirchen, Gemeindezentren und Wohnungen muss begleitet werden von einer Öffnung unserer Herzen für die Berichte, Erfahrungen und Fragen der Gäste.

Die Begegnungen beim Weltjugendtag motivieren Jugendliche und Verantwortliche zu weiteren Begegnungen mit Menschen anderer Herkunft. Die Kontakte zu ausländischen Jugendlichen in unseren Gemeinden, Hochschulen oder Jugendzentren können hierfür ebenso genutzt werden wie die vielfach bestehenden grenzüberschreitenden Partnerschaften zu Gemeinden, Verbänden und Diözesen in Europa und der Welt.

Die hier vorgelegte Sammlung von Spielen und Übungen zum interkulturellen Lernen bietet eine gute Grundlage sich auf die Gastgeberrolle beim Weltjugendtag 2005 vorzubereiten und diese Erfahrungen anschließend in andere Felder der kirchlichen Jugendarbeit und Jugendpastoral zu übertragen.

Ich wünsche diesem Buch deshalb viele Leserinnen und Leser – und noch mehr Mitspieler.

Bischof Franz-Josef Bode
Vorsitzender der Jugendkommission
der Deutschen Bischofskonferenz

Inhalt

Vorwort

Global Games for Global Players

Angesichts der rasanten Veränderungen, die wir derzeit in Deutschland, Europa und der Welt erleben, kommt der interkulturellen und internationalen Dimension der Jugendverbands- und Jugendbildungsarbeit eine wachsende Bedeutung zu. So verwischen z. B. die Grenzen zwischen den bislang getrennten Bereichen der Ausländer- und Aussiedlerarbeit einerseits und den Solidaritäts- und Partnerschaftsprojekten in Europa und der Dritten Welt andererseits immer mehr und stellen die Jugendpastoral insgesamt vor neue Herausforderungen. Kinder, Jugendliche und junge Erwachsene müssen deshalb zu ‚Global Playern' werden, wenn sie sich für Frieden und Gerechtigkeit engagieren und im politischen Meinungsbildungsprozess aktiv mitspielen wollen.

Das Kooperationsprojekt „Interkulturelle politische Bildung" der Arbeitsgemeinschaft katholisch-sozialer Bildungswerke (AKSB) und der Arbeitsstelle für Jugendseelsorge der Deutschen Bischofkonferenz (afj) will die Jugendlichen und Verantwortlichen in der Vorbereitung auf den Weltjugendtag 2005 durch Angebote der interkulturellen politischen Bildung für ihre Gastgeberschaft und für die diakonische und politische Dimension dieser Veranstaltung qualifizieren. Im Interesse der Nachhaltigkeit wird die Vorbereitung auf den Weltjugendtag mit Themen verknüpft, die auch über den Weltjugendtag hinaus von besonderer Bedeutung sein werden. Dies gilt insbesondere für die Themenfelder „Europäische Bürgerschaft" und „Zusammenleben in der Zuwanderungsgesellschaft".

Der BDKJ-Bundesvorstand setzt sich seit langem dafür ein, die Partnerschaftsarbeit zu Gruppen und Verbänden in Europa und der Dritten Welt zu intensivieren und durch entsprechende Bildungsangebote zu qualifizieren. Die Verknüpfung mit der interkulturellen Arbeit vor Ort ist dabei ein Weg, der weiterhin verfolgt werden soll und in Zukunft neue Perspektiven eröffnen kann.

In den deutschen Bistümern gibt es eine Vielzahl von Partnerschaften und Jugendbegegnungen mit europäischen und außereuropäischen Partnern. Im deutsch-französisch-luxemburgisch-belgischen Grenzraum werden in der „Jugendpastoral Euregio" besonders intensive Erfahrungen mit der kontinuierlichen, bistumsübergreifenden Zusammenarbeit gemacht, die mit in diese Arbeitshilfe eingeflossen sind.

Die in diesem Band in sechs Sprachen vorliegenden „Global Games" sollen den Verantwortlichen in der Jugendpastoral, den Jugendverbänden und der Jugendbildungsarbeit helfen interkulturelle Lernprozesse anzuregen und zu begleiten. Die Spiele und Übungen können in der Vorbereitung auf den Weltjugendtag, bei Treffen und Begegnungen von internationalen und interkulturellen Gruppen in Deutschland und Europa eingesetzt werden und so zu einer Vernetzung dieser Arbeitsbereiche beitragen.

Wir wünschen allen Leserinnen und Lesern dieses Buches, dass sie durch die Nutzung der „Global Games" zu „Global Playern" werden und so lernen, sich für Frieden und Gerechtigkeit im internationalen und interkulturellen Kontext zu engagieren.

Andrea Hoffmeier
BDKJ-Bundesvorsitzende

Sabine Wißdorf
Leiterin des Projektes „Interkulturelle politische Bildung"
und stv. Leiterin der afj

Lothar Harles
AKSB-Geschäftsführer

Einleitung

Lernen durch Begegnungen

Bei dem Gedanken an internationale Treffen oder interkulturelle und interreligiöse Begegnungen schlägt das Herz vieler Verantwortlicher höher und bunte Bilder von gemeinsam singenden und tanzenden Jugendlichen tauchen vor dem inneren Auge des Betrachters auf. Aus Sicht einer interkulturellen politischen Bildung sind diese persönlich bereichernden Erlebnisse zwar wichtig und wertvoll, aber längst noch nicht alles, was solche Treffen an Lernmöglichkeiten bieten. In interkulturellen Begegnungen geht es nicht nur um ein distanziertes, neutrales „Kennenlernen" des anderen, sondern um eine *Anerkennung des anderen* hinsichtlich seiner Person, seiner Kultur, seiner religiösen Ausdrucksformen und seines Engagements in Kirche und Gesellschaft *als gleich*.

Auch wenn sie vielfach unausgesprochen bleiben oder stillschweigend übergangen werden, so sind Erfahrungen des Nicht- oder des Miss-Verstehens doch normale Bestandteile einer interkulturellen Begegnung. Zwar kann es in einer solchen Situation zu Enttäuschungen, Vorurteilen und dem Auffrischen alter Bilder kommen, doch hellen die Konfrontationen vor allem die Unterschiede zwischen den Beteiligten blitzlichtartig auf, die es ja bei aller Feier der Gemeinsamkeiten weiterhin gibt. Anstatt diese Erfahrungen als störend oder gar unerlaubt zu betrachten, sollten sie vielmehr als Anlässe dienen, den anderen, seine Herkunftsgesellschaft und Kultur besser verstehen zu lernen. Außerdem könnten die Beteiligten gerade jetzt ausprobieren, Konfrontationen einvernehmlich aufzulösen und Unterschiede konstruktiv miteinander zu verbinden.

Denn gerade in den spannenden Zeiten einer Begegnung sollte das Prinzip „alle anders – alle gleich" zur Geltung kommen und nicht das eine ohne das andere Teilprinzip praktiziert werden. Eine Missachtung des „alle anders" würde dem Fremden die Freiheit eines eigenständigen Weges verweigern und nur noch das Eigene bestehen lassen, während eine Ablehnung des „alle gleich" zwar die Verschiedenheit zuließe, aber nicht die in der Gotteskindschaft aller Menschen begründete Gleichheit der unterschiedlichen Kulturen akzeptierte. Es war und ist die große Leistung des Christentums, der Botschaft des Evangeliums dadurch zur weltweiten Dimension verholfen zu haben, dass gerade zu Beginn sehr genau auf die verschiedenen Kulturen gehört wurde, um gute Anknüpfungspunkte für die Verkündigung zu finden. Auch wenn dies nicht für die ganze Kirchengeschichte gilt, so ist dieser Hintergrund doch ein besonderer Ansporn für alle Christen, andere Kulturen zu achten und kennen zu lernen.

Als Auswege aus der Sackgasse der Bilder und Vorurteile, die in der Situation des Nicht- oder Miss-Verstehens vielfach als vorschnelle Erklärungen herangezogen werden, haben sich in der Praxis vor allem vier Methoden bewährt: a) die Aufnahme eines *Dialog mit dem anderen* über den Anlass und die Ursachen des Missverstehens, b) ein *Perspektivenwechsel*, d. h. der Versuch, von der eigenen Position herunterzukommen und die Sichtweise und die Motive des anderen zu verstehen und die eigene Position aus seiner Sicht zu betrachten und zu bewerten sowie c) die Stärkung der Fähigkeit der Beteiligten, Unterschiede auszuhalten, die je verschiedenen Sichtweisen und Werte bestehen zu lassen und gegenseitig anzuerkennen (*Ambiguitätstoleranz*). Dies führt schließlich d) zu einer *Integration von Eigenem und Fremdem,* um so unter Berücksichtigung der Interessen und Ziele aller Beteiligten zu einem gemeinsamen Handeln zu kommen. Integration meint dabei einen Kommunikationsprozess, der für beide Seiten ein Geben und Nehmen sowie eine beiderseitige Bereicherung bedeutet. Um diese vier Wege in der Begegnung beschreiten zu können, ist ein Wechselspiel von Beheimatung und Befremdung erforderlich, das allen Beteiligten ein voneinander, miteinander und übereinander Lernen ermöglicht.

Deshalb gilt es schon in der Vorbereitungszeit, die Teilnehmenden für eine rationale Auseinandersetzung mit anderen Kulturen zu qualifizieren und für kulturelle Unterschiede zu sensibilisieren, ohne aber durch *Generalisierung* und *Polarisierung* neue Vorurteile zu schaffen oder alte zu bestätigen. Außerdem sind bei der Problemanalyse in der Vorbereitung und in der Begegnung interkulturelle *und* politische, soziale, wirtschaftliche Aspekte (Macht, Außenseiter, Geld, wirtschaftliche, soziale, rechtliche [Un-]Gleichheit der Teilnehmerinnen und Teilnehmer) zu berücksichtigen. Zudem muss auf mögliche Verschränkungen von Ungleichheits- und Fremdheitserfahrungen geachtet werden.

Wenn in diesem Buch von „Kulturen" die Rede ist, verstehen wir darunter keine in sich einheitlichen und stabilen Systeme von quasi angeborenen, unveränderlichen und allgemein gültigen Eigenschaften von Völkern und Nationen. Auch gehen wir nicht wie das traditionelle Alltagsverständnis davon aus, dass Kulturen das Denken, Fühlen und Handeln der Menschen fest vorgeben und dass sich Kulturen deshalb von anderen Kulturen (wie Kugeln) nur voneinander abstoßen können. Stattdessen stimmen wir denen zu, die von einem dynamischen und vielfältigen Kulturbegriff ausgehen, der besagt, dass kulturelle Verhaltensweisen erlernt werden und veränderbar sind und dass Völker und Nationen auch in sich eine kulturelle Vielfalt aufweisen, die sich aus den Unterschieden des Alters, der Geschlechter und/oder der regionalen Traditionen ergibt. Kulturen legen also das Denken, Fühlen und Handeln von Menschen nicht fest, sondern liefern einen Orientierungsrahmen, der von Gruppen und Einzelnen situationsbezogen ausgefüllt wird. Dies ermöglicht es ihnen auch, auf Menschen anderer Kultur zuzugehen, ihre Denk- und Verhaltensweisen auszuprobieren und evtl. sogar in das eigene Verhaltensrepertoire zu integrieren.

Global Games für interkulturelles Lernen
Die hier in sechs Sprachen vorliegenden „Global Games" können solche interkulturellen Lernprozesse anregen und unterstützen, indem sie es spielerisch ermöglichen, verschiedene Perspektiven einzunehmen und als gleichwertig zu erkennen, gruppenübergreifendes Vertrauen durch Dialog und Kommunikation aufzubauen, einen rationalen Umgang mit unterschiedlichen Kulturen auszuprobieren, kulturelle von wirtschaftlichen, politischen oder religiösen Ursachen zu unterscheiden sowie Freude auf Neues und Unbekanntes zu wecken.

Die „Global Games" eignen sich für den Einsatz in Gruppen mit Jugendlichen und (jungen) Erwachsenen ab 16 Jahre. Sie sollen helfen Begegnungen und Austausch im interkulturellen Kontext vorzubereiten und zu gestalten. Dies gilt sowohl für den Weltjugendtag 2005 als auch für Gruppenbegegnungen im Rahmen der internationalen Partnerschaftsarbeit und multikulturelle Projekte am Heimatort.

Die Mehrzahl der Spiele und Übungen beruht auf einem Wechselspiel von Aktion und Reflexion, da erst der Austausch über die Eindrücke des Spieles es ermöglicht, die Unterschiede und Gemeinsamkeiten zwischen und innerhalb der beteiligten Kulturen und Gruppen zu benennen und nach ihren kulturellen, politischen oder sozialen Ursachen zu fragen. Unserer Meinung nach ist es daher für den interkulturellen Lernprozess sinnvoller, einige, gut ausgewählte Spiele und Übungen einzusetzen und diese intensiv und qualifiziert (z. B. mit Übersetzung aller Beiträge der Mitspieler) auszuwerten, als eine Vielzahl von Spielen durchzugehen, deren Lernpotenzial aber nicht genutzt wird. Außerdem heißt das, dass die hier vorliegenden „Global Games" als Arbeitsmaterial verstanden werden dürfen, das für besondere Gruppen- oder Begegnungssituationen weiterbearbeitet und fortgeschrieben werden kann.

Da das „Lernen durch Begegnungen" sich aber weder auf die Jugendlichen beschränken lässt, die anlässlich einer Begegnung Partner der eigenen Gruppe sind, noch auf die Zeit der eigentlichen Begegnung begrenzt werden kann, gilt es – anstelle solcher „interkulturellen Spielwiesen" – eine dauerhaft weltoffene Gesellschaft in Deutschland und Europa zu schaffen, die all die, mit denen wir täglich zusammen leben, mit einbezieht und deren Bürgerinnen und Bürger grenzüberschreitend aktiv sind.

In diesem Sinne wünschen wir allen Leserinnen und Lesern viel Spaß und viel Erfolg beim Einsatz der Global Games!

Die Herausgeber

Tipps für die Spielleitung in der interkulturellen Begegnung

Spielen in einer großen Gruppe bedeutet für viele das Betreten eines unbekannten Raumes. Es kann zu Stress, Ängsten und auch zu Abwehr führen. Vor allem die Befürchtung, etwas nicht zu verstehen, sich vor den anderen zu blamieren oder lächerlich zu machen, lässt viele zunächst davor zurückschrecken, bei einem Spiel von Anfang an mit Begeisterung mitzumachen. Um wie viel mehr aber sind diese Ängste in einer fremden Umgebung vorhanden, in der man mit den kulturellen Gegebenheiten wenig oder gar nicht vertraut ist?

Daher an dieser Stelle ein paar Tipps und Anregungen, wie die Spiele in der interkulturellen Begegnung initiiert und durchgeführt werden können, damit bei allen Beteiligten Interesse, Neugier und Spaß am Spiel geweckt und vorhandene Ängste und Stresssituationen minimiert werden.

1. Die (kulturell gemischte) Spielleitung wählt die einzelnen Spiele aus und bespricht sie, bevor sie in der Gruppe eingesetzt werden. Sie prüft vorher, ob das Spiel zu den Bedingungen, zum Alter und Charakter der Gruppe sowie zum Programm passt. Sie berücksichtigt ebenso die kulturellen Besonderheiten der Gruppe bei der Auswahl der Spiele.
2. Die Spielleitung hat selbst Lust das Spiel zu spielen. Nur wer selbst motiviert ist, kann andere motivieren und zudem die Gruppe durch das Spiel erfolgreich begleiten.
3. Die Zuständigkeit für ein Spiel sollte stets nur bei einer Person liegen. Die Spielregeln für ein Spiel werden von einer Person erklärt und nicht ständig durch andere ergänzt.
4. Die Spielregeln müssen eindeutig und von allen verstanden worden sein. Die Spielleitung muss sich vergewissern, dass das so ist.
5. Der Spielstart sollte schnell erfolgen, damit die Motivation nicht durch langatmige Erklärungen der Spielregeln zerstört wird. Hierzu dienen am Anfang vereinfachte Regeln, die sich auf das Notwendigste beschränken und dann im Spielverlauf ggf. komplexer werden.
6. Die Spielleitung sollte möglichst vermeiden ein Spiel mit den Worten anzukündigen: „Wir wollen mit euch jetzt ein Spiel machen ..." Das fördert nur unnötig Stress, Ängste und Abwehrverhalten in der Gruppe. Besser sollte sie sagen, was sie konkret erreichen möchte (Zweck des Spiels) und direkte Spielanweisungen geben. In manchen Fällen lassen sich Spiele auch durch eine kurz erzählte Geschichte gut einleiten.
7. Die Spielleitung sollte für Anfangssituationen Spiele auswählen, die das Vertrauen und das Miteinander in der Gruppe fördern. Sie sollte darauf achten, dass Spiele mit allzu großem Körperkontakt in der Anfangsphase vermieden werden. Sie sollte komplexe und möglicherweise konfliktträchtige Spiele in der interkulturellen Begegnung erst zu einem späteren Zeitpunkt einsetzen.
8. Die Spielleitung sollte Spiele, die der Gruppe keinen Spaß machen und die Stimmung negativ beeinflussen oder die sogar auf den erklärten Widerstand einer ganzen Gruppe treffen, beenden.
9. Die Spielleitung sollte ein Spiel ebenfalls beenden, wenn sich einzelne Personen in der Gruppe offensichtlich unwohl oder ausgegrenzt fühlen und dies ggf. zum Gegenstand einer Gruppenauswertung machen.

Introduction

Learning by meeting people

Thinking of international, inter-cultural and inter-religious encounters may make the hearts of many beat faster as they envisage vivid images of young people singing and dancing together. Though these events, from which people can take great personal gain, are important and valuable from the point of view of intercultural and political education, they have much more to offer in terms of learning opportunities. The aim of inter-cultural encounters is not only to "get to know" each other in a reserved and neutral way but it is also about *accepting others as equals* with regard to personality, culture, religious beliefs and commitment to the church and society.

Even if experiences which are incomprehensible or misunderstood are often not expressed or tacitly ignored, they still remain common elements of an intercultural encounter. It is true that in such situations people may experience disappointments, prejudices or refresh old pictures, but the confrontations particularly highlight the differences between those involved which despite the similarities continue to exist. Instead of regarding such experiences as disturbing or even wrongful they should rather serve as a reason to better understand each other, his/her home country and culture. Also, participants have the unique opportunity of being able to see whether confrontations can be resolved by mutual agreement and whether differences can be combined in a constructive way.

It is particularly during these exciting moments of an encounter that the principle of "everyone is different – everyone is equal" gains its full importance without exercising one element of the other. Ignoring the "everyone is different" part would mean denying the stranger the freedom to make independent choices and accepting only your own ways whilst refusing the "everyone is equal" element would concede that there are differences but it would also mean that the equality of different cultures which is based on the fact that all individuals are God's children would not be accepted. It was and still is the great achievement of Christianity to have helped the Gospel reach a worldwide dimension by listening very carefully to the different cultures from the very beginning in order to identify appropriate starting-points for the propagation. Even though this is not true for the whole of ecclesiastical history, this background is a particular incentive for each Christian to respect and get to know different cultures.

Four different approaches have proven themselves in practice as a way out of the dead end of images and prejudices that are frequently used as rash explanation in situations which are incomprehensible or misunderstood: a) to begin a *dialogue with another* about the reasons and sources of such misunderstanding, b) to *change perspective*, i.e. to step outside one's own point of view, to understand the reasons and opinions of others and to look at and assess one's own position through the other person's eyes c) to strengthen the ability of the participants to tolerate differences, to accept different points of view and values and to accept each other (*ambiguity tolerance*). Finally this will lead to d) an *integration of one's own elements and those of the other person* in order to come to a common action whilst taking the interests and aims of all those involved into consideration. Integration here means a process of communication representing giving and taking as well as a mutual gain for both sides. To be able to follow these four paths during an encounter requires an interplay of familiarity and foreignness allowing everyone involved to learn from each other, with each other and about each other.

This is why it is necessary to equip the participants for a rational dealing with other cultures already in the preparation phase and to make them aware of cultural differences without generating new prejudices or confirming old ones through *generalisation* and *polarisation*. For the purpose of problem analysis inter-cultural *and* political, social and economical aspects (power, outsider, money, economical, social and legal (in)equalities of participants) must be taken into consideration during the preparation and the encounter. Attention must also be paid to the possible overlapping of experiences of inequality and foreignness.

When we use the term "culture" in this book we do not refer to closed and stable systems of almost inherent, invariable and general characteristics of peoples and nations. Unlike the traditional understanding we also do not assume that cultures predetermine peoples' thinking, feeling and acting and that therefore they can only collide with other cultures (just like balls). We would instead agree with those who understand culture as a dynamic and varied phenomenon and assume that cultural behaviour can change and be learnt and that peoples and nations are culturally diverse within themselves due to differences in age, between sexes and/or regional traditions. Thus, cultures do not predetermine people's thinking, feeling and acting but provide a frame for orientation which can be filled by groups and individuals depending on the situation. This also enables them to approach people from a different culture, to try out or maybe even integrate their ways of thinking and behaving into their own behavioural habits.

Global Games for an inter-cultural way of learning
The "Global Games", available in six languages, can stimulate and support such inter-cultural processes of learning by enabling players to assume and accept as equal various perspectives, to establish confidence between groups through dialogue and communication, to try out a rational dealing with different cultures, to differentiate between economical, political or religious causes and to look forward to the new and unknown.

"Global Games" are aimed at groups of young persons and (young) adults of 16 plus. They are designed to help prepare and arrange meetings and exchanges in an intercultural context. This applies both to the International Youth day in 2005 and to group encounters within the framework of international partnership and multi-cultural projects in the home country.

The majority of games and exercises is based on an interplay of action and reflection since it is only by exchanging the impressions a game creates that it is possible to identify the differences and similarities between and within the cultures and groups involved and to try and find out their cultural, political or social causes. For the purposes of the inter-cultural learning process it therefore makes more sense in our view to use some well chosen games and exercises and to assess these intensively and in a qualified manner (e. g. translating all players' contributions) rather than to play a large number of games while not using their learning potential. This also means that these "Global Games" may be seen as work material that can be edited and continued with regard to particular group or encounter situations.

Since, however, the process of "Learning by meeting people" cannot be restricted to the young people who – on the occasion of an encounter – are the partners of one's own group nor to the duration of the encounter as such, it is necessary to create instead of such "intercultural playgrounds" permanently liberal-minded societies in Germany and Europe involving all those living together with us every day and whose citizens are active beyond the country's frontiers.

To this end, we hope all our readers have fun with and great success playing the Global Games!

The editors

Tips for moderators of inter-cultural encounters

For many people playing in a large group means entering unknown territory. This may lead to stress, fears and maybe even resistance. It is a particularly concern caused by not understanding something, disgracing or making a fool of oneself in front of others that makes many people shrink from participating in a game enthusiastically from the start. These fears are even greater when you find yourself in a strange environment where you are only little or not at all familiar with the cultural background.

We would therefore like to offer some advice and tips on how, in an inter-cultural encounter, these games may be initiated and carried out in order to arouse interest, incite curiosity and create enjoyment amongst those involved and to minimise existing fears and stressful situations.

1. The (culturally-mixed) moderators select the individual games and discuss them before they are used in the group. They examine whether the game is suited to the group's conditions, age and character as well as to the overall programme. When selecting the games they also consider the cultural characteristics of a group.

2. The moderators themselves feel like playing the game. Only a motivated person can motivate others and successfully lead the group through the game.

3. Only one person should be responsible for a game. The rules are explained by one person only without being interrupted by others.

4. The rules must be unambiguous and understood by everyone. The moderators must make sure that this is the case.

5. The game should begin quickly so that motivation is not destroyed by a lengthy explanation of the rules. For this purpose the rules applied in the beginning can be simplified and restricted to only that which is necessary; they may then become more complex in the course of the game.

6. When announcing a game, moderators should avoid expressions like: "Now we would like you to play a game." This causes unnecessary stress, fears and resistance within the group. The moderator should rather tell the group what exactly he/she wants to achieve (purpose of the game) and give direct instructions. In some cases games may be introduced by telling participants a short story.

7. At the beginning moderators should select games which increase confidence and co-operation within the group. Initially, he/she should avoid games involving too much body contact. More complex games or games that might cause conflicts within the inter-cultural encounter should only be used at a later stage.

8. The moderator should terminate games which the group does not enjoy, which adversely influence the atmosphere or which meet the outright resistance of an entire group.

9. The moderator should also terminate a game when individual group members obviously feel uneasy or excluded and possibly make this a subject of a group assessment.

Introduction

Les rencontres, une forme d'apprentissage

Tout projet de rencontres internationales, interculturelles et inter-religieuses suscite l'émotion chez plus d'un responsable et des images multicolores de groupes de jeunes dansant et chantant défilent alors intérieurement devant ses yeux. Sur le plan de la formation politique interculturelle, ces expériences personnellement enrichissantes sont certes particulièrement importantes et précieuses, mais elles apportent bien d'autres voies d'apprentissage lors de telles rencontres. Dans le cadre de rencontres interculturelles, il ne s'agit pas seulement de « faire connaissance » avec l'Autre d'une manière neutre et distancée, mais de la *reconnaissance de l'Autre comme son égal,* au niveau de sa personne, de sa culture, de ses formes d'expression religieuses et de son engagement dans l'Eglise et la société.

Même si elle ne s'exprime pas ou est passée sous silence, l'incompréhension ou la mauvaise compréhension fait partie intégrante d'une rencontre interculturelle. Il est certes vrai que ce genre de situation peut provoquer des déceptions, faire émerger des préjugés et d'anciens clichés qu'on croyait oubliés ; la confrontation permet alors de mettre en lumière rapidement surtout les différences entre les participants, ces différences qui, malgré les points communs tant célébrés, sont toujours présentes. Au lieu d'être perçues comme dérangeantes, voire même illicites, ces expériences devraient permettre de mieux comprendre « l'autre », la société dont il est issu et sa culture. De plus, les participants ont la possibilité de chercher une solution consensuelle à un conflit donné et d'intégrer ces différences ensemble et de manière constructive.

C'est justement dans le moment passionnant d'une rencontre, que le principe « tous différents, tous égaux » doit être mis en valeur et non pas seulement une partie de ce principe en en écartant l'autre. Ne pas prendre en compte le « tous différents » signifierait refuser à l'étranger la liberté de suivre son propre chemin et ne voir que sa propre voie ; d'autre part, « tous égaux » accepterait la différence mais refuserait l'égalité des diverses cultures fondée sur le fait que tous les êtres humains sont les enfants de Dieu.

Cela a été et est encore le grand apport du Christianisme que d'avoir réussi à donner au message de l'Evangile une dimension universelle en étant dès le début à l'écoute des différentes cultures, en leur trouvant des points communs permettant ensuite d'annoncer l'Evangile. Même si cela n'est pas valable pour toute l'histoire de l'Eglise, ce contexte reste une motivation particulièrement forte pour tous les chrétiens de respecter les autres cultures et de vouloir les connaître.

Afin d'échapper à la voie sans issue des clichés et des préjugés qui tiennent souvent lieu d'explications dans des situations d'incompréhension ou de mauvaise compréhension, quatre méthodes ont particulièrement fait leurs preuves dans la pratique : a) accepter un *dialogue avec l'autre* pour connaître les raisons et les causes de la mauvaise compréhension, b) changer *de perspectives*, c'est-à-dire faire l'effort de quitter sa position personnelle pour comprendre le point de vue et les motivations de l'autre, puis de considérer et d'évaluer sa position personnelle du point de vue de l'autre ainsi que c) renforcer la capacité des participants à supporter les différences, à laisser les divers points de vue et valeurs persister et les reconnaître réciproquement *(tolérance d'ambiguïté)*. Ce qui conduit finalement à d) une *intégration de soi et de l'étranger*, à la prise en considération des intérêts et des objectifs de tous les participants pour aboutir à une action commune. L'intégration sous-entend un processus de communication qui implique entre les deux parties un donner et un prendre ainsi qu'un enrichissement réciproque. Pour être en mesure de parcourir ces quatre chemins lors d'une rencontre, il est indispensable de passer du connu à l'inconnu, ce qui permet à tous les participants d'apprendre par les autres, sur les autres et avec les autres.

C'est pourquoi, déjà pendant la phase de préparation, il est conseillé de former les futurs participants à une confrontation rationnelle avec d'autres cultures et de les sensibiliser aux différences culturelles. Parallèlement à cela, il faut veiller à ne pas créer de préjugés ou à confirmer les idées reçues en généralisant et en polarisant. En outre, il est important de tenir compte, lors de l'analyse de problèmes pendant la phase de préparation tout comme pendant la rencontre, des aspects interculturels *et* politiques, sociaux, économiques (pouvoir, argent, (in)égalité économique, sociale, juridique des participants). Il faut aussi tenir compte des éventuelles expériences des participants par rapport à l'inégalité et l'étranger.

Lorsque dans ce livre, nous utilisons le mot « cultures » nous n'évoquons pas des systèmes homogènes et stables de valeurs quasiment innées, immuables et universelles de peuples et de nations. Contrairement à la compréhension commune traditionnelle, nous ne partons pas non plus du principe que les cultures fixent à l'avance la pensée, les sentiments et les actions des êtres humains et que par cela les cultures ne peuvent que se repousser les unes les autres (comme au jeu de boules). Par contre, nous approuvons ceux qui, partant d'une notion dynamique et multiple, considèrent que les comportements culturels sont appris et peuvent changer et que les peuples et les nations disposent eux-mêmes d'une variété culturelle résultant des différences d'âge, de sexe et/ou des traditions régionales. Les cultures ne déterminent donc pas la pensée, les sentiments et l'action mais proposent une sorte de cadre d'orientation qui est suivi par les groupes et les individus selon les situations. Cela leur permet également d'aller à la rencontre de personnes d'autres cultures, de se confronter à leur façon de penser et de se comporter, et éventuellement même de l'intégrer dans leur liste de comportements personnels.

« Global Games » pour un apprentissage interculturel

Les présents jeux « Global Games » sont disponibles en six langues. Ils peuvent stimuler et encourager un apprentissage interculturel en permettant de façon ludique « d'emprunter » diverses directions et de les reconnaître comme étant toutes égales, de propager la confiance à travers les groupes par le dialogue et la communication, d'essayer d'avoir des contacts rationnels avec différentes cultures, de discerner les fondements culturels des causes économiques, politiques ou religieuses et de donner envie de découvrir le nouveau et l'inconnu.

Les jeux « Global Games » s'adressent à des groupes d'adolescents et de jeunes adultes à partir de 16 ans. Ils ont pour but d'aider à préparer et à organiser des rencontres et des échanges dans un contexte interculturel. Cela concerne autant la Journée mondiale de la Jeunesse 2005 que les rencontres de groupes dans le cadre de jumelages internationaux et de projets multiculturels sur le lieu d'origine.

La majorité des jeux et des exercices repose sur une alternance d'action et de réflexion car seul l'échange des impressions éprouvées pendant le jeu permet de constater et de nommer les différences et les points communs entre les cultures et les groupes participants, puis au sein des cultures et des groupes d'en rechercher les raisons culturelles, politiques ou sociales. A notre avis, il est beaucoup plus judicieux pour l'apprentissage interculturel de bien choisir les jeux et les exercices et de les évaluer de manière intensive et qualifiante (par exemple, en traduisant tous les apports des participants) que de faire un grand nombre de jeux dont le potentiel d'apprentissage ne pourrait malheureusement pas être exploité. Cela signifie, en outre, que les jeux « Global Games » doivent être considérés comme un moyen de travail qui peut être amélioré et complété, pour des groupes ou des situations particulières.

Les rencontres, une forme d'apprentissage ne se limite pas aux jeunes gens partenaires d'un même groupe lors d'une rencontre ni au temps de la rencontre. Il est possible de les utiliser, non pas sous leur aspect de jeux interculturels mais en vue de développer l'esprit d'ouverture sur le monde dans une société allemande et européenne en faisant participer tous ceux qui partagent leur quotidien, une société dans laquelle les citoyennes et les citoyens s'engagent au-delà des frontières.

Sur ce, nous souhaitons à tous nos lectrices et lecteurs beaucoup de joie et de succès en jouant aux jeux « Global Games » !

Les éditeurs

Conseils pour l'organisation des jeux pendant la rencontre interculturelle

Jouer dans un grand groupe signifie pour beaucoup pénétrer dans un lieu inconnu. Cela peut provoquer du stress, des angoisses et aussi de la résistance. La crainte de ne pas comprendre quelque chose, de se couvrir de ridicule devant les autres ou d'être risible fait que beaucoup ont dans un premier temps peur de participer avec enthousiasme à un jeu. Ces anxiétés sont d'autant plus présentes dans un environnement étranger, dans lequel les réalités culturelles sont peu ou pas du tout connues.

C'est pourquoi, nous vous donnons ci-dessous quelques conseils et idées sur la manière d'introduire et d'exécuter ces jeux pendant la rencontre interculturelle afin d'éveiller l'intérêt, la curiosité et l'envie de jouer et de minimiser les craintes et les situations de stress chez tous les participants.

1. Le comité d'organisation des jeux (composé de cultures différentes) sélectionne les différents jeux et en discute avant de les proposer au groupe. Auparavant, il vérifie que le jeu correspond bien aux conditions, à l'âge et au caractère du groupe ainsi qu'au programme. Il tient également compte des particularités culturelles du groupe lors de cette sélection.

2. Le comité d'organisation des jeux a lui-même envie de jouer. Seule une personne motivée peut motiver d'autres personnes et les accompagner avec succès tout au long du jeu.

3. Au moins une personne devrait être déjà compétente dans un jeu. Les règles du jeu devraient être expliquées par une seule personne par jeu et cette personne ne devrait pas être sans cesse remplacée par une autre.

4. Les règles du jeu doivent être claires et comprises par tous. Le comité d'organisation des jeux doit s'assurer que tel est bien le cas.

5. Le jeu devrait commencer rapidement pour éviter que la motivation ne soit perdue suite à des explications trop exhaustives des règles. Sur ce point, des règles simplifiées qui se limitent au strict nécessaire suffisent pour commencer et peuvent devenir plus compliquées au cours du jeu.

6. Le comité d'organisation des jeux devrait éviter le plus possible d'annoncer un jeu avec les mots suivants : « Nous voulons faire un jeu avec vous. » Cela ne fait que favoriser le stress, les appréhensions et la résistance dans le groupe. Le mieux serait que vous annonciez ce que vous souhaitez atteindre concrètement (but du jeu) et donniez des instructions de jeu directes. Dans certains cas, les joueurs aiment aussi être mis en train par une histoire racontée brièvement.

7. Pour démarrer, le comité d'organisation des jeux devrait choisir des jeux qui favorisent la confiance et l'entente dans le groupe. Il devrait veiller à ce que les jeux demandant un contact corporel trop important soient évités dans la première phase du jeu. Il devrait proposer des jeux complexes et éventuellement conflictuels dans le cadre de la rencontre interculturelle à un moment plus avancé de la rencontre.

8. Le comité d'organisation des jeux devrait mettre fin à un jeu qui n'amuse pas du tout le groupe, qui a une influence négative sur l'ambiance ou qui rencontre la résistance avouée de tout un groupe.

9. Le comité d'organisation des jeux devrait également mettre fin à un jeu lorsque certaines personnes du groupe se sentent manifestement mal à l'aise ou exclues et au besoin, mentionner cette situation dans une évaluation de groupe.

Wprowadzenie

Uczenie się poprzez spotkania

Na myśl o międzynarodowych zlotach lub kulturowo – religijnych spotkaniach serce odpowiedzialnych za to ludzi bije żywiej, a przed oczyma wyobraźni obserwatorów pojawia się kolorowy obraz śpiewającej i tańczącej wspólnie młodzieży. Z punktu widzenia międzykulturowego szkolenia politycznego takie osobiście wzbogacające przeżycia są wprawdzie bardzo ważne i wartościowe, ale daleko im do tych możliwości, jakie podobne spotkania mogą stworzyć. Na spotkaniach międzynarodowych chodzi nie tylko o zdystansowane, neutralne „poznanie się", ale o *zaakceptowanie innego* w sensie jego osoby, jego kultury, jego religijnych form wyrażania i jego zaangażowania w kościele i społeczeństwie *jako równego*.

Nawet jeśli wielokrotnie nie zostało to wypowiedziane lub pominięte milczeniem, doświadczenia niezrozumienia i nieporozumienia się należą do normalnego stanu rzeczy podczas spotkań międzynarodowych. Wprawdzie może dochodzić w takich sytuacjach do rozczarowań, uprzedzeń i odnowienia znanych stereotypów, ale konfrontacje te wyjaśniają na zasadzie światła błyskowego przede wszystkim różnice pomiędzy uczestnikami, które istnieją nadal pomimo uroczystego świętowania wszystkich cech wspólnych. Zamiast uznawać te doświadczenia za destrukcyjne lub nawet niedozwolone, należałoby raczej wykorzystać je jako okazję do lepszego poznania kogoś innego oraz społeczeństwa i kultury, z których dana osoba się wywodzi. Oprócz tego uczestnicy mogą właśnie na bieżąco wypróbować możliwości rozwiązywania problemu konfrontacji w najlepszej zgodzie oraz konstruktywnego łączenia różnic w jedną całość.

Bowiem właśnie podczas napięć w czasie takiego spotkania powinna uwidocznić się zasada „wszyscy inni – wszyscy równi", natomiast nie powinno się praktykować zasady połowicznej. Lekceważenie zasady „wszyscy są inni" oznaczyłoby dla obcych pozbawienie ich wolności wyboru obranej przez siebie drogi i dopuszczenie istnienia tylko własnej specyfiki. Z kolei odrzucenie zasady „wszyscy są jednakowi" dopuszczałoby różnorodność, ale nie akceptowałoby równości różnych kultur, udowodnionej w Bożej Dziecięcości wszystkich ludzi. Największym osiągnięciem chrześcijaństwa było i jest wspomaganie działań, aby posłannictwo Ewangelii uzyskało wymiary ogólnoświatowe, że właśnie na początku wsłuchiwało się ono bardzo uważnie w różne kultury, aby znaleźć punkty styczne Zwiastowania. Nawet jeśli nie dotyczy to całej historii Kościoła, to właśnie te zakulisowe aspekty są szczególnym bodźcem dla wszystkich chrześcijan, aby szanować i poznawać wszystkie kultury.

Jako drogi wyjścia z zaułka wyobrażeń i uprzedzeń, które wyciągnięte zostały wielokrotnie w sytuacji niezrozumienia i nieporozumienia jako przedwczesne wnioski, sprawdziły się najlepiej w praktyce cztery metody: a) nawiązanie *dialogu z innym* odnośnie powodów i przyczyn nieporozumienia, b) zmiana perspektywy, tzn. próba opuszczenia własnej pozycji, zrozumienia punktu widzenia i motywów innego człowieka oraz rozpatrzenie i przeanalizowanie własnej pozycji z jego perspektywy, c) wzmocnienie zdolności uczestników na wytrzymywanie różnic, pozwolenie na to, aby istniały różne perspektywy i wartości i wzajemne uznawanie się (tolerancja ambikwitalności). Prowadzi to w końcu do d) *integracji specyfiki własnej i obcej*, w celu dojścia do wspólnego działania z uwzględnieniem interesów i celów wszystkich uczestników. Pod integracją należy rozumieć proces porozumiewania się, oznaczający dawanie i branie dla obu stron jak również obustronne wzbogacenie się. Aby kroczyć tymi czterema drogami podczas spotkania potrzebna jest zmieniające się jak w kalejdoskopie poczucie swojskości i wyobcowania, które umożliwi wszystkim uczestnikom uczenie się od siebie – razem ze sobą – ponad sobą.

Dlatego istotne jest już w czasie przygotowania, aby biorący udział nauczyli się racjonalnej dyskusji z innymi kulturami i uczulenia się na różnice kulturowe, nie nabywając poprzez *generalizowanie i polaryzowanie* nowych uprzedzeń lub utwierdzając się w starych. Oprócz tego przy analizie problemów podczas przygotowania i spotkania należy uwzględnić aspekty interkulturalne *oraz* polityczne, socjalne, gospodarcze (władza, ludzie stroniący od społeczeństwa, pieniądze), gopodarcze, socjalne, prawne nie/równości uczestników i uczestniczek. Ponadto należy zwracać uwagę na możliwe krzyżowanie się doświadczeń nierówności i obcości.

Jeśli w niniejszej książce mowa jest o „kulturach", nie należy rozumieć po tym żadnych jednolitych i stabilnych systemów cech rzekomo wrodzonych, niezmiennych i ogólnie obowiązujących wśród ludów i narodów. Nie wychodzimy także z tradycyjnego potocznego przekonania, że kultury określają w sposób trwały myślenie, czucie i postępowanie człowieka i że przez to kultury mogą się tylko od siebie (jak kule) wzajemnie odpychać. Zamiast tego przyznajemy rację tym, którzy wychodzą z dynamicznego i różnorodnego pojęcia kultury, stwierdzającego, że sposobów kulturowego zachowania można się nauczyć, że dają one się zmieniać i że ludy i narody wykazują także same w sobie pewną kulturową różnorodność, wynikającą z różnic wieku, płci i/lub z tradycji regionalnych. Kultury nie ustalają zatem w sposób trwały myślenia, czucia i postępowania człowieka, ale dostarczają tylko pewną ramę orientacyjną , wypełnioną grupowo lub jednostkowo w odniesieniu do danej sytuacji. Umożliwia im to również wychodzenie naprzeciw innym kulturom, wypróbowywanie sposobów ich myślenia i zachowania i ewentualnie włączanie ich do repertuaru własnego zachowania.

Zastosowanie Global Games do interkulturowego uczenia się

Przedstawione tu w sześciu językach „Global Games" mogą inspirować i wspierać takie procesy interkulturowego uczenia się, umożliwiając przy pomocy rozrywki przyjmowanie różnych perspektyw i uznawanie ich za równie ważne. Umożliwiają one również zdobycie zaufania wykraczającego poza ramy grupy przy pomocy dialogu i porozumiewania się, wypróbowanie racjonalnego obchodzenia się z rozmaitymi kulturami, rozróżnianie przyczyn kulturowych od gospodarczych, politycznych i religijnych oraz wzbudzania uczucia radości na rzeczy nowe i nieznane.

„Global Games" nadają się do wykorzystania w grupach młodzieżowych i dorosłych (w młodym wieku) od lat 16. Mają one pomóc przygotować i ukształtować spotkania i wymianę w kontekście międzykulturowym. Dotyczy to zarówno Międzynarodowego Zlotu Młodzieży 2005 jak i spotkań grupowych w ramach międzynarodowej współpracy partnerskiej i wielokulturowych projektów w miejscu zamieszkania.

Większość gier i ćwiczeń polega na przemiennej grze między akcją i refleksją, bowiem dopiero wymiana wrażeń na temat gry umożliwia nazwanie po imieniu różnic i cech wspólnych pomiędzy uczestniczącymi kulturami i wewnątrz nich oraz szukanie ich kulturowych, politycznych i socjalnych przyczyn. Uważamy, że dla międzykulturowego procesu uczenia się bardziej sensowne jest zastosowanie kilku dobrze dobranych gier i ćwiczeń oraz ich intensywna i dobra jakościowo analiza (np. tłumaczenie wszystkich przyczynków, wnoszonych przez współgrających) niż przechodzenie przez dużą ilość gier, których potencjał naukowy nie zostaje wykorzystany. Oprócz tego znaczy to również, że przedstawione tu „Global Games" mogą być rozumiane jako materiał roboczy, dający możliwość dalszego opracowania i wykorzystania w specyficznych sytuacjach w grupach i na spotkaniach.

Ponieważ „uczenie się podczas spotkań" nie daje się ograniczyć ani do ludzi młodych, którzy są z okazji spotkania partnerami we własnej grupie, ani do okresu trwania właściwego spotkania, ważne jest aby stworzyć – zamiast owych „łączek międzykulturowych" – społeczeństwo otwarte na świat w sposób trwały w Niemczech i w Europie, współinetgrujące wszystkich ludzi, z którymi żyjemy na co dzień i którego obywatelki i obywatele są aktywni w sposób wykraczający daleko poza granice.

W tym sensie życzymy wszystkim czytelniczkom i czytelnikom dużo radości i sukcesów podczas stosowania „Global Games" w praktyce!

Wydawcy

Wskazówki do prowadzenia gier na spotkaniach międzykulturowych

Zabawa w dużej grupie oznacza dla wielu osób wkroczenie na nieznany teren. Może to prowadzić do stresu, obaw a także i defenzywy. Przede wszystkim lęk, że czegoś się nie rozumie, że się zblamuje przed innymi albo narazi na śmieszność, odstrasza wielu od brania udziału w grze od samego początku z entuzjazmem. Lęki te występują jeszcze tym silniej w obcym otoczeniu, w którym kulturowa rzeczywistość jest mało znana albo wogóle nie jest znana.

Dlatego proponujemy tu kilka wskazówek i pomysłów, jak można inicjować i przeprowadzać spotkania sposób wzbudzający we wszystkich uczestnikach zainteresowanie, ciekawość i przyjemność podczas gier oraz zminimalizować istniejące obawy i sytuacje stresowe.

1. Zespół kierujący grą (różny kulturowo) wybiera pojedyncze gry i omawia je przed zastosowaniem w grupie. Najpierw należy sprawdzić, czy dana gra pasuje do założeń, do wieku i charakteru grupy oraz do programu. Tak samo kierujący grą muszą uwzględnić kulturową specyfikę grupy przy wyborze gier.

2. Samym kierującym grą dana gra powinna sprawia przyjemność. Tylko ten, kto sam jest umotywowany , może motywować innych i prowadzić grupę podczas gry do sukcesu.

3. Odpowiedzialna za grę powinna być zawsze tylko jedna osoba. Reguły gry wyjaśnia jedna osoba. Stałe uzupełnianie przez inne osoby należy wykluczyć.

4. Zasady gry muszą być jednoznaczne i przez wszystkich zrozumiane. Kierujący grą musi być o tym przekonany.

5. Grę należy rozpocząć szybko, aby nie zniwelować motywacji przez przydługie objaśnienia reguł gry. Do tego celu służą na początku uproszczone reguły, ograniczające się do rzeczy niezbędnych i które podczas przebiegu gry mogą zostać ewentualnie poszerzone w sposób komleksowy.

6. Kierujący grą powinien unikać rozpoczęcia gry sformułowaniem; „teraz chcemy zrobić z wami grę ...". Wytwarza to stres, lęki i wzbudza reakcje oporne w grupie. Lepiej jest powiedzieć, co się chce osiągnąć (cel gry) i podać reguły gry. W niektórych wypadkach gra daje się dobrze wprowadzić przez opowiedzenie jakiejś historii.

7. Kierujący grami powinni wybierać w fazie początkowej gry, przyśpieszające poczucie zaufania i zespołowości w grupie. Powinni zwrócić uwagę na to, aby unikać w fazie początkowej gier, podczas których dochodzi do zbyt wielu kontaktów fizycznych. Gry kompleksowe i być może konfliktowe należy stosować przy międzykulturowych spotkaniach możliwie jak najpóźniej.

8. Kierujący grą powinien zakończyć grę, jeśli nie sprawia ona grupie żadnej przyjemności, jeśli wpływa ona negatywnie na nastrój grupy, a nawet napotyka na zrozumiały opór całej grupy.

9. Kierujący grą powinien zakończyć ją również wtedy, kiedy poszczególni uczestnicy czują się w widoczny sposób w grupie niedobrze, albo czują, że są z niej wykluczeni i tematyzują to podczas analizy grupowej w czasie gry.

Introduzione

Incontrarsi per imparare

All'idea di incontri internazionali, o interculturali ed interreligiosi il cuore di molti addetti ai lavori batte pi¡ù forte e agli occhi interiori di chi osserva affiorano immagini pittoresche di giovani che cantano e ballano insieme. Dal punto di vista di una formazione politica interculturale queste esperienze di arricchimento personali sono senz'altro importanti e preziose ma le possibilità di apprendimento offerte da incontri di questo tipo non si esauriscono certo qui. Gli incontri interculturali non sono solo un'occasione di conoscenza distante e neutrale dell'altro, bensì un *riconoscimento dell'altro* come persona, della sua cultura, delle sue forme di espressione religiosa e del suo impegno nella chiesa e nella società *a livello paritario*.

Anche se per molti versi non espresse o passate sotto silenzio, incomprensioni od equivoci sono componenti normali di un incontro interculturale. E per l'appunto queste situazioni possono provocare delusioni, pregiudizi e far riaffiorare vecchie immagini, ma il confronto illumina a mo' di fulmine soprattutto le differenze che sempre si rivelano ogni volta che si celebra qualcosa di comune. Invece di considerare queste esperienze un fattore di disturbo o addirittura qualcosa di vietato, esse vanno piuttosto viste come occasioni per meglio comprendere l'altro, la sua società di provenienza e la sua cultura. Non solo: gli interessati potrebbero adesso provare a risolvere di comune accordo ciò che li oppone e ad unire le differenze in maniera costruttiva.

Perchè proprio nell'avvincente momento di un incontro deve valere il principio «tutti diversi – tutti uguali» e non gestirlo separatamente come fosse un principio parziale. Non riconoscere il «tutti diversi» negherebbe allo straniero la libertà di intraprendere una via sua e riconfermerebbe solo la propria, mentre rifiutare il «tutti uguali» ammetterebbe sì la diversità, ma non l'uguaglianza delle diverse culture degli uomini in quanto figli di Dio. La grande realizzazione del Cristianesimo è stata ed è aver contribuito a dare al messaggio evangelico dimensione universale ascoltando fin dall'inizio con grande attenzione le diverse culture per trovare validi punti di aggancio utili alla rivelazione. Anche se ciò non vale per tutta la storia della chiesa, questo motivo di fondo è comunque un incitamento particolare per tutti i cristiani a rispettare e conoscere altre culture.

Per uscire dal vicolo cieco delle idee e dei preconcetti variamente usati per liquidare con spiegazioni affrettate incomprensioni od equivoci, nella pratica si sono dimostrati vincenti soprattutto quatto sistemi: a) *dialogare con l'altro* su origini e cause dell'incomprensione, b) *cambiare prospettiva*, cioè tentare di abbandondare la propria posizione e capire il punto di vista e le motivazioni dell'altro, considerando e valutando a partire da esso la propria posizione, c) rafforzare la capacità di tollerare le differenze, di accettare l'esistenza di diversi punti di vista e riconoscerli vicendevolmente (*tolleranza dell'ambiguitf*). Questo porta alla fine a d) un'*integrazione di sé e dell'altro*, in vista di un agire comune che tenga conto degl'interessi e degli obiettivi di tutti i coinvolti. L'integrazione diventa allora un processo comunicativo che significa per entrambe le parti un dare e avere ed un reciproco arricchimento. Per poter implementare queste quattro vie negli incontri occorre realizzare uno scambio di familiarità ed estraneità, che consenta a tutti gli interessati di apprendere vicendevol-mente, insieme e gli uni grazie agli altri.

Per questo è bene già nella fase preparatoria predisporre i partecipanti a un confronto razionale con altre culture e sensibilizzarli alle differenze culturali, evitando però *generalizzazioni* e *polarizzazioni* che creerebbero nuovi pregiudizi o ne confermerebbero di vecchi. Inoltre l'analisi delle problematiche sia nella fase preparatorie sia durante gli incontri veri e propri deve considerare aspetti interculturali e politici, sociali, economici (potere, outsider, denaro, (dis)uguaglianze economiche, sociali, giuridiche dei/delle partecipanti), nonché eventuali limitazioni derivanti da vissuti di differenza ed estraneità.

Laddove in questo libro si parla di «culture», non s'intendono con questo termine sistemi unitari e stabili di caratteristiche per cosl dire innate, immutabili ed universalmente valide per popoli e nazioni. Né – come invece fa tradizionalmente l'opinione comune – partiamo dal presupposto che le culture predeterminino invariabilmente il sentire e l'agire degli uomini e quindi solo una cultura possa scalzarne un'altra (come fossero delle palline). Concordiamo invece con chi concepisce la cultura come un processo dinamico e multiforme in base al quale i comportamenti culturali si apprendono e si possono modificare e popoli e nazioni presentano anche una multiformità intrinseca rappresentata da differenze di età, di sesso e/o di tradizioni regionali. Dunque le culture non determinano il pensare, il sentire e l'agire, bensl forniscono una cornice di orientamento che viene riempita dai gruppi e dai singoli in base alle varie situazioni. Questo consente anche di avvicinarsi a uomini di altre culture, provare i loro comportamenti e magari addirittura integrarli nei propri.

«Global Games» per l'apprendimento interculturale

I «Global Games» (giochi globali) disponibili qui in sei lingue possono stimolare e coadiuvare questi processi di apprendimento interculturali, consentendo di assorbire sotto forma di gioco diverse prospettive riconoscendone la pari validità, creando col dialogo e la comunicazione una fiducia «contagiosa» per tutto il gruppo, sperimentando un approccio razionale a culture diverse, distinguendo le cause culturali da quelle economiche, politiche o religiose e stimolando la gioia per ciò che è nuovo e sconosciuto.

I «Global Games» sono adatti per gruppi di giovani e (giovani) adulti dai 16 anni in su e vogliono essere un ausilio nella preparazione di incontri e scambi nel contesto interculturale. Questo vale sia per la Giornata Mondiale della Gioventù del 2005 sia per incontri di gruppo nel quadro della cooperazione internazionale e per progetti culturali nel proprio paese.

La maggior parte dei giochi e degli esercizi si basa su uno scambio di azione e riflessione, perché è innanzitutto proprio lo scambio delle impressioni suscitate dal gioco che permette di evidenziare differenze e comunanze fra e in seno alle culture e gruppi interessati e d'indagarne le cause culturali, politiche o sociali. Noi riteniamo pertanto che sia meglio – ai fini del processo di apprendimento interculturale – ricorrere ad alcuni giochi ed esercizi ben selezionati, utilizzandoli intensamente e produttivamente (p. es. traducendo gli interventi di tutti i partecipanti), piuttosto che fare una miriade di giochi senza però sfruttarne il potenziale di apprendimento. Inoltre questi «Global Games» devono essere intesi come materiale di lavoro suscettibile di ulteriore elaborazione e miglioramento per specifiche situazioni di gruppo o di incontro.

Dato che però «Incontrarsi per imparare» non si può limitare né ai giovani che in occasione di un incontro facciano parte del proprio gruppo né al momento dell'incontro stesso, occorre creare – invece di questi parchi-gioco interculturali – una società tedesca ed europea costantemente aperta al resto del mondo, che comprenda tutti quelli con cui ogni giorno viviamo e i cui cittadini e cittadine profondano un impegno che travalichi le frontiere.

In questo senso auguriamo a lettori e lettrici di divertirsi e di riscuotere grande successo con i Global Games!

Gli editori

Consigli per chi dirige il gioco negli incontri interculturali

Per molte persone giocare in un grande gruppo significa entrare in una dimensione sconosciuta. Questo può provocare stress, paure e anche un rifiuto. Specialmente il timore di non capire tutto, di fare brutte figure o rendersi ridicoli davanti agli altri, induce molti a ritrarsi spaventati invece di partecipare al gioco fin dall'inizio con entusiasmo. Tanto più queste paure sono presenti in un ambiente sconosciuto, col cui contesto culturale si ha una scarsa o nessuna familiarità.

Ecco perché forniamo in questa sede alcuni consigli e suggerimenti su come avviare e condurre i giochi nell'incontro interculturale, onde suscitare in tutti partecipanti interesse, curiosità e divertimento per il gioco e minimizzare eventuali paure e condizioni di stress.

1. I responsabili (culturalmente misti) scelgono i singoli giochi e li illustrano prima di farli fare al gruppo, sincerandosi che essi siano adeguati alle condizioni, età e carattere del gruppo e al programma e considerando nella loro scelta anche le particolarità culturali del gruppo.
2. Essi stessi si divertiranno a fare il gioco. Solo chi è motivato in prima persona può motivare gli altri e seguirli positivamente nell'effettuazione del gioco.
3. Responsabile di un gioco dev'essere sempre una sola persona, che ne spiega le regole senza che in esse intervengano costantemente altri.
4. Tutti devono capire chiaramente le regole del gioco e chi dirige avrà cura di assicurarsi che sia cosl.
5. Il gioco va iniziato velocemente, onde evitare che la motivazione venga vanificata da lunghe e pesanti spiegazioni. A questo scopo sarà utile fissare sin dall' inizio regole semplici che si limitino allo stretto indispensabile e che diventino poi eventualmente più complesse nel corso del gioco.
6. Chi dirige il gioco deve evitare per quanto possibile di annunciarlo con parole tipo: «Adesso faremo con voi un gioco ...», che servono solo a favorire inutilmente stress, paure e rifiuti da parte del gruppo. Meglio dire che cosa in concreto si intende ottenere (scopo del gioco) e fornire istruzioni in merito. In alcuni casi una breve storiella fungerà da ottima presentazione.
7. I responsabili sceglieranno per le fasi iniziali giochi che stimolino la fiducia e la collaborazione del gruppo, evitando per il momento quelli che comportino un contatto fisico eccessivo e lasciando per un momento successivo quelli complessi e suscettibili di generare conflittualità.
8. I responsabili interromperanno giochi che non divertano il gruppo e che influenzino negativamente l'atmosfera o che addirittura incontrino la palese resistenza di tutto un gruppo.
9. Lo stesso va fatto per quei giochi che causino nei singoli evidente disagio o senso di emarginazione; tali giochi potranno eventualmente diventare oggetto di un lavoro di gruppo.

Giriş

Karşılaşıp buluşmalarla bilgi edinme

Enternasyonal karşılaşmalar veyahut enterkültürel ve enterdinsel görüşmeler hakkındaki düşüncelerde, birçok sorumlu kişilerin kalpleri heyecanla çarpar, izleyicinin gözlerinin içinde, hep birlikte şarkı söyleyip dans eden gençlerin resimleri canlanır. Enterkültürel siyasi bilgiler bakışından bu buluşmalar şahsi tecrübeleri artıran değerli ve önemli bilgilerdir fakat böyle bir karşılaşmanın birçok daha fazla bilgiler öğrenmeye yararları mevcuttur. Enterkültürel buluşmalar sadece biriyle uzaktan alelade normal bir «tanışıp görüşme» demek değil bilhassa onun şahsına, kültürüne, dinî ifade ve beyan tarzına ve onun kilisede ve toplumda gösterdiği angajman'a *eşit değer vermesi* demektir.

Eğer çok kez hakkında konuşulmazsa ve ses çıkarmadan sukutla geçirilse dahi, enterkültürel bir karşılaşmanın anlaşamama veyahut yanlış anlaşma tecrübeleri normal unsurlarıdır. Böyle bir karşılaşma durumunda hayal kırıklığına uğranabilir, önyargıya sahip olunabilir ve eski durumlar gözönüne getirilebilse dahi, bu yüzleşme iştirak edenlerin her şeyden önce aralarındaki farklılığı şimşek gibi aydınlatır, bu zaten bütün müşterek eğlencelerde de mevcutur. Bu tecrübeleri rahatsız edici, hatta yasak olarak görmektense bunu bilhassa diğerinin geldiği memleketin toplumunu ve kültürünü daha iyi anlamaya yarayan bir fırsat olarak görmelidir. Bundan hariç, iştirak edenler için yüzleşmeleri mutabık kalarak çözmeye ve farklılığı konstrüktif birbirine bağlamaya tam bu şimdi bir fırsattır.

Karşılaşmanın tam bu ilginç devrinde, «herkes değişik – herkes aynı» prensibi kuvvetlenmemeli ve bir kısım prensip diğer kısım prensipsiz tatbik edilmemeli. «Herkes değişik» prensibine riayet edilmezse, yabancıya kendi çizdiği yolun özgürlüğüne mani olunurdu ve sadece diğerlerinin kişiliği bırakılırdı. «Herkes aynı» prensibini reddetme farklılığı kabul ederdi fakat Allahın kulu olmadaki çeşitli kültürlerin eşitliğini kabulletmezdi. İncili ilân etmeye iyi başlangıç noktaları bulmak için Hıristiyanlığın doğuşunda çeşitli kültürleri tam dikkatı nazara alarak İncilin anlamını bütün dünyada yaymak Hıristiyanlığın en büyük başarısı idi ve başarısıdır. Eğer bu bütün kilise tarihi için geçerli değilse dahi, bunun arkasındaki sebep, Hıristiyanlara diğer kültürlere saygı gösterip bunları tanımaya önemli bir teşvikdir.

Anlaşamama veyahut yanlış anlama durumunda düşüncesiz sebep olarak kullanılan tahayyüllerin ve önyargıların çıkmazından kurtuluş bulmak için dört metottan yararlanılmıştır: a) yanlış anlamanın vesilesi ve sebebi ile ilgili *başkasıyla bir dialoga* girmek, b) *perspektif değiştirmesi*, yani kendi posisyonundan vazgeçmeyi denemek, başkasının görüşünü ve nedenini anlayabilmek ve kendi posisyonunu onun bakışıyle izleyip değerlendirmek, c) iştirak edenlerin farklılığa dayanabilme, çeşitli görüş ve meziyetlere dokunmama ve karşılıklı saygı gösterme kabiliyetini kuvvetlendirme (*çelişmeye hoşgörü*). Bu nihayet d) *kendisin ve başkasının entegrasyonuna* ulaştırır, böylece iştirak edenlerin ilgilerini ve hedeflerini gözönüne alarak müşterek işlemeye varılır. Entegrasyon burada her iki taraf için vererek ve alarak karşılıklı kazanç getiren komünikasyon gidişatı demektir. Karşılaşmada bu dört metodu kullanmak için iştirak edenlere birbirinden, birbiriyle ve birbiri vasıtasıyle öğrenmeyi mümkün kılan memleketleşme ve yabancılaşma mübadeleli oyununu gerektirir.

Bu yüzden hazırlık sırasında iştirak edenleri, *gennelleştirme* ve *kutuplaştırma* vasıtasıyle yeni önyargı yaratmadan, önceki önyargıyı teyit etmeden başka kültüre anlayışlı bir davranışa hazırlayıp vasıflandırmalı ve aradaki kültürel farkı hassaslaştırmalıdır. Ayrıyeten hazırlıkta ve karşılaşmada problem incelemesinde enterkültürel *ve* siyasi, sosyal, ekonomi yönünü (hüküm, dışlanılanlar, para, iştirak edenlerin iktisadi durumu, sosyal ve yasal eşit(siz)lik) dikkati nazara almak gerekir. Buna ilaveten eşitsizlik tecrübeleriyle yabancılık tecrübeleri arasında bağlantılara dikkat edilmeli.

Eğer bu kitapta «kültür» den bahsediliyorsa, biz bunu söylemekle, ulus ve milletlerin anadan doğma, değişmeyen ve genel geçerli özelliğinden birlik ve sağ-' lam sistemlerini kastetmiyoruz. Ayrıyeten, kültürler, insanların düşündüğünü, hissettiğini ve tutumunu öngördüğüne ve onun için kültürlerin başka kültürden sadece birbirini (top gibi) ittiklerini, ananevi anlayışa karşı olduğunu, kabul etmiyoruz. Buna rağmen gürel ve çeşitli kültür kavramına destek verenlerin fikrini kabul ediyoruz. Kültür kavramına göre: Kültür, tutumun öğrenilebilineceği ve bu tutumun değiştirilebileceği mümkündür ve ulus ve milletlerin içinde yaş, cinsiyet ve/veyahut adetlerden farklılıklardan oluşan birçok kültürel çeşitliliktir. Kültürler insanların düşüncesini, hissini ve davranışlarını şart koşmaz, bunlar bilhassa gruplar ve kişiler tarafından duruma göre tatbik edilen yönlenme çerçevesidir. Bu başka kültürel kişilerle ilişkiler kurmayı, onların düşüncelerini ve davranışlarını denemeyi ve hatta kendi repertuvarına almayı mümkün kılar.

Enterkültürel öğrenmede Global Games

Oynarken değişik perspektiften bakmayı ve bunları eşit görmeyi, dialog ve komünikasyonla grubun sınırını aşan güven sağlamayı, çeşitli kültürlerle akıllıca davranışı denemeyi, kültürel nedenleri ekonomik, siyasi ve Dinî nedenlerden ayırt etmeyi, ve bilinen ve bilinmeyenlere karşı merak uyandırmayı mümkün kılarak, burada altı dilde yazılmış «Global Games» enterkültürel karşılaşmalarda öğrenmelere yön ve destek verir.

«Global Games» gençler ve genç yetişkinler gruplarına (16 yaşından itibaren) uygundur. Bunlar enterkültürel karşılaşma ve dialogları hazırlamaya ve tatbik etmeye yarar. Bu hem «Dünya Gençler Günü 2005», hem de enternasyonal eşli çalışmalar ve kendi kentinde mültikültürel projeler için geçerlidir.

Ancak oyunun bıraktığı intiba hakkında dialog, iştirak eden gruplar arasında ve içinde fark ve ortak yönlerini belirtmeyi ve bunların kültürel, siyasi ve sosyal nedenlerini sormayı mümkün kıldığı için, oyunların çoğu faaliyetin ve yansımanın nöbetleşmesine dayanır. Bu yüzden, bizim görüşümüze göre enterkültürel öğrenmeler için birkaç iyice seçilmiş oyun ve alıştırmaları kullanmak ve bunları dikkatle ve profesyonel bir şekilde (örneğin: iştirak edenlerin her katkısının tercümesi ile) değerlendirmek, çok oyun oynamaktan ve bunların öğrenme imkânlarından yararlanmamaktan daha faydalıdır. Ayrıyeten, buradaki sunulan «Global Games», özel grup ve karşılaşmalar için işlenebilinen malzeme olarak anlaşılabilir.

«Karşılaşmalardan öğrenme» sırf karşılaşmada grupta eş olan gençlerle ve esas karşılaşmanın süresi ile iktifa edilmediği için şöyle «enterkültürel oyun sahası» yerine Almanya'da ve Avrupa'da sürekli dünyaya açık ve her gün beraber yaşadığımız kişileri içine alan, nüfusu sınırları aşarak faal olan toplum yaratmak gerekir.

Böylece «Global Games» uygulamasında bütün okuyucularımıza zevk ve başarılar dileriz!

Editörler

Enterkültürel karşılaşmalarda oyun idareciliğine olan tavsiyeler

Bir çok kişilere büyük bir grupta oynamak tanımadığı yabancı bir yere girmek gibi gelir.

Böyle bir durum stres, korku ve mukavemet göstermeye yol açabilir. Birşey anlıyamıyorum, başkalarının önünde mahcup veyahut gülünç düşeceğim korkusu, birçok kişileri, bir oyuna baştan sona kadar katılıp hayranlıkla oynamaktansa ürkütür. Bu yabancı kültürel bir ortamda birinin bu yöre hakkında bilgisi olmadığı veyahut az bilgisi olanlarlar için böyle korkular çok daha fazla olabilir. Bundan dolayı tam bu konu ile ilgili enterkültürel karşılaşmalarda oyuna katılan herkese ilgi, merak, ve oyundan zevk alma duygusu uyandırmak ve mevcut olan korkuları stres durumunu azaltmak için aşağıdaki tavsiye ve fikirler verilir.

1. Oyun yönetmenliği (kültürel karışık kişiler) oyun grupta uygulanmadan önce bunu seçip üzerinde konuşma yapar. Önceden yönetmenlik bu oyun, şartlara, grubun yaşına, karekterine ve programa uygun mu diye inceler. Oyunu seçerken grubun kültürel özelliklerini de gözönüne alır.
2. Oyun yönetmenliğinin kendileri de oyun oynamaya heveslenirler. Sadece hevesle oyuna başlıyan biri başkalarını da heveslendirebilir, aynı zamanda iştirak edenlere başarılı bir şekilde oyun boyunca refakatte bulunur.
3. Bir oyunda sorumluluk devamlı tek bir kişide olmalı. Bir oyun için oyunun kaidesi bir kişi tarafından izah edilir ve devamlı başkası tarafından tamamlanmaz.
4. Oyunun kaidesi herkes tarafından tam manasıyla anlaşılmış olması gerekir. Oyun yönetmenliği herkesin bunu anladığından emin olması gerekir.
5. Oyun kaidelerinin sıkıcı izahı ile, iştirak edenlerin heves ve istekleri kırılmasın diye oyunun çabucak başlaması gerekir. Bunun için oyuna başlarken oyunda mutlaka bilinmesi gereken basit kaidelerle girilir ve icap ederse oyun ilerledikçe ayrıntılarına değinilir.
6. Oyun yönetmenliği «Sizinle şimdi bir oyun oynamak istiyoruz ...» diyerek söze başlamaktan mümkün olduğu kadar sakınması gerekir. Bu durum sadece stres, korku ve grup içinde direnişe yol açabilir. Oyun idarecisinin doğrudan doğruya tam olarak neye ulaşmak istediğini (oyunun amacı) ve doğrudan doğruya oyunun yönergelerini belirtmesi gerekir. Bazı durumlarda giriş için kısa bir hikaye anlatmak ta uygun olur.
7. Oyun İdarecileri oyuna başlarken grup içinde güven sağlayıp birliği geliştirecek oyunu seçmesi gerekir. Başlangıç safhasında yönetmenliğin oyuncular arasında vücutaça fazla temas kurmaktan sakınılmasına dikkat etmesi gerekir. Oyun idarecileri enterkültürel karşılaşmalarda karışık veyahut ihtilaf çıkarabilecek oyunları daha sonraki safhaya bırakması gerekir.
8. Oyun idarecileri gruba zevk vermeyen, bunların duygularını negatif etkiliyen ve hatta sözkonusu olan bütün gruba etki edebilen direniş durumlarında oyuna son vermelidir.
9. Oyun idarecilerinin oyunada, şayet gruptan bazıları kendilerini apaçık iyi hissetmezler ve dışlanmış gibi görürlerse oyunu durdurmaları gerekir ve icap ederse bunu bir grup değerlendirmesinde bir konu yapmaları gerekir.

Global games

70 Spiele und Übungen
für interkulturelle Begegnungen

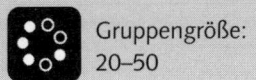
Spirale

Deutsch

Thema: Kennenlernen

Die TN bilden eine lange Kette, die abwechselnd Personen aus unterschiedlichen Kulturen bilden. Ein Ende der Kette bleibt in der Raummitte stehen und darf sich von dort nicht wegbewegen. Die anderen laufen, ohne sich loszulassen, um dieses Ende herum. Langsam wickelt sich die Schlange um das Zentrum, bis sie ganz aufgewickelt ist. Schließlich beginnt die Person in der Mitte den Kreis unter den Armen der anderen TN hindurch zu verlassen, ohne die Hand der nächsten Person loszulassen. Diese folgt dann unmittelbar. Es wird versucht, die Kette zu entwirren.

English

Spiral
Number of participants: 20–50 • Duration: 20 minutes
Material: none • Subject: Getting to know each other

Participants form a long chain, in which every other person is from a different culture. The person at one end of the chain stands in the middle of the room and remains there. The others move around that end of the chain without letting go of each other. Slowly the chain winds its way around the centre until it is completely rolled up. Finally, the person standing in the centre starts leaving the circle by passing under the arms of the other participants without letting go of the hand of the person next to him/her. This person immediately follows the first person. They try to disentangle the chain.

Français

La spirale
Nombre de participants : 20–50 • Durée : 20 minutes • Matériel : aucun
Thème : faire connaissance

Les participants forment une longue chaîne dans laquelle les personnes de diverses cultures se placent en alternance l'une à côté de l'autre. Une extrémité de la chaîne reste dans le milieu de la pièce et ne doit pas en bouger. Les autres se mettent à courir en se tenant par la main autour de cette extrémité. Peu à peu, le serpent s'enroule autour du centre jusqu'au dernier « maillon ». Finalement, la personne au centre essaie de sortir du cercle en passant sous les bras des autres participants et sans lâcher la main de la personne suivante. Celle-ci suit automatiquement. Le but est de dérouler la chaîne.

Spirala
Ilość uczestników: 20 do 50 osób • Czas trwania: 20 minut • Materiał: niepotrzebny
Temat: poznanie się

Osoby z różnych krajów/kręgów kulturowych ustawiają się na na przemian tworząc długi korowód. Koniec korowodu znajduje się jako centrum pośrodku sali i nie wolno mu się stamtąd ruszyć. Pozostali uczestnicy biegną trzymając się za ręce wokół centrum. Powoli tworzy się wokół centrum wąż uczestników, który całkiem się zawija. Na koniec osoba znajdująca się w środku próbuje opuścić koło przechodząc pod rękami innych uczestników, nie puszczając ręki sąsiada. Ten z kolei podąża bezpośrednio za nią. Grający próbują rozplątać spiralę.

La spirale
Numero di partecipanti: 20–50 • Tempo: 20 minuti • Occorrente: nulla
Argomento: apprendere

I partecipanti formano una lunga catena, composta alternatamente da persone di diversa cultura. Un'estremità di questa catena rimane al centro della stanza e non si può muovere. Gli altri, senza staccarsi, vi camminano intorno. Lentamente la fila si avvolge intorno al centro finchè vi siè avvolta completamente. Poi la persona che sta al centro inizia a uscire dal cerchio passando sotto le braccia degli altri partecipanti senza lasciare la mano della persona dopo, che lo seguirà a ruota. Bisogna cercare di sbrogliare la catena.

Spiral
Grubu oluşturanların sayısı: 20–50 • Süre: 20 dakika • Malzeme: Gerekmez
Konu: Tanışma

Oyuna iştirak eden değişik kültürel yörelerden gelen kişiler sıra ile nöbetleşe ard arda ayakta durarak uzun bir dizi oluştururlar. Dizinin bir ucu sahanın ortasında durmalı ve oradan başka hiç bir yere kımıldamamalı. Diğerleri birbirlerini bırakmadan bu ucun çevresinde dönmeli. Dizi yavaş yavaş merkezi tamamen çembere alana kadar sarımlanır. Nihayet ortadaki kişi diğer oyuncunun elini bırakmadan diğer oyuncuların koltuğunun altından geçerek çemberi terk etmeye çalışır. Elini tuttuğu kişi onu takip eder. Dizinin çözülmesine çalışılır.

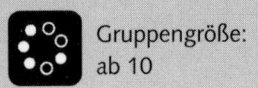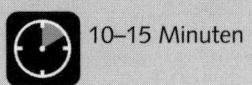
Sitzschlange

Deutsch

Thema: Kennenlernen

Die TN bilden einen Kreis, in dem abwechselnd Personen aus unterschiedlichen Kulturen stehen. Dann dreht sich jede Person nach rechts. Alle rücken schrittweise nach innen zusammen und achten darauf, dass die Abstände zur vorderen Person gleichmäßig sind. Alle versuchen nun den engen Kontakt zu halten.

Nachdem langsam bis drei gezählt wurde, versucht die ganze Gruppe sich jeweils auf den Schoß der hinteren Person zu setzen. Dabei sollte versucht werden, die „Sitzschlange" zu halten.

Variante: Die Gruppe versucht sich im Uhrzeigersinn Schritt für Schritt fortzubewegen.

English

Seated Snake
Number of participants: 10 plus • Duration: 10–15 minutes
Material: none • Subject: Getting to know each other

Participants form a circle, in which every other person is from a different culture. Then, each person turns to the right. All participants move inwards step by step making sure the distance between them and the person in front remains the same. Each participant now tries to establich close contact.

After counting slowly to three everybody tries to sit down on the lap of the person behind them trying to create the "seated snake".

Variation: The group tries to move clockwise step by step.

Français

Le serpent assis
Nombre de participants : minimum 10 • Durée : 10–15 minutes • Matériel : aucun
Thème : faire connaissance

Les participants forment un cercle dans lequel les personnes de diverses cultures se placent en alternance l'une à côté de l'autre. Puis, chacun se tourne vers la droite. Pas à pas, tous se rapprochent les uns des autres en faisant attention de bien respecter l'écart avec la personne qui les précède, tout en cherchant à garder un contact étroit. Après avoir compté lentement jusqu'à trois, chacun essaie de s'asseoir sur les genoux de la personne placée derrière lui. Le but est de garder le « serpent assis ».

Variante : Le groupe essaie de se déplacer pas à pas dans le sens des aiguilles d'une montre.

Wąż na siedząco
Ilość uczestników: powyżej 10 osób • Czas trwania: 10 do 15 minut
Materiał: niepotrzebny • Temat: poznanie się

Uczestnicy pochodzący z różnych krajów ustawiają się na przemian tworząc koło.
Każdy obraca się w prawą stronę i posuwa się do przodu krocząc tak, aby zachować tę samą odległość od osoby idącej przed sobą. Ten ścisły kontakt należy starać się zachować. Na komendę „raz, dwa, trzy" każdy u uczestników próbuje usiąść na kolanach osoby znajdującej się za nim. Należy starać się utrzymać tego „węża na siedząco".

Inny wariant: grupa posuwa się krok za krokiem zgodnie z ruchem wskazówek zegara.

La fila da seduti
Numero di partecipanti: da 10 in su • Tempo: 10–15 minuti • Occorrente: nulla
Argomento: apprendere

I partecipanti formano un cerchio composto alternatamente da persone di diversa cultura. Poi tutti si girano a destra, convergendo gradualmente verso l'interno e mantenendo la stessa distanza rispetto a chi sta davanti. Poi tutti cercano di rimanere strettamente attaccati. Dopo aver contato lentamente fino a tre, tutto il gruppo cerca di sedersi in grembo a chi sta dietro senza disfare la «fila seduta».

Variante: Il gruppo cerca di avanzare gradualmente in senso orario.

Ard arda oturularak oluşan dizi
Grubu oluşturanların sayısı: 10 kişiden itibaren • Süre: 10–15 dakika
Malzeme: Gerekmez • Konu: Tanışma

Oyuna iştirak eden kişiler, sıra ile bir ülkeden gelen biri onun arkasından diğer ülkeden gelen biri ard arda dizilerek daire oluştururlar, daha sonra herkes sağa döner. Hep birlikte adım adım içe doğru gidilir, aynı zamanda öndeki kişi ile aradaki mesafenin aynı kalmasına dikkat edilir. Böylece herkes iyice birbirine yaklaşık kalmaya çabalar. Yavaş yavaş üçe kadar sayıldıktan sonra bütün grup teker teker arkasında bulunan kişinin kucağına oturmaya uğraşır. Bu arada «Ard arda oturarak oluşan dizi» nin bozulmamasına dikkat edilir.

Değişik şekli: Grup adım adım sağa doğru hareket etmeye çalışır.

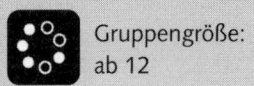 
Programmierer

Deutsch

Thema: Kennenlernen

Jeweils drei TN aus unterschiedlichen Kulturen bilden eine Gruppe. Eine Person in jeder Gruppe ist der Programmierer, die beiden anderen sind seine Roboter. Die Roboter beginnen auf sein Kommando in die Richtung zu laufen, in die ihr Kopf gerichtet ist. Die Ausgangsposition der beiden Roboter ist Rücken an Rücken. Der Programmierer kann durch Drehen des Kopfes der Roboter nach links oder rechts ihre Marschrichtung ändern. Gibt es keinen Befehl, bedeutet dies, immer geradeaus zu gehen. Versperren sich zwei Roboter gegenseitig den Weg oder gelangen sie an eine Wand, einen Stuhl oder Tisch, bleiben sie stehen, behalten aber ihren Bewegungsrhythmus bei, bis der Programmierer die Richtung ändert. Sein Ziel ist es, zu erreichen, dass sich die beiden Roboter gegenseitig in die Arme laufen. In der Gruppe sollen die Rollen getauscht werden, sodass jeder einmal Programmierer gewesen ist.

English

Programmer
Number of participants: 12 plus • Duration: 30 minutes
Material: none • Subject: Getting to know each other

Three participants each from different cultures form one group. Each group consists of one programmer and his two robots. On the programmer's command the robots start to run in the direction they are facing. The robots start by standing back to back. By turning the robots' heads to the left or to the right, the programmer can make them change direction. When no command is given, the robots will go straight ahead. If two robots block each other's way or if they reach a wall, a chair or a table they stop but maintain the rhythm of movement until the programmer makes them change direction. The programmer's aim is to make the robots move towards each other. Roles within the group should be reversed so that each person has a turn at being the programmer.

Le programmeur
Nombre de participants : minimum 12 • Durée : 30 minutes • Matériel : aucun
Thème : faire connaissance

Trois participants de cultures différentes forment un groupe. Une personne du groupe est le programmeur et les deux autres sont ses robots. Sur son ordre, les robots se mettent à courir dans la direction où ils regardent. Au départ, les deux robots sont placés dos à dos. En tournant la tête des robots à droite ou à gauche, le programmeur peut changer la direction dans laquelle les robots se déplacent. Tant qu'aucun autre ordre n'est donné, cela signifie « toujours tout droit ». Si deux robots se barrent mutuellement le chemin ou s'ils arrivent devant un mur, une chaise ou une table, ils restent sur place tout en continuant leurs mouvements jusqu'à ce que leur programmeur change leur direction. Le but du programmeur est d'arriver à ce que ses deux robots tombent dans les bras l'un de l'autre. Changer les rôles au sein du groupe, de façon à ce que chacun joue le rôle de programmeur.

Programista
Ilość uczestników: powyżej 12 osób • Czas trwania: 30 minut • Materiał: niepotrzebny
Temat: poznanie się

Uczestnicy tworzą trzyosobowe grupy w ten sposób, że składają się one z osób pochodzących z różnych krajów/kręgów kulturowych. Jedna z osób gra programistę, pozostałe dwie są jego robotami. Na komendę programisty roboty idą w tym kierunku, w którym odwrócona jest ich głowa. W pozycji wyjściowej oba roboty stoją plecami do siebie. Programista może zmieniać kierunek marszruty przez komendę odwrócenia głowy robotów w lewo lub w prawo. Jeśli nie pada żadna komenda, oznacza to, że należy iść do przodu. Jeśli roboty wejdą sobie nawzajem w drogę albo zatrzymają się przed ścianą, krzesłem lub stołem, zatrzymują się, zachowując rytm poruszania się tak długo, aż programista nie zmieni komendy kierunku. Programista osiąga swój cel w momencie, kiedy oba roboty wpadają sobie nawzajem w ramiona. W ramach tej samej grupy uczestnicy powinni zamieniać się rolami tak, aby każdy z nich mógł być raz programistą.

Il programmatore
Numero di partecipanti: da 12 in su • Tempo: 30 minuti • Occorrente: nulla
Argomento: apprendere

Partecipanti di diversa cultura formano gruppi di tre persone ciascuno. In ogni gruppo una persona assume il ruolo di programmatore e gli altri due sono i suoi robot. A un comando del programmatore i robot cominciano a muoversi nella direzione in cui hanno rivolta la testa. La posizione di partenza dei due robot è schiena contro schiena. Ruotando la testa dei robot a sinistra o destra il programmatore ne può variare la direzione di marcia. In assenza di ordini i robot proseguiranno diritti. Se due robot si sbarrano vicendevolmente la strada o se finiscono davanti a un muro, una sedia o un tavolo, si fermano ma continuano i loro movimenti finché il programmatore gli cambia direzione. Lo scopo è fare in modo che i due robot arrivino ad abbracciarsi. Occorrerà variare i ruoli in maniera che tutti facciano una volta i programmatori.

Programcı
Grubu oluşturanların sayısı: 12 kişiden itibaren • Süre: 30 dakika • Malzeme: Gerekmez
Konu: Tanışma

Çeşitli kültürel yörelerden gelen üç kişi bir grup oluşturur. Her gruptan birisi programcı olur, diğer ikisi ise onun robotu olur. Programcı emir verdikten sonra, robotlar başlarının yönlendiği tarafa doğru yürümeye başlarlar. Yürümeye başlamadan önce robotlar arka arkaya durur. Programcı başlarını çevirerek robotların yürüyüş yönünü sağa veyahut sola değiştirebilir. Emir verilmezse dostdoğru gidilir. Eğer robotlar birbirlerinin yolunu keser veyahut duvara, sandalyeye veya masaya varırsa durur. Programcı yönlerini değiştirinceye kadar robotlar aynı ritimli hareketlerine devam ederler. Programcının amacı her iki robotun karşılıklı kucak kucağa gelmelerini sağlamak. Grupta herkes bir defa programcı olmak üzere roller değiştirilir.

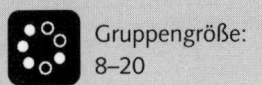 Gruppengröße: 8–20

 2–4 Std.

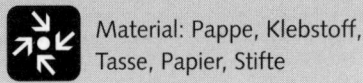 Material: Pappe, Klebstoff, Tasse, Papier, Stifte

Brücke bauen

Deutsch

Themen: Kommunikation, Kooperation, Verständigung

Vorbereitung

Es werden zwei Gruppen gebildet, die in zwei Räumen nur durch Briefkontakt miteinander in Verbindung tretend eine gemeinsame Aufgabe erfüllen müssen: Sie sollen eine Brücke aus Pappe bauen, die eine leere Tasse tragen kann. Nach der Planungsphase kommen die beiden Gruppen in einem Raum zusammen und jede Gruppe beginnt von einer Seite mit dem Brückenbau.

Hinweise:

1. Ziel dieser Übung ist es, Vertrauen unter den TN herzustellen und einen gruppendynamischen Prozess in Gang zu setzen.
2. Bei der gemeinsamen Diskussion und Analyse dieser Übung im Plenum können Kommunikations- und Verhaltensmuster bzw. ihre Schwierigkeiten in und zwischen den Gruppen besprochen werden. Hilfreich sind Fragen wie: „Was hat zum Gelingen der Kommunikation beigetragen? Was hat das Gelingen erschwert? Wodurch ist Vertrauen entstanden?"
3. Es können auch verschiedene kulturelle Gruppen parallel zueinander diese Aufgabe erfüllen und die Ergebnisse miteinander verglichen werden.

Building a Bridge
Number of participants: 8–20 • Duration: 2–4 hrs.
Material: cardboard, glue, cup, paper, pencils
Subjects: Communication, co-operation, understanding, preparation

Two groups are formed; they have a common task to fulfil, but must remain in separate rooms and can only communicate by letter: they have to build a cardboard bridge which can carry an empty cup. Following the planning stage the groups meet in one room and each group starts to build the bridge from one side.

Notes:

1. The purpose of the exercise is to establish confidence among the participants and to start a process involving group dynamics.
2. During the joint discussion and analysis of the exercise all participants have the opportunity to talk about the communication and behavioural patterns or about their inter-group or intra-group problems. Questions such as the following are helpful: "What was it that contributed to successful communication? What was it that made successful communication more difficult? How was confidence created?"
3. Multicultural groups may also carry out this task simultaneously and compare the results afterwards.

La construction du pont
Nombre de participants : 8–20 • Durée : 2–4 heures
Matériel : cartonnage, colle, tasse, papier, crayons
Thèmes : communication, coopération, information, préparation

Deux groupes sont formés. Chacun des deux groupes s'isole dans une pièce. Les deux groupes ont une tâche à remplir ensemble mais ne peuvent la réaliser qu'en communiquant par écrit. Ils doivent construire un pont en carton capable de supporter une tasse vide. Une fois la phase de conception terminée, les deux groupes se retrouvent dans la même pièce, et chaque groupe commence de son côté la construction du pont.

Remarques :

1. Le but de cet exercice est de créer un sentiment de confiance parmi les participants et de mettre en route un processus de dynamique de groupe.
2. Pendant la discussion en commun et l'analyse de cet exercice en plénum, il est possible de discuter des différents modèles de communication et de conduite ainsi que de leurs difficultés au sein du groupe et entre les groupes. Des questions comme : « Qu'est-ce qui a contribué à la réussite de la communication ? Qu'est-ce qui a rendu la réussite plus difficile ? A la suite de quoi la confiance s'est-elle installée? »
3. Il est également possible d'avoir plusieurs groupes de cultures différentes réalisant en même temps ce travail. Les résultats seront alors comparés les uns aux autres.

Polski

Budowa mostu

Ilość uczestników: 8 do 10 osób • Czas trwania: 2 do 4 godzin • Materiał: karton, klej, filiżanka, papier, ołówki • Temat: komunikacja, współpraca, porozumiewanie się, przygotowanie

Należy utworzyć dwie grupy, znajdujące sie w dwóch pomieszczeniach. Grupy porozumiewają się tylko przez kontakt listowny i mają jedno wspólne zadanie: muszą zbudować most z kartonu, który musi utrzymać pustą filiżankę. Po fazie planowania obie grupy spotykają się w jednym pomieszczeniu. Każda z grup zaczyna z osobna budować most od jednej strony.

Wskazówki:
1. Celem ćwiczenia jest wzbudzenie zaufania pomiędzy uczestnikami i wprowadzenie w życie/ wdrożenie procesu dynamiki grupy
2. Podczas wspólnej dyskusji i analizy można omówić plenarnie wzorce porozumiewania się i zachowania, ewentualnie ich trudność wewnątrz grupy i pomiędzy grupami. Pomocne są pytania typu: „Co pomogło osiągnąć porozumienie się? Co było utrudnieniem? Przez co udało sie pozyskać zaufanie?"
3. Zadanie to mogą wykonać również równolegle do siebie grupy pochodzące z tych samych kręgów kulturowych, a następnie porównać osiągnięte wyniki.

Italiano

Costruire un ponte

Numero di partecipanti: 8–20 • Tempo: 2–4 ore
Occorrente: cartone, adesivo, tazza, carta, matite
Argomenti: comunicare, collaborare, concertare, predisporre

Si formano due gruppi che – comunicando fra di loro solo tramite lettere – devono svolgere insieme un compito: costruire un ponte di cartone in grado di sostenere una tazza vuota. Una volta progettato il lavoro i due gruppi entrano insieme in una stanza e ciascuno di essi inizia a costruire il ponte da un lato.

Note:
1. Scopo dell'esercizio è creare fiducia fra i partecipanti ed avviare un processo di dinamica di gruppo.
2. Nella discussione ed analisi comuni di questo esercizio si può parlare tutt'insieme dei modelli di comunicazione e comportamento e delle difficoltà nei e fra i gruppi. Sono utili domande tipo: «Cosa ha contribuito alla riuscita della comunicazione? Quali sono state le difficoltà? Cosa ha creato la fiducia?»
3. Il lavoro può essere svolto anche parallelamente da gruppi culturali diversi, che confronteranno poi i risultati ottenuti.

Türkye

Köprü kurma

Grubu oluşturanların sayısı: 8–20 • Süre: 2–4 saat • Malzeme: Karton, yapışkan, fincan, kâğıt ve kalem • Konu: Komünikasyon, işbirliği, anlaşma, hazırlık

İki grup oluşturulur. Bu gruplar iki odadan yalnız mektupla irtibata geçip ortaklaşa bir ödev çözmeye çalışır: Grupların kartondan boş bir fincanı taşıyacak bir köprü yapmaları gerekir. Planlanma safhası bittikten sonra her iki grup aynı odada bir araya gelip birer taraftan köprüyü yapmaya başlar.

Not:
1. Bu oyunun amacı oyuna iştirak edenler arasında güven sağlayıp, gruptan oluşan bir mekanizmayı harekete geçirmek.
2. Bu oyun hakkında ortaklaşa yapılan tartışma ve çözümlemede, grup içinde veyahut gruplar arasında komünikasyon ve birbirlerine karşı davranışlar ve oluşan güçlükler konuşulur. Yardımcı olan sorular örneğin: «Komünikasyonun başarılı olmasına neler yaradı? Başarılı olmayı güçleştiren ne oldu? Güven nasıl sağlandı?»
3. Çeşitli kültürel gruplar paralel olarak ödevi çözümlemeye çalışıp neticeyi birbirleriyle kıyaslıyabilirler.

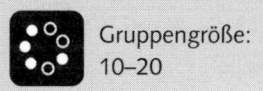 Gruppengröße:
10–20

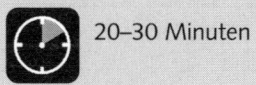 20–30 Minuten

 Material:
Wollknäuel

Netzwerk

Themen: Kennenlernen, Kooperation, Sprache

Die TN sitzen im Kreis, eine Person hat ein Wollknäuel. Sie hält das lose Ende fest und wirft das Knäuel zu einer anderen Person aus einer anderen Kultur. Wer das Knäuel geworfen hat, darf nun eine Frage stellen, wer es gefangen hat, muss sie beantworten und darf anschließend das Knäuel einer weiteren Person zuwerfen, die nicht aus der eigenen Kultur ist. Jetzt kann er/sie eine neue Frage stellen, muss den Wollfaden dabei jedoch festhalten. Durch Werfen und Fragen entsteht ein Netz aus Wollfäden und es ist sichtbar, wer schon einmal beteiligt war und wer noch nicht. Die Übung endet, wenn jede/r einmal das Knäuel hatte. Anschließend kann man das Spiel rückwärts spielen. Dabei vertauschen sich Fragende und Antwortende der ersten Runde, und das Knäuel wird aufgewickelt.

Hinweis: Die Übung eignet sich in Anfangsphasen, wenn es wichtig ist, alle am Gespräch zu beteiligen, z. B. bei Vorstellungsrunden und beim Einstieg in ein neues Thema. Das Spiel kann entweder in einer Sprache gespielt werden, die alle kennen, oder die TN sprechen beim Hinweg in ihrer Sprache und beim Rückweg in der Sprache des Spielpartners/der Spielpartnerin (helfen erlaubt!).

Network
Number of participants: 10–20 • Duration: 20–30 minutes
Material: Ball of wool
Subjects: Getting to know each other, co-operation, language

Participants sit down in a circle. One person has a ball of wool. Holding the loose end he/she throws the ball to a person of a different cultural background. He/she then asks the person who caught the ball a question. This person then answers and throws the ball on to another person from a different culture. He/she asks a new question whilst holding the thread. This continues until a network of threads is formed and it becomes visible who has been involved so far and who has not. The exercise ends when each participant has caught the ball. The game can now be played the other way round. To do this, the questioners and the answers in the first round swap roles and the ball is rolled up again.

Note: This game is suitable for initial phases where it is important to involve everyone in the discussion, i. e. when people introduce themselves to the others or when a new subject for discussion comes up. The game may either be played in a language everybody knows or the participants speak their native language in the first round and the language of their partner in the second (help is allowed!).

Le réseau
Nombre de participants : 10–20 • Durée : 20–30 minutes • Matériel : une pelote de laine
Thèmes : faire connaissance, coopération, langue

Les participants sont assis en cercle. Une personne a une pelote de laine dans les mains. Elle tient fermement l'extrémité du fil de laine bien et jette la pelote à une autre personne d'une autre culture. La personne ayant jeté la pelote peut poser une question et celle qui l'a attrapée doit y répondre, puis jeter à son tour la pelote à une autre personne d'une autre culture. C'est à celle-ci à présent de poser une question tout en tenant un bout du fil de laine. A force de jeter et de demander une toile de fils de laine se forme. Il est facile de voir qui a déjà participé au jeu et qui n'y a pas encore participé. Le jeu est terminé lorsque tous ont reçu une fois la pelote de laine. Il est possible ensuite de jouer ce jeu à l'envers. Les demandeurs deviennent les interrogés et vice et versa. Le fil de laine est remis en pelote de laine.

Remarque : Le jeu est idéal dans les premiers stades, lorsqu'il est important de faire participer tout le monde à la discussion ; par exemple, lors de présentations et lorsqu'il s'agit d'aborder un nouveau thème. Le jeu peut être fait dans une langue qui est connue de tous ou bien, à l'aller, dans la langue du participant joueur et au retour, dans la langue du co-participant (il est permis d'aider !).

Budowa sieci
Ilość uczestników: od 10 do 20 osób • Czas trwania: 20 do 30 minut
Materiał: kłębek wełny • Temat: poznanie się, współpraca, język

Uczestnicy grupy siedzą w kręgu; jedna osoba trzyma kłębek wełny. Trzymając mocno w ręku koniec nitki rzuca kłębek innej osobie, pochodzącej z innego kręgu kulturowego/kraju. Rzucającemu kłębek wolno zadać jedno pytanie. Osoba, która złapała kłębek musi odpowiedzieć na to pytanie, a następnie odrzucić kłębek innej osobie, pochodzącej z innego kręgu kulturowego. Wolno jej też teraz postawić nowe pytanie, trzymając przy tym mocno wełnianą nić. Przez rzucanie kłębka z równoczesnym stawianiem pytan powstaje sieć z wełnianej nitki i widać wyraznie, kto brał udział w grze a kto nie. Gra konczy się w momencie, kiedy widać, że każdy z uczestników miał kłębek w ręce. Następnie można grać dalej, zaczynając zabawę od konca (odrzucając kłębek). Następuje zamiana ról osób pytających i odpowiadających na pytania, a nić zostaje zwinięta w kłębek.

Wskazówka: Cwiczenie przydatne jest w fazie początkowej, kiedy istotne jest wzięcie udziału wszystkich uczestników w rozmowie. Na przykład przy przedstawianiu się we wspólnym gronie albo przy przechodzeniu na nowy temat. Zabawa może przebiegać w języku, który wszyscy znają. Inna wersja: podczas rozwijania kłębka uczestnicy mówią swoim językiem, a podczas nawijania go językiem partnera/partnerki. (Pomoc dozwolona!)

La rete
Numero di partecipanti: 10–20 • Tempo: 20–30 minuti • Occorrente: gomitolo di lana
Argomenti: apprendere, collaborare, il linguaggio

I partecipanti siedono in cerchio; uno di loro ha un gomitolo di lana, che lancia a una persona di altra cultura, tenendone però in mano l'estremità libera. Chi ha lanciato il gomitolo può adesso porre una domanda e chi l'ha preso deve rispondere, lanciando poi il gomitolo a una terza persona non della stessa cultura. Ora questa persona può fare un'altra domanda, tenendo il filo del gomitolo. Fra lanci e domande si crea una rete di fili di lana e si vede chi è già stato coinvolto nel gioco e chi ancora no. L'esercizio finisce quando tutti hanno tenuto in mano il gomitolo una volta. Dopodiché si può fare il gioco al contrario, invertendo i ruoli di chi prima domandava e rispondeva e riavvolgendo cosl il gomitolo.

Nota: L'esercizio è adatto per una fase iniziale, quando è importante coinvolgere tutti nel discorso, p. es. quando ci si presenta e quando si inizia un nuovo argomento. Il gioco può essere fatto in una lingua che tutti conoscono, oppure i partecipanti nel giro di andata parlano la loro lingua e in quello di ritorno parlano la lingua del compagno / della compagna (è consentito dare una mano!).

Ağ
Grubu oluşturanların sayısı: 10–20 • Süre: 20–30 dakika • Malzeme: Yumak
Konu: Tanışma, işbirliği, dil

Oyuna iştirak edenler halka halinde otururlar, bunlardan birisi yumağı eline alır, ipin ucunu tutarak yumağı başka ülkeden gelen birine atar. Yumağı atan bir soru sorar, yumağı tutan da cevap verip yumağı nihayet memleketlisi olmayan birine atar. Şimdi oda yumağı tutarak bir soru sorabilir. Yumak atıp sorular sorulurken ipten bir ağ oluşur, buarada kimin katılıp kimin henüz katılmadığı ortaya çıkar. Oyun, yumak herkesin eline bir defa geçtikten sonra biter. Daha sonra oyuna gerisin geriye devam edilebilir, soru soranlarla cevap verenler değiştirilir ve yumak ta sarılır.

Not: Bu oyun başlangıçta herkesin konuşmaya katılması önemli ise kendini tanıtma, yeni bir konuya girme gibi durumlarda uygundur. Bu oyun ya herkesin bildiği bir dilde ya da ileri oynanırken oynuyanın kendi dilinde, geri oynarken oyunda eşlik edenin dilinde (oyun eşinin yardım etmesi mümkün!) oynanır.

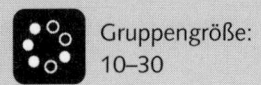 Gruppengröße: 10–30 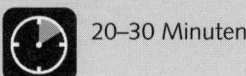 20–30 Minuten 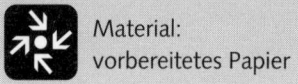 Material: vorbereitetes Papier

Haben und Finden

Deutsch

Themen: Kennenlernen, Kleingruppenbildung, Verständigung

Die TN erhalten ein Stück Papier, auf dem der Name und der Beruf einer Persönlichkeit steht. Je drei bis vier Personen aus unterschiedlichen Kulturen haben den gleichen Beruf, z. B.: Politiker, Schauspielerin u. Ä. Die TN werden nun aufgefordert, die Personen zu suchen, die den gleichen Beruf haben. Die Identität wird herausgefunden über Fragen, die nur mit „Ja" oder „Nein" beantwortet werden können. Direkte Fragen nach dem Beruf wie „Bist du eine Schauspielerin?" sind nicht erlaubt.

Variante: Es wird ohne Worte, nur mit Gestik und Mimik gespielt.

English

Have and find
Number of participants: 10–30 • Duration: 20–30 minutes
Material: prepared paper • Subjects: Getting to know each other, forming small groups, communication

Participants are given a piece of paper onto which is written the name and the job of a well-known person. Three to four persons from different cultures have the same profession, e.g. politician, actor or similar. Participants are now requested to identify persons of the same profession. The identity must be uncovered by asking questions to which you can only answer "yes" or "no". Direct questions such as "Are you an actress?" are not allowed.

Variation: The game is played without speaking; only gestures and facial expressions are allowed.

Français

Avoir et trouver
Nombre de participants : 10–30 • Durée : 20–30 minutes • Matériel : papier préparé
Thèmes : faire connaissance, formation de petits groupes, information

Les participants reçoivent un morceau de papier sur lequel figurent le nom et la profession d'une personne connue. Trois à quatre personnes de différentes cultures ont la même profession, par exemple, politicien, actrice, etc. Il est demandé aux participants de chercher les personnes ayant la même profession. L'identité de chacune doit être devinée en posant des questions qui ne peuvent être répondues que par « oui » ou « non ». Les questions directes du genre « es-tu actrice ? » ne sont pas autorisées.

Variante : Le jeu se fait sans un mot, uniquement avec des gestes et des mimiques.

Mieć i znaleźć

Ilość uczestników: 10 do 30 • Czas trwania: 20 do 30 minut • Materiał: przygotowany papier
Temat: poznanie się, tworzenie małych grup, porozumienie

Każdy z uczestników gry dostaje kartkę, na której napisane jest nazwisko i zawód znanej osoby. Trzy do czterech osób z różnych krajów/kręgów kulturowych mają ten sam zawód, np. polityk, aktorka itp. Zadaniem uczestników jest znalezienie osób o tym samym zawodzie. Tożsamość można stwierdzić zadając pytania, na które wolno odpowiedzieć tylko „Tak" lub „Nie". Bez-pośrednie pytania typu: „Czy jesteś aktorką?" są niedozwolone.

Wariant: Gra toczy się bez słów, tylko przy pomocy gestów i mimiki.

Avere e trovare

Numero di partecipanti: 10–30 • Tempo: 20–30 minuti
Occorrente: carta appositamente preparata
Argomenti: apprendere, formare piccoli gruppi, concertare

I partecipanti ricevono un pezzo di carta dove sono scritti il nome e la professione di una perso-na importante. Tre – quattro persone di diversa cultura hanno il foglio con scritto il medesimo mestiere, p. es.: politico, attrice, e simili. I partecipanti allora – per mezzo di domande cui si può rispondere solo «sì» o «no» – devono trovare le persone che fanno lo stesso lavoro. Non sono ammesse domande dirette tipo «sei un'attrice?».

Variante: Non usare la parola, solo gesti e mimica.

Meslek bulma

Grubu oluşturanların sayısı: 10–30 • Süre: 20–30 dakika • Malzeme: Hazırlanmış kâğıt
Konu: Tanışma, küçük gruplaşma ve anlaşma

Oyuna katılanlara içinde bir şahsın ismi ve mesleği yazılan bir kâğıt parçası verilir. Çeşitli ülkeler-den her üç veyahut dört kişi aynı mesleğe sahip, örneğin: Politikacı, artist v.s. Oyuna katılan-lardan aynı mesleğe sahip olan kişileri bilmeleri talep edilir. Bu kişinin mesleği sadece sorulan sorulara «evet» veyahut «hayır» cevabını vermekle bulunur. «Sen artistmisin?» gibi doğrudan doğruya sorular sorulmaz.

Değişik şekli: Bu oyun hiç konuşmadan jestler yapıp mimik hareketleri ile de oynanır.

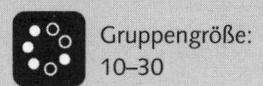 
Sesam öffne dich!

Deutsch

Themen: Diskriminierung, Kommunikation, Perspektivenwechsel, Verständigung, Verstehen

Die TN stehen in einem geschlossenen Kreis. Fünf Personen werden aus dem Raum geschickt. Die im Raum Verbleibenden sollen ein Signal verabreden, wie Nasenreiben, Bauchnabel berühren ..., das die Losung für die draußen Stehenden ist, um in den Kreis zu gelangen. Diese werden nun einzeln hereingeholt und versuchen die Losung herauszufinden.

Hinweise:
1. Die Spielleitung fragt nach dem Spiel, wie sich die TN in beiden Rollen, also innerhalb wie außerhalb des Kreises, gefühlt haben. Es können Ängste vor dem Ausgeschlossensein aktiviert worden sein.
2. Dieses Spiel kann durch die Übung ‚Drei Freiwillige' ergänzt werden.

Varianten:
1. Das Signal kann auch aus Gestik und Mimik bestehen und somit ohne Körperkontakt gegeben werden.
2. Die Zahl der Personen, die die Losung herausfinden muss, wird auf fast die Hälfte erhöht und alle kommen gleichzeitig in den Raum.

Open sesame!

Number of participants: 10–30 • Duration: 30 minutes • Material: none

Subjects: discrimination, communication, change of perspectives, compromise, understanding

Participants stand in a closed circle. 5 persons are asked to leave the room. Participants remaining in the room choose a signal, such as rubbing the nose, touching the navel etc. that will indicate to those standing outside that they can enter the circle. These persons are invited in separately and must try to find out what the signal is.

Note:

1. After the game is over, the moderator asks the participants how they felt in both roles, i.e. within and outside the circle. Fears of exclusion may have been triggered here.
2. This game may be completed with the exercise called "Three volunteers".

Variations:

1. The signal may also be a gesture or facial expressions, i. e. without body contact.
2. The number of persons who have to find out the signal is increased to almost half of those taking part and these persons come into the room at the same time.

Sésame ouvre-toi !

Nombre de participants : 10–30 • Durée : 30 minutes • Matériel : aucun

Thèmes : discrimination, communication, changement de perspectives, information, compréhension

Les participants forment un cercle fermé. Cinq personnes quittent la pièce. Les personnes restantes doivent se mettre d'accord sur un signal, par exemple, se frotter le nez, se toucher le nombril. Les 5 personnes doivent deviner ce mot de passe pour entrer dans le cercle. Ces 5 personnes sont appelées à tour de rôle et doivent trouver chacune le mot de passe.

Remarque :

1. Une fois le jeu terminé, le coordinateur du jeu demande aux participants comment ils se sont sentis dans les deux rôles, c'est-à-dire, à l'intérieur comme à l'extérieur du cercle. Il est possible par exemple qu'ils aient eu peur d'être exclus.
2. Ce jeu peut être complété par le jeu « trois volontaires ».

Variantes :

1. Le signal peut être un geste ou une mimique, qui peut donc être effectué sans aucun contact corporel.
2. Augmenter le nombre des personnes devant trouver le mot de passe de deux ou trois personnes et les faire toutes rentrer tous dans la pièce en même temps.

Sezamie otwórz się!
Ilość uczestników: 10 do 30 • Czas trwania: 30 minut • Materiał: niepotrzebny
Temat: dyskryminacja,komunikacja, zmiana perspektywy, porozumienie, zrozumienie

Uczestnicy gry stoją zamkniętym kole. Pięć osób wychodzi na zewnątrz. Pozostali szukają znaku/sygnału jak np. pocieranie nosa, dotykanie pępka ..., który ma być rozwiązaniem dla osób znajdujących się na zewnątrz i który umożliwi im powrót do koła. Osoby wywoływane są pojedynczo i próbują znaleźć rozwiązanie.

Wskazówka:
1. Prowadzący grę pyta po jej zakonczeniu, jak czuli się uczestnicy w obu rolach, tzn. wewnątrz koła i poza nim. W trakcie trwania gry mogą się zaktywizować lęki/obawy przed wykluczeniem z grupy.
2. Gra może być uzupełniona ćwiczeniem „Trzech ochotników".

Warianty:
1. Sygnał może się składać także z gestów i mimiki i przez to wyklucza konieczność kontaktu fizycznego.
2. Ilość osób, które muszą odszukać sygnał, zostaje podwojona o połowę i wszystkie wchodzą równocześnie do pomieszczenia, gdzie toczy się gra.

Apriti, Sesamo!
Numero di partecipanti: 10–30 • Tempo: 30 minuti • Occorrente: nulla
Argomenti: discriminare, comunicare, cambiare prospettiva, concertare, comprendere

I partecipanti formano un cerchio chiuso. 5 persone escono dalla stanza. Chi vi rimane si accorda su un segnale – p. es. grattarsi il naso, toccarsi l'ombelico, o altro – che chi è uscito deve indovinare per entrare nel cerchio. Le 5 persone vengono poi fatte entrare una per volta e cercano di trovare la parola d'ordine.

Nota:
1. Terminato il gioco, chi lo dirige domanderà come si sono sentiti i partecipanti nei due ruoli, cioè sia dentro sia fuori del cerchio: l'esclusione può aver attivato delle paure.
2. Il gioco può essere integrato dall'esercizio «tre volontari».

Varianti:
1. Il segnale può essere dato anche da gestualità e mimica, quindi senza contatto corporeo.
2. Il numero di persone che devono trovare la parola d'ordine viene aumentato fino a quasi la metà e tutti entrano nella stanza insieme.

Açıl susam açıl
Grubu oluşturanların sayısı: 10–30 • Süre: 30 dakika • Malzeme: Gerekmez
Konu: Diskriminasyon, komünikasyon, değişik perspektifle görüş, anlaşma ve anlama

Oyuna iştirak edenler bir daire olurlar. Odadan 5 kişi dışarı gönderilir. Odada kalanlar bir işaret düşünürler, örneğin: burun sürtme, göbeğe dokunma ..., gibi. Dışarıdakiler teker teker içeri çağrılır ve bu parolayı çözüp daireye girmeye çalışırlar.

Not:
1. Oyundan sonra yönetimenlik, oyuna katılanlara her iki rollerinde, daire içinde ve daire dışında, kendilerini nasıl hissettiklerini sorar. Dışlanacağım korkusu uyandırılabilir.
2. Bu oyun «Üç gönüllü kişi» oyunu ile tamamlanılabilir.

Değişik şekli:
1. Bu sinyal jestik veyahut mimik hareketleri ile vücuda dokunmadan da oynanabilir.
2. Sinyalı çözecek kişilerin sayısı grubun yarısı kadar daha artırılabilir ve hepsi bir anda içeri geleblirler.

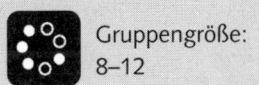 Gruppengröße: 8–12  1–2 Std. 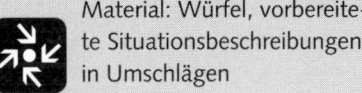 Material: Würfel, vorbereitete Situationsbeschreibungen in Umschlägen

Was wäre, wenn ...?

Deutsch

Themen: Landeskunde, Vorbereitung

Die TN sitzen im Kreis. Es wird reihum gewürfelt. In der Mitte liegt ein Stapel Briefumschläge bereit. Hat eine Person eine gerade Zahl gewürfelt, so nimmt sie einen Umschlag von dem Stapel. In jedem Umschlag steckt ein Blatt, auf dem eine Situation beschrieben ist, z. B. in einem fremden Land nach dem Weg fragen, bei einer ausländischen Hochzeit mitfeiern usw. Die Spielerin/der Spieler liest vor und erzählt dann, was sie/er (evtl. mithilfe anderer oder mit Nachfragen der Spielleitung) in dieser Situation tun würde. Die Situationen werden von der Spielleitung zusammengestellt.

Variante: Statt verbal zu antworten, kann die Person, die die Aufgabe lösen soll, sich Mitspielerinnen und Mitspieler suchen und die Situation szenisch darstellen.

English

What if ...?
Number of participants: 8–12 • Duration: 1–2 hrs.
Material: Dice, prepared descriptions of situations placed in envelopes
Subjects: Geography, preparation

Participants sit down in a circle. They throw dice in turn. A stack of envelopes lies within reach in the centre of the circle. When a person throws an even number he/she takes one envelope from the stack. Each envelope contains a piece of paper on which a situation is described such as asking the way in a foreign country, participating in a wedding ceremony abroad etc. The player reads the description out to the others and tells them what he/she (possibly helped by the others or through questions posed by the moderator) would do in such a situation. The different situations are compiled by the moderators.

Variation: Instead of answering verbally, the person carrying out the task may determine other participants and play the situation scenically.

Français

Qu'est ce-que serait ... si ... ?

Nombre de participants : 8–12 • Durée : 1–2 heures • Matériel : dés, descriptions de situations dans des enveloppes • Thèmes : civilisation, préparation

Les participants sont assis en cercle. Les dés sont jetés à tour de rôle. Au milieu du cercle se trouve une pile d'enveloppes. Lorsqu'une personne obtient avec ses dés un chiffre pair, elle prend une enveloppe de la pile. Dans chaque enveloppe se trouve une feuille sur laquelle est décrite une situation, par exemple, demander son chemin dans un pays étranger, fêter un mariage étranger, etc. Le joueur lit tout haut le texte et raconte alors ce qu'il ferait dans cette situation donnée (éventuellement avec l'aide d'autres personnes ou de le coordinateur du jeu qui lui pose des questions). Les situations sont composées par le coordinateur du jeu.

Variante: Au lieu de répondre de manière verbale, la personne devant décrire la situation peut choisir des partenaires et mettre en scène la situation.

Polski

Co by było, gdyby ...?

Ilość uczestników: 8 do 12 • Czas trwania: 1 do 2 godzin • Materiał: kostka do gry, gotowe opisy sytuacji przygotowane w kopertach • Temat: krajoznawstwo, przygotowanie

Uczestnicy gry siedzą w kole. Każdy po kolei rzuca kostkę. W środku leży stos kopert. Osobie, która wyrzuciła liczbę parzystą wolno wziąć jedną kopertę. Każda koperta zawiera kartkę z opisem konkretnej sytuacji, na przykład pytanie o drogę w obcym kraju, udział w przyjęciu weselnym obcokrajowców itd. Uczestnik/uczestniczka gry czyta na głos i opowiada, co zrobił(a)by w tej sytuacji, ewentualnie korzystając z pomocy innych uczestników lub dodatkowych pytań osoby prowadzącej grę.

Wariant: Osoba szukająca rozwiązania może zamiast odpowiedzi słownej przedstawić sytuację scenicznie przy pomocy wybranych przez siebie współgraczy.

Italiano

Cosa faresti se ...?

Numero di partecipanti: 8–12 • Tempo: 1–2 ore
Occorrente: dadi, buste contenenti la descrizione di situazioni preparate precedentemente
Argomenti: geografia, predisporre

I partecipanti siedono in cerchio. Vengono lanciati dei dadi. Al centro c'è una pila di buste da lettera. Quando una persona ha fatto un numero pari ne prende una. Ogni busta contiene un foglio con la descrizione di una situazione, p.es. chiedere la strada in un paese straniero, partecipare a un matrimonio di stranieri, ecc. Il giocatore/la giocatrice ne dà lettura e racconta cosa farebbe in questa situazione, event. con l'aiuto di altri o domandando a chi dirige il gioco, che provvede anche a combinare le situazioni.

Variante: invece di rispondere verbalmente, chi deve risolvere il problema può rappresentare la situazione scenicamente con l'aiuto di altri compagni/altre compagne.

Türkye

Ne olurdu eğer ...?

Grubu oluşturanların sayısı: 8–12 • Süre: 1–2 saat
Malzeme: Zar, zarf içinde hazırlanmış izahlı durum • Konu: Yurt bilgisi, hazırlık

Oyuna iştirak edenler bir daire oluşturup otururlar. Sıra ile zar atılır. Ortada bir yığın zarf bulunur. Zarla çiftsayı atan oyuncu yığından bir zarf alır. Her zarfın içinde bir durum tarif eden kâğıt bulunur, örneğin: yabancı bir ülkede yol sorma, yabancı ülkeli birinin düğününde eğlenme gibi. Oyuna katılan kâğıdı okur, ondan sonra bu durumda ne yapacağını (gerekirse başkalarının veyahut oyun idareciliğinin yardımı ile) anlatır. Bu durum oyun idarecisi tarafından hazırlanır.

Değişik şekli: Ödevi cevaplandıracak kişi sözlü olarak değil de, yanına birilerini seçip durumu senaryolu bir şekilde temsil edebilir.

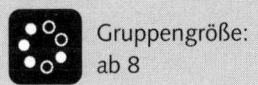 Gruppengröße: ab 8

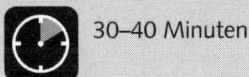 30–40 Minuten

 Material: Papier, Stifte

Selbstporträt

Deutsch

Thema: Selbstbilder/Fremdbilder

Alle TN malen ein Selbstporträt. Dabei können Symbole verwendet werden oder man schreibt Bemerkungen an den Kopf des Porträts. Zweier- oder Dreiergruppen kommen zusammen und besprechen diese Zeichnungen. Es kann nachgefragt werden, aber Interpretationen der Portraits durch Mitspielerinnen und Mitspieler sollen vermieden werden.

English

Self-portrait
Number of participants: 8 plus • Duration: 30–40 minutes
Material: Paper, pencils • Subject: self-image/perceived image

All participants draw a self-portrait. For this purpose they can use symbols or write comments next to the head. Groups of two or three come together to discuss the drawings. Questions are allowed but interpretations of the portrait by other players should be avoided.

Français

Autoportraits
Nombre de participants : minimum 8 • Durée : 30–40 minutes • Matériel : papier, crayons
Thème : perception de soi/perception des autres

Tous les participants dessinent leur autoportrait. Il est permis d'utiliser des symboles ou d'écrire des remarques sur ce portrait au niveau de la tête. Deux ou de trois personnes se mettent ensemble pour former un groupe et commentent les dessins. Il est possible de poser des questions, mais il faut éviter que les participants interprètent les portraits.

Polski

Autoportret
Wielkość grupy: od 8 uczestników • Czas trwania: 30 do 40 minut • Materiał: papier, pisaki
Temat: portret własny, portret innych osób

Wszyscy grający rysują swój portret. Można stosować symbole lub wpisywać uwagi obok narysowanej głowy portretu. Następnie grający tworzą dwu- lub trzyosobowe grupy i omawiają gotowe rysunki. Dozwolone są pytania, ale interpretacji portretów przez współgraczy należy unikać.

Italiano

Autoritratti

Numero di partecipanti: da 8 in su • Tempo: 30–40 minuti • Occorrente: carta, matite
Argomento: autoritratti/ritratti altrui

Tutti i partecipanti dipingono un autoritratto, utilizzando simboli o scrivendovi osservazioni in cima. Gruppi di due o tre persone si riuniscono e discutono questi disegni. Si possono fare domande, ma bisogna evitare che i giocatori e le giocatrici diano interpretazioni dei ritratti.

Türkye

Kendi portresini çizme

Grubu oluşturanların sayısı: 8 kişiden itibaren • Süre: 30–40 dakika • Malseme: kâğıt, kalem
Konu: Kendi resmim, diğerinin resmi

Oyuna iştirak eden herkes kendi resmini çizer. Bu arada sembol kullanılabilir veyahut portrenin başına not yazılablir. İki veyahut üçlü gruplar bir araya gelip bu çizimler hakkında konuşurlar. Soru sorulabilir, fakat portreler hakkında oyuna katılanlar yorum yapmaktan sakınmaları gerekir.

 Gruppengröße: ab 10   30–60 Minuten    Material: festes Papier, Packpapier, Stecknadeln, Magazine

Der lebendige Körperumriss

Deutsch

Themen: Kennenlernen, Kooperation, Selbstbilder/Fremdbilder

Die TN bilden Paare aus verschiedenen Kulturen. Eine/r der beiden legt sich auf ein körpergroßes Papier, dann zeichnet der Partner den Umriss mit einem Filzstift nach. Die TN können ihre Position selbst wählen. Die Person, die nachgezeichnet wurde, nimmt jetzt den Stift und bringt „Leben" in ihren Körperumriss. Sie kann Bilder zeichnen oder Wörter schreiben: z. B. wo sie lebt, was sie mag oder nicht mag, Hobbys, politische Ansichten, Wünsche für die Zukunft usw. Ihr Partner/ihre Partnerin kann Fragen zu dem Aufgezeichneten bzw. Geschriebenen stellen. Dann werden die Rollen getauscht. Die Bilder sollen für die ganze Gruppe anschließend aufgehängt werden. Es sollte auch Raum für Nachfragen sein.

Varianten:
1. In Gruppen, die sich länger kennen, kann der Körperumriss auch vom Partner gefüllt werden.
2. Es können zwei Körperumrisse auf einem Papier gezeichnet werden. In das gemeinsame Feld können übereinstimmende Eigenschaften etc. hineingeschrieben werden.

The living silhouette
Number of participants: 10 plus • Duration: 30–60 minutes
Material: stiff paper, brown paper, pins, magazines • Subjects: Getting to know each other, co-operation, self-image/perceived image

Participants of different cultures form pairs. One of them lies down on a piece of paper of his/her size while his/her partner draws an outline of his/her silhouette using a marker. Participants are free to chose the position to lie in. Them the person who has been outlined takes a pencil and brings "life" to his/her silhouette. He/she may draw pictures or write down texts such as where he/she lives, what he/she likes or does not like, what his/her hobbies, political views, wishes etc. are. His/her partner may ask questions concerning the drawing or text. Then roles are reversed. All drawings are then to be hung up and there is an opportunity for questions.

Variations:
1. In groups where participants have already known each other for some time, partners may fill in the silhouettes.
2. Two silhouettes may be drawn on one piece of paper. Common characteristics etc. may be written into a common field.

La silhouette vivante
Nombre de participants : minimum 10 • Durée : 30–60 minutes
Matériel : papier costaud, papier kraft, épingles à tête, revue
Thèmes : faire connaissance, coopération, perception de soi/perception des autres

Les participants forment des couples de cultures différentes. Un des deux s'allonge sur une feuille de papier de très grande taille et l'autre dessine le pourtour de son corps avec un feutre. Les participants peuvent choisir leur position. La personne qui a été dessinée prend à son tour le feutre et apporte de la « vie » à sa silhouette. Elle peut dessiner ou écrire des mots : par exemple, où elle vit, ce qu'elle aime ou ce qu'elle n'aime pas, ses hobbies, ses opinions politiques, ses désirs pour l'avenir, etc. Son partenaire peut lui poser des questions sur ce qu'elle a dessiné ou écrit. Puis, les rôles sont échangés. Les dessins seront ensuite accrochés pour que le groupe entier les regarde. Il devrait être possible de poser des questions.

Variantes :
1. Pour les groupes qui se connaissent depuis plus longtemps, la silhouette peut être remplie par le partenaire.
2. Il est possible aux participants de dessiner leurs deux silhouettes sur la même feuille de papier et d'en remplir les parties communes en dessinant ou en décrivant leurs qualités communes.

Polski

Obrysowanie konturów ciała
Ilość uczestników zabawy: od dziesięciu osób • Czas: od 30 do 60 minut
Materiał: papier, papier opakunkowy, szpilki, gazety
Temat: poznanie sie, współpraca, wizerunek własnego/cudzego ciała

Uczestnicy gry tworzą pary, każdy musi pochodzić z innego kraju/kręgu kulturowego. Jedna osoba kładzie się na arkusz papieru wielkości swojego ciała, a jej partner obrysowuje zarys leżącego przy pomocy pisaka. Osoba, której kontur ciała znajduje sie na papierze przejmuje od partnera pisak i „wnosi życie" w narysowany kontur swojego ciała. Może to zrobić malując obrazki albo pisząc słowa. Na przykład gdzie mieszka, co lubi a czego nie lubi, swoje hobby, poglądy polityczne, plany na przyszłość itd. Jego partner lub partnerka może stawiać pytania na temat rysowanych lub zapisanych informacji. Następnie partnerzy zamieniają się rolami. Gotowe rysunki należy zaprezentować do wglądu całej grupy. Należy stworzyć możliwość stawiania dodatkowych pytań.

Warianty:
1. W grupach, które dłużej się znają, zarys ciała leżącego może wypełniać jego patner.
2. Na jednym arkuszu można obrysować kontury ciała obu patrnerów. W pole pokrywające się można wpisać ich identyczne cechy itp.

Italiano

Il profilo vivente
Numero di partecipanti: da 10 in su • Tempo: 30–60 minuti • Occorrente: carta rigida, carta da pacchi, spilli, riviste • Argomenti: apprendere, collaborare, autoritratti/ritratti altrui

I partecipanti formano coppie di diversa provenienza culturale. Uno/una dei due si distende su un pezzo di carta formato corpo umano, poi l'altro/altra ne disegna il profilo con un pennarello. I partecipanti possono scegliere loro in che posizione mettersi. La persona di cui è stato tracciato il profilo prende poi in mano il pennarello e dà «vita» al suo profilo, disegnando figure o scrivendo parole: p.es dove vive, cosa le piace e cosa no, hobby, opinioni politiche, desideri per l'avvenire, ecc. Il compagno/la compagna di gioco può porre domande a chi è stato oggetto del disegno o degli scritti. Poi si scambiano i ruoli. Verranno poi appese le figure di tutto il gruppo, prevedendo dello spazio per ulteriori domande.

Varianti:
1. In gruppi che si conoscono da tempo il profilo può essere riempito anche dal compagno/ dalla compagna.
2. Su un foglio si possono disegnare due profili, scrivendo nello spazio comune le qualità in comune, ecc.

Türkye

Canlı vücudun çizimi
Grubu oluşturanların sayısı: 10 kişiden itibaren • Süre: 30–60 dakika • Malzeme: Sert kâğıt, paket kâğıdı, toplu iğne ve magazin • Konu: Tanışma, işbirliği, kendi resmim/diğerinin resmi

Çeşitli kültürel yörelerden gelen oyuna iştirak edenler birer çift oluşturur. Bunlardan biri vücut büyüklüğünde bir kâğıdın üstüne yatar, eşi ise bunun vücutunun kenarını kâğıt üzerine mürekkepli kalemle çizer. Oyuna katılanlar kendi pozisyonlarını kendileri seçer. Vücudunun çevresi çizilen kişi şimdi kalemi eline alır ve vücudunun çizimini «canlandırır», yani resimler çizebilir veyahut kelimeler yazabilir, örneğin: nerede yaşadığını, ne sevdiğini veyahut ne sevmediğini, hobilerini, siyasi görüşünü, ileredeki arzularını v. b. Eşi çizilenler ve yazılanlar hakkında sorular sorabilir. Ondan sonra roller değiştirilir. En nihayet resimler bütün gruplar için duvara asılır. Sonradan sorulacak sorular için süre ayrılır.

Değişik şekli:
1. Uzun zamandan beri tanışan gruplarda vücut süliyetinin içi diğer eşi tarafından da doldurulablir.
2. Bir kâğıt üstüne iki vücut süliyeti de çizileblir ve ortaklaşa olan kısmına aynı özellikte olan hususlar v. b. şeyler kaydedilebilir.

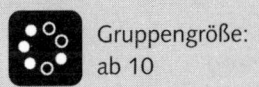 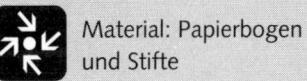
Lebenswege

Deutsch

Themen: Kooperation, Landeskunde, Sprache

Die TN bilden Paare, die aus unterschiedlichen Kulturen kommen. Sie sollen versuchen sich gegenseitig verschiedene Stationen ihres Lebens und möglichst einschneidende Erlebnisse zu erklären. Auf einer Art Fieberkurve werden Höhen und Tiefen dargestellt.

Hinweis: Ziel ist es, über den Lebenslauf und über die Lebensgestaltung jeder/jedes Einzelnen zu sprechen. In der Gruppe werden festgestellte Unterschiede und Gemeinsamkeiten z. B. hinsichtlich Erziehung, Schule, Wehrdienst und Familie vorgestellt.

English

Life story
Number of participants: 10 plus • Duration: 2 hrs.
Material: Sheet of paper and pencils
Subjects: Co-operation, geography, language

Participants of different cultures form pairs. The task consists in explaining to each other various stages of one's lives and events of great importance. The high and low points are represented in a "temperature curve" chart.

Note: The aim is to talk about each individual's life and lifestyle. Those differences and similarities established – for example with regard to education, school, military service and family – will be presented to the group.

Français

Destinées
Nombre de participants : minimum 10 • Durée : 2 heures
Matériel : feuilles de papier et crayons
Thèmes : coopération, civilisation, langage

Chaque participant choisit un partenaire d'une autre culture que la sienne pour former un couple. Chacun des deux partenaires doit essayer de raconter à l'autre les différentes étapes de sa vie et en particulier les évènements décisifs. Les hauts et les bas en seront alors représentés sous la forme d'une courbe de température.

Remarque : Le but est de parler de l'histoire et de la conception de la vie de chacun. Dans le groupe, il s'agira de remarquer les différences et les points communs, par exemple, en ce qui concerne l'éducation, la formation scolaire, le service militaire et la famille.

Polski

Drogi życiowe
Ilość uczestników zabawy: od dziesięciu osób • Czas: 2 godziny
Materiał: arkusz papieru i pisaki • Temat: współpraca, krajoznawstwo, język

Uczestnicy tworzą pary, pochodzące z różnych krajów. Celem zabawy jest wzajemne przedstawienie różnych etapów włanej drogi życiowej ze szczególnym uwzględnieniem istotnych wydarzeń. Wzloty i kryzysy przedstawione zostają na swojego rodzaju wykresie temperatury.

Wskazówka: Celem zabawy jest rozmowa na temat drogi życiowej i jej przebiegu przez poszczególnych uczestników. W ramach grupy przedstawione zostaną różnice i analogie, dotyczące np. wychowania, szkoły, służby wojskowej i rodziny.

Italiano

Stili di vita
Numero di partecipanti: da 10 in su • Tempo: 2 ore • Occorrente: foglio di carta e matite
Argomenti: collaborare, geografia, il linguaggio

I partecipanti formano coppie di diversa provenienza culturale e devono cercare di raccontarsi vicendevolmente varie tappe della loro vita e gli episodi più salienti, rappresentando su una sorta di «grafico della febbre» alti e bassi.

Nota: Lo scopo è parlare della propria vita e della propria idea di vita. Nel gruppo vengono presentate determinate differenze e comunanze p.es. su educazione, scuola, servizio militare e famiglia.

Türkye

Hayat yolu
Grubu oluşturanların sayısı: 10 kişiden itibaren • Süre: 2 saat
Malzeme: Bir tabaka kâğıt ve kalem • Konu: İşbirliği, yurt bilgisi ve dil

Çeşitli kültürel yörelerden gelenler birer çift oluşturur. Bunlar birbirlerine karşılıklı hayatlarında yaşadıkları çeşitli dönemleri ve mümkün olduğu kadar etkili bir olayı anlatmaya çalışır. Isı diagramında olduğu gibi hayatlarının derin ve zirvedeki noktaları kaydedilir.

Not: Bu oyunun amacı teker teker herkesin özgeçmişi ve hayat tarzı hakkında konuşmak. Grup içinde tespit edilen ayrılıklar, ortaklaşa olan olaylar meseleler konu edilir, örneğin: eğitim, okul, askerlik ve aile durumu.

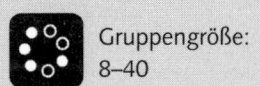 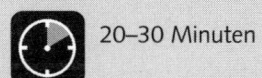
Der Reihe nach sortieren

Themen: Kennenlernen, Kommunikation

Die TN sortieren sich nach bestimmten, vorgegebenen Kriterien (die auch von ihnen selbst genannt werden können), sodass sie zum Schluss in einer Reihe stehen. Die Kriterien werden nacheinander vorgegeben. Mögliche Kriterien:
- nach Anfangsbuchstaben des Vornamens
- nach Körpergröße
- nach Entfernung des Heimatlandes
- nach Reisedauer zum Gastort
- nach Größe des Heimatlandes/-ortes
- nach Anzahl der Länder, die man bereist hat
- nach Anzahl der Fremdsprachen, die man spricht
- nach Anzahl der Jahre, die man bereits in ... lebt.

Hinweis: Bei der Auswahl der Kriterien ist darauf zu achten, dass sie für bestimmte Personengruppen nicht peinlich, verletzend oder diskriminierend werden (Körpergrößen bei Behinderungen; Fragen, die Bildungsunterschiede deutlich machen, wie evtl. bei Fremdsprachenkenntnissen).

Varianten:
1. Die TN sortieren sich nach Kriterien, ohne dabei zu sprechen. Zum Beispiel können Geburtsdatum oder Schuhgröße durch Handzeichen und gestische Vergleiche herausgefunden werden.
2. Noch bewegter wird das Spiel, wenn die TN auf Stühlen stehen, die zu einem Kreis angeordnet sind. Dabei sollen sie sich sortieren, ohne den Fußboden zu berühren.

In sequence

Number of participants: 8–40 • Duration: 20–30 minutes
Material: none • Subjects: Getting to know each other, communication

Participants line up according to certain predetermined criteria (which they may also determine themselves). Criteria are determined successively. Possible criteria are:
– by initial letters of their first name
– by size
– by distance of their native country
– by journey time to their host city
– by the size of their native country/city
– by the number of countries they have visited
– by the number of foreign languages they speak
– by the number of years they have lived in ...

Note: It is absolutely essential to ensure that the criteria selected are not embarrassing, offensive or discriminatory (body size in the case of persons with disabilities, questions revealing different levels of education such as the knowledge of foreign languages).

Variations:
1. Participants line up according to certain criteria without speaking. So for example the date of birth or shoe size could be found out by means of gesturing or gesticulatory comparisons.
2. The game will be even livelier with participants standing on chairs arranged in a circle. In this case they should line up without touching the ground.

A la queue leu leu
Nombre de participants : 8–40 • Durée : 20–30 minutes • Matériel : aucun
Thèmes : faire connaissance, communication

Les participants se placent les uns derrière les autres selon des critères donnés et bien définis (qu'ils peuvent eux-mêmes proposer), de façon à former ensuite une seule rangée. Les critères sont cités au fur et à mesure. Exemples de critères possibles :
– d'après la première lettre du prénom
– d'après la taille
– d'après l'éloignement du pays natal
– d'après la durée du voyage jusqu'au pays d'accueil
– d'après l'importance du pays natal ou du lieu d'origine
– d'après le nombre de pays que l'on a déjà visités
– d'après le nombre de langues étrangères que l'on sait parler.
– d'après le nombre d'années que l'on a déjà passées dans le pays ...

Remarque : En choisissant les critères, il est important de veiller à ce que qu'il n'y en ait aucun de blessant, discriminatoire pouvant provoquer la honte des participants de certains groupes (par exemple, la taille pour des personnes handicapées ; ou des questions soulignant les différences de niveau culturel comme dans le cas de la connaissance de langues étrangères).

Variantes :
1. Les participants s'ordonnent d'après des critères qu'il faut deviner, sans parler, uniquement au moyen de gestes, par exemple, faire des signes avec la main et des comparaisons gestuelles pour la date de naissance ou la taille des chaussures.
2. Le jeu devient encore plus mouvementé lorsque les participants montent sur des chaises placées en cercle et doivent s'ordonner sans toucher le sol.

Sortowanie według kolejności
Ilość uczestników: 8 do 10u osób • Czas: 20 do 30 minut • Materiał: niepotrzebny
Temat: poznanie sie, komunikacja

Uczestnicy dzielą się według określonych, z góry ustalonych kryteriów. Mogą one być ustalone przez samych uczestników. Kryteria ustalane są kolejno. Możliwe warianty:
– alfabetycznie według pierwszej litery imienia
– według wzrostu
– według odległości od rodzinnego kraju
– według czasu trwania podróży do kraju goszczącego/gospodarzy
– według wielkości rodzinnego kraju/miejscowości
– według ilości krajów, które się przejechało
– według ilości języków, którymi się mówi
– według ilości lat przeżytych w ...

Wskazówka: Przy wyborze kryteriów należy zwrócić uwagę na to, aby nie były one nieprzyjemne, krzywdzące ani dyskryminujące dla określonych grup/osób (wzrost w przypadku kalectwa; pytania które uwidaczniające różnice wykształcenia, jak np. znajomość języków obcych).

Warianty:
1. Grający dzielą się według kryteriów, nie rozmawiając ze sobą. Daty urodzenia lub rozmiar obuwia mogą być zgadywane przy pomocy znaków dawanych rękami lub gestykulacji
2. Gra nabiera rozmachu, jeśli uczestnicy stoją na krzesłach ustawionych w okrąg. Podczas dzielenia się grającym nie wolno dotknąć podłogi.

Italiano

Classificare in base alla serie
Numero di partecipanti: 8–40 • Tempo: 20–30 minuti • Occorrente: nulla
Argomenti: apprendere, comunicare

I partecipanti classificano se stessi in base a determinati criteri preimpostati (che possono scegliere anche loro medesimi) in maniera da costituire alla fine una serie. I criteri vengono definiti in sequenza e possono essere:
– iniziale del nome
– statura
– distanza del paese d'origine
– durata del viaggio fino alla località dove vivono
– grandezza del paese/località d'origine
– numero di paesi visitati
– numero di lingue conosciute
– numero di anni dai quali vivono a ...

Nota: la scelta dei criteri non deve diventare per alcuni gruppi di persone dolorosa, offensiva o discriminatoria (la statura per i portatori di handicap; domande che evidenzino differenze di formazione culturale come p. es. sulla conoscenza di lingue straniere).

Varianti:
1. Durante questa autoclassificazione per criteri i partecipanti non parlano. P. es. si possono scoprire data di nascita o numero di scarpe compiendo gesti e paragoni gestuali.
2. Il gioco risulterà ancora più vivo se i partecipanti si mettono in piedi su delle sedie sistemate in cerchio e provano a classificarsi senza toccare il pavimento.

Türkye

Sıraya göre düzeltme
Grubu oluşturanların sayısı: 8–40 • Süre: 20–30 dakika • Malzeme: Gerekmez
Konu: Tanışma, komünikasyon

Oyuna katılanlar öngörülen belirli bir kriteryuma göre (bunu kendileri de belirtebilirler) nihayet bir sıra oluşturup dururlar. Kriteryum sıra ile belirtilir. Mümkün olan kriteryumlar:
– İsminin ilk harfine göre.
– Boy büyüklüğüne göre.
– Geldiği ülkenin uzaklığına göre.
– Seyehatın misafir olduğu yere kadar olan süresine göre.
– Memleketinin büyüklüğüne göre.
– Seyahat ettiği memleketin sayısına göre.
– Bildiği yabancıdil sayısına göre.
– ... da yaşadığı yılların sayısına göre.

Not: Bu kriteryum da seçim yapılırken belirli bir grubu utandıracak bir duruma düşürmemeye, kırmamaya ve küçük düşürmemeye dikkat edilmelidir (sakatlarda boy sorunu; veyahut eğitim farkı, yabancı dil bilgisinde olan farklılığı açık açık ortaya çıkaran sorular gibi).

Değişik şekli:
1. Oyuna iştirak edenler konuşmadan kriteryuma göre dizi olurlar. Örneğin: El işareti, jestik hareketleri kıyaslamaları ile doğum tarihini veyahut ayakkabı numarasını bilme.
2. Eğer oynuyanlar halka halinde dizilmiş sandelye üstüne çıkıpta ayakta durarak oynarlarsa oyun daha hareketli olur. Bu arada oyuncular yere dokunmadan sıralanırlar.

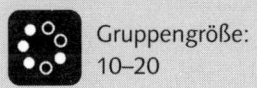 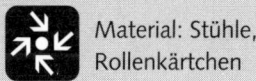
Zugfahrt

Deutsch

Themen: Kooperation, Kulturen entdecken, Vorurteile

Die TN bilden kulturell gemischte Kleingruppen zu vier bis sechs Personen. Jede Kleingruppe spielt ein Rollenspiel „Im Eisenbahnabteil". Dazu werden Stühle zu einem „Abteil" zusammengestellt und die TN erhalten kurze schriftliche Rollenbeschreibungen, z. B. Deutscher auf Urlaubsfahrt, Spanierin zum Markt, Engländer als Fußballfan, Französin als Geschäftsfrau. Niemand kennt die Rolle der anderen. Die Gruppen können unterschiedliche Vorgaben bekommen. In der Regel gibt es zwei Grundrollen: die bereits im Abteil Sitzenden und die Hinzukommenden. Wichtig ist, die Übung so lange pantomimisch zu spielen, bis alle glauben, die Rolle der anderen entdeckt zu haben. Darüber verständigen die TN sich mit Zeichen und die Spielleitung beendet das Spiel.

Hinweis: Mögliche Auswertungsfragen können sein: Wie habe ich mich in meiner Rolle gefühlt? Welche Bilder und Vorurteile gab es? Wie realistisch schätze ich eine solche Situation ein?

Train journey
Number of participants: 10–20 • Duration: 1 hour
Material: chairs, cards describing roles
Subjects: co-operation, discover cultures, prejudices

English

Participants form small groups of 4 to 6 persons from different cultures. Each group performs a role play called "In the train compartment". For this purpose chairs are arranged to form a "compartment" and participants are given short written role descriptions such as a German on holiday, a Spaniard at the market, an English football fan, a French businesswoman. Nobody knows the role of the others. Groups may get different instructions. Normally there are two basic roles: those already sitting in the compartment and those arriving. It is important to play the role in mime until all participants believe they have discovered the others' roles. Participants communicate via signs and the moderator finishes the game.

Note: Possible assessment questions may be: How did I feel in my role? What images/prejudices were there? Do I judge such a situation realistically?

Français

Voyage en train
Nombre de participants : 10–20 • Durée : 1 heure
Matériel : chaises, cartes avec description des rôles
Thèmes : coopération, découverte des cultures, préjugés

Les participants forment des petits groupes de 4 à 6 personnes de cultures différentes. Chaque petit groupe joue un rôle « dans le compartiment d'un train ». Dans ce but, des chaises sont disposées de façon à former un compartiment. Chacun des participants reçoit une carte sur laquelle un rôle à jouer est indiqué brièvement, par exemple, un Allemand en voyage, une Espagnole au marché, un Anglais supporter de football, une Française comme femme d'entreprise. Aucun des participants ne connaît les rôles attribués aux autres. Les groupes peuvent recevoir différentes conditions. En règle générale, il y a deux rôles de base : les voyageurs qui sont déjà assis dans le compartiment et les nouveaux venus. Il est important que chacun mime son rôle jusqu'à ce que tous pensent avoir deviné le rôle des autres. Lorsque c'est le cas, les participants s'informent par signe et l'organisateur de jeu arrête le jeu.

Remarque : Questions possibles : comment me suis-je senti dans mon rôle ? Quelles images et quels préjugés ont fait surface ? Dans quelle mesure puis-je analyser une telle situation de manière réaliste ?

Polski

Jazda pociągiem
Ilość uczestników: 10 do 20 • Czas trwania: 1 godzina
Materiał: krzesła, karteczki z opisem roli
Temat: współpraca, odkrywanie kultur, uprzedzenia

Grający tworzą kulturowo mieszane grupy złożone z 4 do 6 osób. Każda grupka odgrywa „Zabawę w pociąg". Należy ustawić krzesła imitując „przedział" w pociągu i rozdać grającym krótkie opisy ich roli, np. Niemiec podróżujący na urlopie, Hiszpanka w drodze na targ, Anglik jako fan piłki nożnej, Francuska jako biznesmenka. Uczestnikom nieznane są role współgraczy. Grupy mogą otrzymać różne dyspozycje. Z reguły obowiązuje podział na dwie główne role: siedzących już w przedziale i wchodzących. Ważne jest, aby role były grane pantonimicznie tak długo, aż wszyscy będą przekonani, że odgadli role innych graczy. W tym temacie grający porozumiewają się przy pomocy znaków, a prowadzący grę daje sygnał zakończenia.

Wskazówka: Możliwe pytania interpretacyjne: Jak czułem się w mojej roli? Jakie były wyobrażenia i uprzedzenia? Jak realistycznie oceniam podobną sytuację?

Italiano

Viaggio in treno
Numero di partecipanti: 10–20 • Tempo: 1 ora • Occorrente: sedie, biglietti
Argomenti: collaborare, scoprire culture, pregiudizi

I partecipanti formano minigruppi (4–6 persone) multiculturali. Ogni gruppetto fa una parte « nello scompartimento del treno ». Lo scompartimento verrà creato radunando delle sedie ed ai partecipanti verrà data una breve descrizione del loro ruolo, p. es. turista tedesco in viaggio di piacere, spagnola che va al mercato, tifoso inglese di football, donna d'affari francese. Nessuno conosce il ruolo degli altri. I gruppi possono ricevere istruzioni diverse. Di regola vi sono due ruoli-base: quello di chi è già nello scompartimento e quello di chi vi arriva. E' importante che l'esercizio rimanga una pantomima fin quando tutti credono di aver scoperto il ruolo degli altri. Inoltre i partecipanti comunicano a gesti e chi dirige il gioco ne decreta la fine.

Nota: Si possono p.es. porre a scopo d'indagine domande tipo: come mi sono sentito nel mio ruolo? Quali immagini e pregiudizi ci sono stati? Quanto considero realistica una simile situazione?

Tren yolculuğu
Grubu oluşturanların sayısı: 10–20 • Süre: 1 saat • Malzeme: Sandalye, rol kâğıdı
Konu: İşbirliği, kültürel bilgi edinme ve önyargı.

Oyuna iştirak edenler, çeşitli kültürel yörelerden gelenlerden dört'ten altı kişiye kadar ufak gruplar kurar. Her ufak grup «Tren kompartımanında» bir rol oynar. Bu oyun için sandalyeler „Kompartıman" olarak yerleştirilir. Oyunculara içinde oyuncuların rolünü izah eden kısa yazılı bir kâğıt verilir, örneğin: bir Alman tatil yolculuğunda, İspanyol bir bayan pazara gidiyor, bir İngiliz futbol meraklısı, Fransız bir bayan tüccar. Kimse kimsenin rolünü bilmez. Oyunculara değişik ödevler verilir. Normalde iki ana rol mevcuttur. Bu rollerden biri önceden gelip kompartımanda oturmuş olanlar, diğeri ise kompartımana yeni gelenler olur. Önemli olan oyunu diğerlerinin rolünü herkesin keşveddiklerine inanıncaya kadar pandomim şeklinde oynamak. Bunun üzerine oyuncular işaretle anlaşır ve yönetmenlik oyunu sonuçlar.

Not: Değerlendirme soruları şöyle olabilir: Rolümde kendimi nasıl hissettim? Gözönünde ne gibi resimler canlandı ve negibi önyargı oluştu? Bu durum gerçeğe ne kadar uygun olabilir?

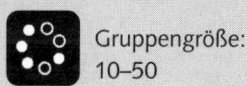 Gruppengröße: 10–50   30 Minuten   Material: Musik

Lebendige Punkte

Themen: Kennenlernen, Kleingruppenbildung

Alle TN bewegen sich zu lebhafter Musik im gesamten Raum. Immer dann, wenn die Musik plötzlich stoppt, werden bestimmte Aufgaben gestellt. Diese sind so lange auszuführen, bis die Musik wieder einsetzt. Mögliche Aufgaben sind:
– Berühre möglichst schnell alle vier Ecken des Raumes!
– Schüttle so viele Hände, wie du kannst!
– Begrüße jeden mit einem leichten Klaps auf den Rücken!
– Beim nächsten Musikstück bewege dich im Rhythmus auf den Knien! Wenn die Musik endet, lege dich sofort auf den Boden. Beginnt die Musik wieder zu spielen, stehe schnell wieder auf!

Variante: Das Spiel kann zur Kleingruppenbildung genutzt werden, indem die Spielleitung als letzte Aufgabe die Bildung von Gruppen in der gewünschten Anzahl stellt, also z. B.: Stellt euch möglichst schnell zu Vierergruppen zusammen!

Living points
Number of participants: 10–50 • Duration: 30 minutes • Material:
Music • Subjects: Getting to know each other, forming of small groups

All participants move around the entire room to lively music. Every time
the music stops suddenly, certain tasks have to be fulfilled until the music
resumes. Possible tasks include the following:
– Touch all four corners of the room as quickly as you can!
– Shake as many people's hands as you can!
– Greet everyone by giving him/her a slap on the back!
– Move to the rhythm of the music on your knees when the next piece of
  music starts. As soon as the music stops, lie down on the floor. Stand up
  quickly as soon as the music starts again!

Variation: The moderator may use this game to form small groups by
asking the participants to come together in the desired group size, i. e. get
together in groups of four as quickly as you can!

Les points vivants
Nombre de participants : 10–50 • Durée : 30 minutes • Matériel : musique
Thèmes : faire connaissance, formation de petits groupes

Tous les participants se déplacent dans toute la pièce au rythme d'une musique enjouée. Dès que
la musique s'arrête, ils doivent exécuter une tâche particulière, et l'avoir effectuée avant que
la musique ne redémarre. Quelques exemples de tâches à exécuter :
– touche le plus vite possible les quatre coins de la pièce !
– serre autant de mains que possible !
– salue chacun d'une petite tape dans le dos !
– avance sur les genoux au rythme de la musique suivante. Allonge-toi sur le sol dès que la musique s'arrête. Quand la musique reprend, relève-toi aussitôt !

Variante : Le jeu peut permettre de créer des petits groupes : en annonçant la dernière tâche, le
coordinateur du jeu demande de former des groupes avec un nombre donné de personnes, par
  exemple, formez des groupes de quatre le plus rapidement possible !

Zywe punkty
Ilość uczestników: 10 do 50 • Czas trwania: 30 minut • Materiał: muzyka
Temat: poznanie się, tworzenie małych grup

Wszyscy grający poruszają się w tak rytmicznej muzyki po całym pomieszczeniu. Za każdym
razem, kiedy muzyka nagle milknie, grający dostają określone zadania. Należy je robić tak długo,
aż muzyka znów zostanie włączona. Możliwe zadania:
– dotknij możliwie jak najszybciej wszystkich czterech kątów pomieszczenia
– uściśnij jak największą ilość dłoni
– przywitaj sie z każdym, dając mu lekkiego klapsa po plecach
– przy następnym kawałku muzyki poruszaj się do rytmu na kolanach! Kiedy muzyka przesta-
  nie grać, połóż sie natychmiast na podłodze! Wstań, kiedy muzyka znowu zacznie grać!

Wariant: Gra może być wykorzystana do tworzenia małych grup. Prowadzący grę wydaje jako
ostatnie polecenie komendę utworzenia grup o określonej ilości uczestników, np.: Ustawcie się
  jak najszybciej w grupach czteroosobowych!

Momenti d'animazione

Numero di partecipanti: 10–50 • Tempo: 30 minuti • Occorrente: musica

Argomenti: apprendere, formare piccoli gruppi

I partecipanti si muovono per tutta la stanza al ritmo di una musica vivace. Ogni volta che la musica all'improvviso si ferma vengono assegnati determinati compiti, che vanno eseguiti finché la musica ricomincia. Possibili compiti sono:

– Tocca il più in fretta possibile i quattro angoli della stanza!
– Tringi quante più mani puoi!
– Saluta tutti con una leggera pacca sulla spalla!
– Al prossimo brano musicale muoviti ritmicamente sulle ginocchia! Quando la musica finisce stenditi subito a terra. Quando la musica ricomincia rialzati in fretta!

Variante: Il gioco può essere utilizzato per formare piccoli gruppi: chi lo dirige assegnerà come ultimo compito quello di creare il numero richiesto di gruppi; dunque p. es.: formate il più in fretta possibile gruppi di quattro persone!

Hareketli Puan

Grubu oluşturanların sayısı: 10–50 • Süre: 30 dakika • Malzeme: Müzik

Konu: Tanışma, küçük gruplaşma

Oyuna katılan herkes hareketli müziğe göre odanın her tarafında hareket ederler. Müziğin aniden her istop eddiğinde bir ödev verilir. Müzik tekrar başlıyana kadar ödev çözülmeye çalışılır. Ödevler şöyle olabilir:

– Mümkün olduğu kadar çabuk odanın dört köşesine dokun!
– Tokalaşa bildiğin kadar tokalaş!
– Herkese arkasına hafifçe vurarak selam ver!
– Gelecek müzikte dizlerinin üstünde ritmik hareketler yap! Müzik biter bitmez hemen yere yat! Müzik çalmaya başlar başlamaz tekrar çabucak kalk!

Değişik şekli: Bu oyun küçük gruplaşmaya yardımcı olur. Yönetmenlik son ödev olarak grupların arzu edilen sayıda kurulmasına, yani mümkün olduğu kadar çabuk dörtlü grup olun diyerek bunu yapabilir.

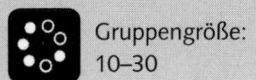 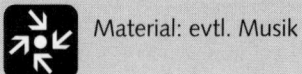
Folgen

Deutsch

Themen: Kennenlernen, Kommunikation

Die TN bewegen sich in einem Kreis. Die Spielleitung macht pantomimisch einige Alltagsszenen vor: Zug fahren, Auto fahren, frühstücken, Sport treiben … Die TN ahmen dies nach. Dann kann die Spielleitung einen TN berühren, der erst selbst eine Spielszene vormacht und danach eine nächste Person berührt.

Variante: Alle stehen in einem Kreis und versuchen zu Musik die gleiche Bewegung zu machen, ohne Leitung. Dies erfordert hohe Konzentration von allen.

English

Follow the leader
Number of participants: 10–30 • Duration: 30 minutes
Material: possibly music
Subjects: Getting to know each other, communication

Participants move around in a circle. The moderator/s represent some every day scenes in mime such as going by train, by car, having breakfast, doing sporting activities etc. Participants imitate this representation. Then, the moderator touches a participant who represents a situation and then touches the next person.

Variation: Everybody stands in a circle and tries to move to the rhythm of the music in the same way, without instructions. This requires a great deal of concentration from everyone.

Français

Séries
Nombre de participants : 10–30 • Durée : 30 minutes • Matériel: musique éventuellement
Thèmes: faire connaissance, communication

Les participants se déplacent dans un cercle. Le coordinateur du jeu mime quelques scènes de la vie quotidienne : un voyage en train ou en voiture, le petit-déjeuner, la pratique d'un sport … Les participants miment à leur tour ces scènes. Le coordinateur du jeu peut toucher un participant, qui doit alors mimer une scène avant de toucher à son tour une autre personne.

Variante : Tous sont debout en cercle et essaient de faire les mêmes mouvements en musique, sans aucune intervention du coordinateur du jeu. Cela exige une concentration importante de la part de tous.

Naśladowanie
Ilość uczestników: 10 do 30 • Czas trwania: 30 minut • Materiał: ewentualnie muzyka
Temat: poznanie się, komunikacja

Grający poruszają się w jednym kręgu. Prowadzący grę pokazuje pantonimicznie sceny z dnia powszedniego: jazda pociągiem, jazda autem, jedzenie śniadania, uprawianie sportu ... Grający naśladują pokazywane sceny. Prowadzący grę może dotknąć jednego uczestnika gry, który najpierw sam przedstawia jakąś scenę, a potem dotyka następnego grającego.

Wariant: Wszyscy stoją w kole i próbują poruszać się w identyczny sposób w takt muzyki, bez udziału prowadzącego grę. Wymaga to od wszystkich olbrzymiej koncentracji.

Conseguenze
Numero di partecipanti: 10–30 • Tempo: 30 minuti • Occorrente: event. musica
Argomenti: apprendere, comunicare

I partecipanti si muovono in cerchio. Chi dirige il gioco presenta sotto forma di pantomima scene della vita di ogni giorno: viaggio in treno, in automobile, la colazione, attività sportiva, ecc. I partecipanti replicano queste scene. Poi chi dirige il gioco può toccare un(a) partecipante, che prima reciterà una scena e poi toccherà un'altra persona.

Variante: Tutti stanno in cerchio e cercano di compiere lo stesso movimento a ritmo di musica, senza l'intervento di chi dirige il gioco. Questo richiede grande concentrazione da parte di tutti.

Takip etme
Grubu oluşturanların sayısı: 10–30 • Süre: 30 dakika • Malzeme: belki müzik
Konu: Tanışma, komünikasyon

Oyuna iştirak edenler halka şeklinde dönüşürler. Oyun idareciliği pandomimle bazı günlük olayları açıklar: Tren yolculuğu, araba yolculuğu, kahvaltı yapmak ve spor yapmak gibi ... Oyuncular bunu taklit ederler. Daha sonra oyun idarecisi bir oyuncuya dokunur, o da sahnede oyun oynadıktan sonra diğer başka birine dokunur.

Değişik şekli: Herkes bir daire halinde ayakta durarak, idarecisiz müziğe göre aynı hareketi yapmaya çalışır. Bu herkesin çok dikkat vermesini gerektirir.

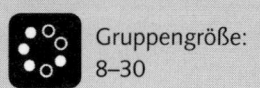 Gruppengröße: 8–30

 30 Minuten

 Material: keines

Palme, Affe, Elefant

Deutsch

Themen: Kommunikation, Kooperation

Die TN bilden einen Kreis. Eine Person steht in der Mitte des Kreises und muss den Einzelnen durch Fingerzeig eine Figur zurufen, die jeweils mit den beiden Personen rechts und links gebildet werden muss.

Die Palme: Die mittlere Person hebt die Arme und wedelt mit den Händen, die rechte Person hebt ihr linkes Bein an die Palme, die linke Person hebt das rechte Bein an die Palme.

Der Affe: Die mittlere Person hört, sieht und spricht nicht. Sie schließt Augen und Mund, und die Ohren hält sie sich mit den Händen zu. Die rechte und linke Person kitzeln den Affen unter den Armen.

Der Elefant: Die mittlere Person ahmt einen Rüssel nach (linker Arm an die Nase, der rechte Arm wird durch den linken gerade hindurchgestreckt), die rechte und linke Person simulieren durch ihre zu einem Kreis geformten Arme die großen Ohren des Elefanten.

Känguru: Die mittlere Person fasst ihre Hände und formt mit ihren Armen einen runden Kängurubeutel. Die Personen rechts und links sind die Kängurubabys, die ihre Köpfe von unten durch den Beutel der Mutter strecken.

Baby auf der Autobahn: Die mittlere Person ist das Baby auf der Autobahn und lutscht weinend an ihrem Daumen. Die Personen rechts und links sind die Autofahrer und Autofahrerinnen, die um das Baby herumfahren.

Modell: Die mittlere Person ist das Modell, das von den Personen rechts und links aus unterschiedlichen Perspektiven und in unterschiedlichen Posen fotografiert wird.

Hinweis: Die Figuren können um jede beliebige Figuren ergänzt werden.

Palm, monkey, elephant
Number of participants: 8–30 • Duration: 30 minutes
Material: none • Subjects: communication, co-operation

Participants form a circle. One person stands in the centre of the circle and tells each participant by pointing at them which figure he/she should portray together with the two persons standing to the left and right of him/her.

Palm: The person in the centre raises his/her arms waving his/her hands whilst the person to the right lifting his/her left leg towards the palm and the person to the left lifting his/her right leg towards the palm.

Monkey: The person in the centre cannot see, hear or speak. He/she closes his/her eyes and mouth and holds his/her ears. The persons to the right and left tickle the monkey under the arms.

Elephant: The person in the centre imitates an elephant's trunk (holding the left arm on the nose and stretching the right one straight through the circle formed by the left one) with the persons to the right and left side representing the elephant's big ears with their arms arranged in a circle.

Kangaroo: The person in the centre represents a kangaroo's round pouch using his/her hands and arms. The persons to the left and to the right are the kangaroo's babies stretching their heads out of their mother's pouch.

Baby on the motorway: The person in the centre plays the role of a baby on the motorway crying and sucking on its thumb. The persons to the right and left side are drivers driving around the baby.

Model: The person in the centre is a model being photographed from different perspectives and in different poses by the persons to the right and left.

Note: Characters may be supplemented with any other figure.

Français

Palmiers, singes, éléphants
Nombre de participants : 8–30 • Durée : 30 minutes • Matériel : aucun
Thèmes : communication, coopération

Les participants forment un cercle. Une personne est à l'intérieur du cercle et annonce chaque personne choisie en la montrant du doigt le nom du personnage qu'elle créera alors avec les personnes placées à sa gauche et à sa droite.
Le palmier : la personne au milieu lève les bras et agite les mains. La personne de droite lève la jambe gauche contre le palmier et la personne de gauche lève la jambe droite contre le palmier.
Le singe : la personne au milieu ne voit et ne parle pas. Elle ferme les yeux et la bouche et se bouche les oreilles avec les mains. Les personnes à sa droite et à sa gauche le chatouillent sous les bras.
L'éléphant : la personne au milieu mime une trompe d'éléphant (main gauche tenant le nez, le bras droit tendu passé à travers le gauche et tendu). Les personnes à sa droite et à sa gauche forment chacune un cercle avec leurs bras imitant ainsi les oreilles de l'éléphant.
Le kangourou : la personne au milieu se tient les mains et forme avec ses bras la poche ronde d'un kangourou. Les personnes à sa droite et à sa gauche représentent les bébés kangourous sortant la tête de la poche de leur mère.
Le bébé sur l'autoroute: la personne au milieu est le bébé sur l'autoroute qui suce son pouce en pleurant. Les personnes à sa droite et à sa gauche représentent le conducteur et la conductrice qui roulent autour du bébé.
Modèle : la personne au milieu est le modèle qui est photographié sous différentes perspectives et avec différentes poses.

Remarque : Les figures peuvent être complétées par toute autre figure quelle qu'elle soit.

Polski

Palma, małpa, słoń
Ilość uczestników: 8 do 30 • Czas trwania: 30 minut • Materiał: niepotrzebny
Temat: komunikacja, kooperacja

Grający ustawiają sie w kręgu. Jedna osoba staje pośrodku i musi wywoływać poszczególne osoby przez pokazywanie palcem jednej postaci. Postać ta musi być utworzona razem z dwoma osobami, stojącymi obok niej z lewej i z prawej strony.
Palma: osoba stojąca w środku podnosi ramiona w górę i macha rękami, osoba z prawej podnosi lewą nogę pod palmą, osoba stojąca z lewej podnosi prawą nogę pod palmą.
Małpa: osoba stojąca w środku nie słyszy, nie widzi i nie mówi. Ma zamknięte oczy i usta, trzyma się rękami za uszy. Osoba z lewej i z prawej łaskocze małpę pod pachami.
Słoń: osoba w środku formuje trąbę (trzymając się lewą ręką za nos, prawe ramię wsunięte prosto przez lewe ramię), osoby stojące z lewej i prawej strony imitują olbrzymie uszy słonia ramionami złożonymi na kształt koła.
Kangur: osoba stojąca w środku zakłada ręce i formuje ramionami okrągłą torbę kangura. Osoby z lewej i z prawej strony są jej dziećmi, wystawiającymi główki z torby matki-kangurzycy.
Niemowlę na autostradzie: osoba w środku jest niemowlęciem na autostradzie i płacząc ssie kciuk. Osoby z prawej i z lewej są kierowcami, przejeżdżającymi koło niemowlęcia.
Model: osoba stojąca w środku jest modelem, fotografowanym przez osobę z lewej i prawej strony z różnej perspektywy i w różnych pozach.

Wskazówka: Wymienione postacie mogą być uzupełnione przez dowolną inną figurę.

Palma, scimmia, elefante
Numero di partecipanti: 8–30 • Tempo: 30 minuti • Occorrente: nulla
Argomenti: comunicare, collaborare

I partecipanti formano un cerchio. Una persona sta al centro e deve indicare con le dita agli altri una figura, che verrà realizzata con la persona a destra e quella a sinistra.
La palma: la persona che sta al centro solleva le braccia e fa ondeggiare le mani; la persona a destra solleva la gamba sinistra verso la palma, la persona a sinistra solleva verso la palma la gamba destra.
La scimmia: la persona che sta al centro non sente, non vede e non parla. Chiude occhi e bocca e si tappa le orecchie con le mani. La persona a destra e quella a sinistra fanno il solletico alla scimmia sotto le braccia.
L'elefante: la persona che sta al centro fa finta di avere la proboscide (braccio sinistro sul naso, braccio destro allungato parallelamente all'altro), la persona a destra e quella a sinistra con le braccia disposte a cerchio simulano le grandi orecchie dell'elefante.
Canguro: la persona che sta al centro giunge le mani e con le braccia forma un marsupio rotondo. Le persone a destra e a sinistra sono i piccoli del canguro che sporgono la testa dal marsupio della mamma.
Bambino sull'autostrada: la persona che sta al centro è il bambino in autostrada che si lecca il dito piangendo. Le persone a destra e a sinistra sono gli automobilisti e le automobiliste che schivano il bambino.
Modello: la persona che sta al centro è il modello, che le persone a destra e a sinistra fotografano da diverse prospettive e in diverse pose.

Nota: Ogni figura è liberamente integrabile con qualsiasi altra.

Palmiye, maymun ve fil
Grubu oluşturanların sayısı: 8–30 • Süre: 30 dakika • Malzeme: Gereksiz
Konu: Komünikasyon, işbirliği

Oyuna iştirak edenler bir çember oluştururlar. Oyuncunun birisi dairenin ortasında durarak birisini parmağı ile gösterip bir şekil ismi söyler, bunun da sağında ve solundaki kişilerle bu şekli oluşturması gerekir.
Palmiye: Ortada duran kişi kollarını kaldırıp ellerini sallar, sağdaki kişi sol bacağını palmiyeye doğru kaldırır, soldaki kişi sağ bacağını palmiyeye doğru kaldırır.
Maymun: Ortadaki kişi görmez, duymaz ve konuşmaz. Gözlerini ve ağzını kapatır, kulaklarını da elleri ile kapatır, sağında ve solunda bulunan kişiler maymunun kolunun altını gıdıklarlar.
Fil: Ortadaki kişi fil hortumunu taklit eder (sol kolu ile burnunu tutup sağ kolunu da sol kolunun arasından düm düz ileri doğru sokar), sağ ve soldaki kişiler kollarını dairemsi yaparak fil kulaklarını taklit ederler.
Kanguru: Ortadaki kişi ellerini tutar ve kolları ile yuvarlak bir kanguru torbası yapar. Sağ ve soldaki kişiler başlarını annelerinin torbasına uzatan kanguru bebeği olur.
Otoyolda bebek: Ortada bulunan kişi otoyolda ağlıyarak başparmağını emen bir bebek olur. Sağ ve soldakiler otoyolda araba kullanan kişiler olur. Bunlar araba ile bebeğin etrafından geçerler.
Model: ortada olan kişi model olur. Modelin sağındaki ve solundaki kişiler tarafından çeşitli perspektivlerde fotoğrafı çekilir.

Not: Figürler başka figürlerle de tamamlanabilirler.

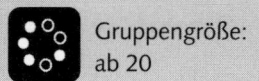 Gruppengröße: ab 20  1 Std.  Material: keines

Feiern bei anderen

Deutsch

Themen: Kulturen entdecken, Landeskunde

Die TN bilden Gruppen von sechs bis acht Personen. Jeder Gruppe wird ein bestimmtes Land zugeordnet, wobei es wichtig ist, dass je eine Person die Nationalität der Gruppe hat. Die Gruppe wird aufgefordert eine spezielle Feier, die für die Kultur des Landes typisch ist, nachzuspielen, z. B. Hochzeit, Beerdigung, Weihnachten, Neujahr. Die einzelnen Gruppen kommen zusammen und führen ihre Rollenspiele vor. Die Zuschauenden werden aufgefordert, die Feiern zu erraten und die Bedeutung der Aktivitäten zu erkennen.

English

Celebrating abroad
Number of participants: 20 plus • Duration: 1 hour • Material: none
Subjects: discovering cultures, geography

Participants form groups of six to eight persons. A specific country is allocated to each group with one member of that group having that particular nationality. The group is asked to re-enact a special celebration which is typical to the relevant country's culture, such as a wedding, funeral, Christmas, New Year etc. The individual groups gather together and present their role plays. The spectators are asked to identify the celebration and the meaning of the activities.

Français

Faire la fête chez les autres
Nombre de participants : minimum 20 • Durée : 1 heure • Matériel : aucun
Thèmes : découverte des diverses cultures, civilisation

Les participants forment des groupes de six à huit personnes. Chaque groupe se voit attribué le nom d'un pays, il est cependant important qu'au moins une personne du groupe ait la nationalité du pays attribué. A chaque groupe de représenter une fête typique pour la culture du pays attribué, par exemple, un mariage, un enterrement, Noël, le nouvel An. Les groupes se rassemblent et chaque groupe joue la scène qu'il a choisie. Au tour des spectateurs de deviner de quelles fêtes il s'agit et de comprendre le sens des activités.

Zabawa/święto u innych
Ilość uczestników: od 20 osób • Czas trwania: 1 godzina • Materiał: niepotrzebny
Temat: poznawanie kultur, krajoznawstwo

Grający tworzą grupy złożone z 6 do 8 osób. Każda grupa przydzielona zostaje do danego kraju. Ważne jest, aby jeden z graczy miał narodowość przydzieloną swojej grupie. Grupa dostaje zadanie przedstawienia specjalnej uroczystości, typowej jako zjawisko kulturowe dla danego kraju, np. wesela, pogrzebu, Bożego Narodzenia, Nowego Roku. Poszczególne grupy schodzą się ze sobą i prezentują swój temat. Widzowie mają za zadanie odgadnięcie rodzaju święta i znaczenia poszczególnych akcji/zachowań.

Le celebrazioni in altri paesi
Numero di partecipanti: da 20 in su • Tempo: 1 ora • Occorrente: nulla
Argomenti: scoprire culture, geografia

I partecipanti formano gruppi di 6–8 persone. Ad ogni gruppo viene assegnato un paese: è importante nel gruppo sia presente un cittadino del paese in questione. Il gruppo deve rappresentare una cerimonia speciale tipica della cultura del paese, p. es. un matrimonio, un funerale, il Natale, il Capodanno. I singoli gruppi si riuniscono e danno luogo alle proprie rappresentazioni. Gli spettatori devono indovinare di che cerimonia si tratta e individuare il significato delle azioni.

Başkalarının yanında tatil yapma
Grubu oluşturanların sayısı: 20 kişiden itibaren • Süre: 1 saat • Malzeme: Gerekmez
Konu: Yeni kültürel bilgiler edinme, memleket bilgisi

Oyuna iştirak edenler sekiz kişiden on kişiye kadar birer grup oluştururlar. Her grup bir memlekete ait olur, yalnız gruptan bir kişinin o memleketten olması önemlidir. Gruptan memleketine ait tipik kültürel bir eğlence oynaması istenir, örneğin: düğün, cenaze, noel bayramı, yılbaşı eğlencesi. Gruplar bir araya gelirler ve kendi oyunlarını takdim ederler. Seyircilerden eğlenceyi ve faliyetlerin anlamını bulmaları talep edilir.

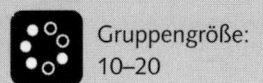

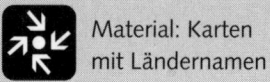
Wie siehst du mich?

Deutsch

Themen: Geschlechter, Selbstbilder/Fremdbilder, Vorurteile

Die TN erhalten eine Karte, auf der ein Ländername steht. Es sollte nicht das eigene, aber ein Land, das in der Gruppe vertreten ist, sein. Jede/r soll jetzt versuchen, in einem Rollenspiel eine Person oder ein Klischee aus diesem Land darzustellen. Die anderen raten, um welches Land es geht. Die jeweiligen Mitglieder der Nationalitäten sollten anschließend Stellung nehmen, was sie von dem jeweiligen Rollenspiel halten.

Variante: Jungen können versuchen ein Mädchen der anderen Kultur dar-zustellen und umgekehrt.

English

What is your opinion of me?
Number of participants: 10–20 • Duration: 30 minutes
Material: Map with names of countries
Subjects: sexes, self-image/perceived image, prejudices

Participants are given a map with the name of a country written on it. This country should not be their own country but a country which is represented within the group. Participants are now asked to portray, in the form of a role play, a person or a stereotype from that particular country. The other participants must guess which country is being depicted. The respective nationals should then comment on the role play.

Variation: Boys may try to represent a girl from the other culture and vice versa.

Comment me vois-tu ?
Nombre de participants : 10–20 • Durée : 30 minutes
Matériel : cartes avec des noms de pays
Thèmes : les deux sexes, perception de soi/perception des autres, préjugés

Les participants reçoivent chacun une carte sur laquelle figure le nom d'un pays. Ce dernier doit être différent du pays natal du détenteur de la carte mais il doit être représenté dans le groupe. Chacun essaie alors de jouer un rôle représentant une personne ou symbolisant un cliché de ce pays. Les autres personnes doivent deviner de quel pays il s'agit. Les membres des pays représentés donnent alors leur avis sur les rôles joués.

Variante : Les garçons peuvent essayer de représenter une fille d'une autre culture et inversement.

Jak mnie widzisz?
Ilość uczestników: 10 do 20 • Czas trwania: 30 minut
Materiał: kartki z nazwami krajów
Temat: płeć, wizerunek własny/wizerunek innych, uprzedzenia

Grający dostają kartki z nazwą jakiegoś kraju. Ma to nie być własny kraj, ale kraj, którego przedstawiciel wchodzi w skład grupy. Grający starają się przedstawić przy pomocy gry osobę lub typowe wyobrażenie dla danego kraju. Inne zgadują, o jaki kraj tu chodzi. Członkowie poszczególnych narodowości powinni zabrać głos, a następnie wyrazić opinię, co myślą o poszczególnych prezentacjach.

Wariant: Chłopcy przedstawiają dziewczęta z innych kultur i odwrotnie.

Come mi vedi?
Numero di partecipanti: 10–20 • Tempo: 30 minuti
Occorrente: cartine con nomi di paesi
Argomenti: razze, autoritratti/ritratti altrui, pregiudizi

Ai partecipanti viene data una cartina geografica con il nome di un paese, che non dev'essere il proprio, ma un paese rappresentato nel gruppo. Ognuno deve cercare di rappresentare una persona o un cliché di questo paese e gli altri devono indovinare di che paese si tratta. I cittadini dei paesi interessati si esprimeranno poi sulla rappresentazione effettuata.

Variante: I ragazzi possono cercare di rappresentare una ragazza dell'altra cultura e viceversa.

Beni nasıl görüyorsun?
Grubu oluşturanların sayısı: 10–20 • Süre: 30 dakika
Malzeme: Üzerinde memleketlerin ismi yazılı harita
Konu: Cinsiyet, kendi hakkında resim/yabancı resim, önyargı

Oyuna katılanlara bir harita verilir, bu haritada bir memleketin ismi yazılıdır. Bu memleket kendi memleketi değil de grupta temsil edilen birinin memleketi olmalıdır. Şimdi herkes rolunu oynayarak bu memlekete ait birini veya klişeyi temsil etmeye çalışır. Diğerleride bunun hangi memleket olduğunu çözümlemeye çalışır. En nihayet bu memleketten gelen oyuncu bu rol oyunu üzerinde ne düşündüğü hakkında fikir yürütür.

Değşik şekli: Erkek çocuklar başka ülkelerden gelen kızları, kızlarda onları temsil etmeye çalışır.

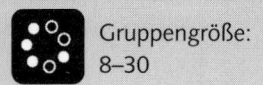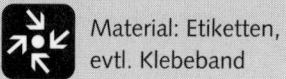
Internationale Persönlichkeiten

Deutsch

Themen: Kommunikation, Landeskunde, Sprache

Die TN erhalten ein Etikett und beschriften es mit dem Namen einer berühmten Persönlichkeit aus ihrer Heimat, die aus den Bereichen Sport, Politik, Kultur etc. sein kann. Es sollen jedoch nur Persönlichkeiten ausgewählt werden, die alle kennen können. Die TN kleben nun ihr Etikett auf die Stirn der rechts von ihnen sitzenden Person. Die Spielleitung kann Doppelnennungen ersetzen. Die Aufgabe ist nun, über Fragen, die nur mit „Ja" oder „Nein" zu beantworten sind, herauszufinden, wer man ist. Bei großen Gruppen laufen dazu alle TN im Raum herum und befragen die anderen. Jeder Person dürfen aber nur drei Fragen gestellt werden, dann geht es zur nächsten. Bei kleineren Gruppen (bis zu acht TN) sitzen alle im Kreis und befragen sich reihum. Wer die eigene Persönlichkeit erraten hat, klebt sich das Etikett auf die Brust. Nicht erratene Persönlichkeiten müssen erläutert werden.

Hinweis: Möglich ist eine anschließende Runde, in der alle sagen, warum sie die jeweilige Persönlichkeit ausgesucht haben. Vorsicht aber vor Zähigkeit in großen Gruppen!

English

International Celebrities
Number of participants: 8–30 • Duration: 1 hour • Material: Labels, poss. adhesive tape • Subjects: communication, geography, language

Participants are given a label and they are asked to write the name of a celebrity from their country on that label. The celebrity may be a sportsman/sportswoman, a politician or someone from the cultural scene who is known to everyone. Participants now stick their label onto the forehead of the person sitting to the right of them. The moderator can replace names chosen twice. Now the task is to find out who you are by asking questions that must only be answered with "yes" or "no". In larger groups everyone goes around the room asking each other. Each person may only be asked three questions, though; then it's the turn of the next person. In smaller groups (up to 8 participants) all participants sit in a circle asking each other in turn. Participants who have identified the celebrity allocated to them stick the label onto their chest. Unidentified personalities must be explained.

Note: Another variation would be a subsequent round where everyone explains the motive for having chosen that particular celebrity. Attention: this could be a dragging discussion in larger groups!

Personnalités internationales
Nombre de participants : 8–30 • Durée : 1 heure
Matériel : étiquettes et éventuellement ruban adhésif
Thèmes : communication, civilisation, langage

Les participants reçoivent chacun une étiquette et écrivent dessus le nom d'une personnalité célèbre dans leur pays natal, pouvant venir du monde politique, culturel ou sportif. Il est cependant important de ne choisir que des personnalités étant connues de tous. Les participants collent leur étiquette sur le front de la personne assise à leur droite. Le coordinateur du jeu peut remplacer les noms doubles. Le but du jeu est de savoir qui est la personnalité en posant des questions auxquelles les réponses sont oui ou non. Dans le cas de grands groupes, tous les participants se déplacent dans la pièce et questionnent les autres. On ne peut poser que trois questions à la même personne, puis on passe à la suivante. Pour des groupes plus petits (allant jusqu'à 8 participants), les personnes sont assises en cercle et posent des questions chacune à leur tour. Celui qui a trouvé sa propre personnalité se colle l'étiquette sur la poitrine. Des éclaircissements sont donnés concernant les personnalités qui n'ont pas été trouvées.

Remarque : Il est possible d'organiser une autre partie où chacun raconte pourquoi il a choisi cette personnalité. Mais faire attention à l'opiniâtreté dans les grands groupes !

Znane osobistości
Ilość uczestników: 8 do 30 • Czas trwania: 1 godzina
Materiał: naklejki, ewentualnie taśma samoklejąca
Temat: komunikacja, krajoznawstwo, język

Grający dostają po jednej etykietce i piszą na niej nazwisko znanej osobistości ze swojego kraju, z dziedziny sportu, polityki, kultury etc. Muszą to być jednak osobistości wszystkim znane. Grający przyklejają nalepkę na czoło osobom siedzącym po ich prawej stronie. Prowadzący grę może przejąć zastępstwo w przypadku powtarzających się nazwisk. Zadaniem graczy jest odgadnięcie, kto jest kim przy pomocy pytań, na które można odpowiadać tylko TAK lub NIE. Jeśli grupa jest duża, wszyscy gracze chodzą po sali i stawiają pytania innym grającym. Jednej osobie wolno jednak postawić tylko jedno zapytanie, potem należy przejść do następnej. W przypadku małych grup (do 8 uczestników), uczestnicy siedzą w kole i zadają sobie po kolei pytania. Osoba, której udało się odgadnąć swoją osobistość przykleja sobie etykietkę na piersi. Osobistości, których nie udało się odgadnąć powinny zostać objaśnione.

Wskazówka: Możliwa jest dodatkowa runda, w której wszyscy wyjaśniają, dlaczego wybrali właśnie tę osobistość. Zaleca się ostrożność ze względu na upór w dużych grupach!

Personalità internazionali
Numero di partecipanti: 8–30 • Tempo: 1 ora
Occorrente: etichette, event. nastro adesivo
Argomenti: comunicare, geografia, il linguaggio

Ai partecipanti viene data un'etichetta sulla quale devono apporre il nome di un personaggio del loro paese famoso nel campo dello sport, della politica, della cultura, ecc. Occorre però scegliere solo persone che tutti conoscano. I partecipanti poi incollano l'etichetta sulla fronte del compagno/della compagna alla loro destra. Chi dirige il gioco potrà cambiare i nomi doppi. Ora si tratta di scoprire – per mezzo di domande cui si può rispondere solo «sì» o «no» – chi è il personaggio il cui nome si porta appicccicato in fronte. Se il gruppo è grosso tutti i partecipanti camminano per la stanza e interrogano gli altri, ma sono concesse solo tre domande ciascuno, dopodiché si passa a un altro. Se il gruppo è piccolo (fino a 8 partecipanti) tutti siedono in cerchio e s'interrogano. Chi ha indovinato il nome del personaggio si appiccica l'etichetta sul petto. Verranno rivelati i nomi dei personaggi non indovinati.

Nota: Si può fare un giro successivo, in cui tutti dicono perché hanno scelto quel determinato personaggio. Attenti però all'ostinazione nei gruppi grossi!

Uluslar arası meşhur kişiler
Grubu oluşturanların sayısı: 8–30 • Süre: 1 saat
Malzeme: Etiket, icabederse zamklı bant
Konu: Komünikasyon, yurt bilgisi ve dil

Oyuna iştirak edenlere birer etiket verilir, bunlarda etiketin üstüne memleketlerinde tanınmış birinin adını/soyadını yazarlar. Bu tanınmış kişi sporcu, politikacı veyahut kültürel faaliyetlerde bulunan birisi olabilir. Yalnız bu kişi yani herkesin tanıyabileceği meşhur biri olmalı. Bu etiketi herkes sadece sağ tarafında oturan kişinin alnına yapıştırır. Eğer bir isim iki kişinin alnında yazılı ise oyun idareciliği bunlardan birini başka meşhur bir isimle değiştirir. Bu oyunda amaç sadece cevap olarak «Evet» veyahut «Hayır» soruları ile bu meşhur şahsın kim olduğunu bulabilmektir. Büyük gruplarda oyuncular odada dolaşıp diğerlerine sorarlar. Her kişiye ancak üç soru sorulur, ondan sonra başka birine sorulur. Küçük gruplarda ise (8 oyuncuya kadar) herkes oturarak bir çember oluşturur ve sıra ile birbirlerine soru sorarlar. Kendi alnındaki şahısı bilen etiketi alıp göğsüne yapıştırabilir. Keşfedilemiyen şahıslar hakkında açıklanma yapılmalı.

Not: Oyun bittikten sonra herkes niçin bu meşhur kişiyi seçtiğini belirtir. Dikkat bu büyük gruplarda biraz ağır ağır olur.

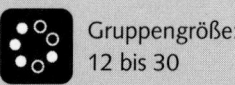 Gruppengröße:
12 bis 30

 2 bis 4 Std.

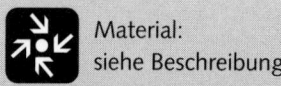 Material:
siehe Beschreibung

Fotorallye

Material: Digitalkameras mit Ausdruckmöglichkeit der Fotos oder Fotoapparate, Filme, Fotoladen mit Stundenentwicklung, große Papierbogen für Wandzeitungen, Stifte, Klebestifte
Themen: Geschlechter, Perspektivenwechsel, Selbstbilder/Fremdbilder, Vorurteile, Wahrnehmung

Die TN werden in kulturhomogene Gruppen mit vier bis sechs Personen aufgeteilt. Jede Gruppe erhält eine Digitalkamera bzw. eine Kamera mit einem Film. Ihr Auftrag ist, in der Stadt das zu fotografieren, was sie für „typisch deutsch/französisch/polnisch (dem jeweiligen Gastland entsprechend)". halten. Die Filme werden digital verarbeitet und ausgedruckt oder in einem Stundenservice entwickelt. Anschließend stellt jede Gruppe die eigenen Bilder auf einem Plakat zusammen.
Danach stellen die Kleingruppen ihre Ergebnisse vor und versuchen alle gemeinsam Fragen zu beantworten wie: Welche Motive wurden gewählt? Zu welchen Themengruppen kann man diese zusammenfassen? Welche Unterschiede und Gemeinsamkeiten sind zwischen den kulturellen Gruppen feststellbar? Inwieweit sind die Deutschland-Bilder bzw. die des jeweiligen Gastlandes neu für uns?

Hinweis: Die Spielleitung sollte darauf achten und ggf. daran erinnern, dass es in der Diskussion um die Unterschiede und Gemeinsamkeiten, um Eigen- und Fremdbilder, um differenzierte Wahrnehmung und den Austausch darüber geht

Variante: Bei einer entsprechenden Gruppenzusammensetzung können die Kleingruppen auch noch nach Geschlechtern getrennt gebildet werden. Dann sollte dies auch bei dem Gespräch in der Großgruppe Berücksichtigung finden.

English

Photographic rally
Number of participants: 12 to 30 • Duration: 2 bis 4 hrs.
Material: Digital cameras and the possibility to print photos out or cameras, films, photo shop offering development within 1 hour, large sheets of paper for wall news-sheets, pencils, Prittsticks.
Subjects: Sexes, change of perspectives, self-image/perceived image, prejudices, perception

Participants are divided into groups of 4 to 6 persons from one culture. Each group is given a digital camera or a camera and one film. The task is to go around the city taking photographs of what they think is "typically German/French/Polish" etc. (depending on the respective host country). The films are digitally processed and printed out or developed in a shop offering a 1-hour service. Afterwards each group collates its photos on a poster.
Then, the small groups present their results and try to give answers to questions such as: what did you photograph? Under which group of subjects could these photos be summarised? Which are the differences and which is the common ground that can be identified between the cultural groups? To what extent are these images of Germany or of the respective host country new to us?

Note: The moderator/s should ensure and possibly remind participants about the fact that the discussion is about differences and similarities, self-image/perceived image, about differentiated perception and the corresponding exchange of ideas.

Variation: Given a corresponding group formation, small groups could also be formed separated according to sex. In this case this should be taken into consideration in the discussion within the big group.

Safari photos
Nombre de participants : 12 à 30 • Durée : 2 à 4 heures
Matériel : appareils photos numériques avec la possibilité d'imprimer les photos ou appareils photos, pellicules, magasin photos pour le développement rapide des photos, grandes feuilles de papier pour des journaux muraux, crayons, bâtons de colle
Thèmes : les deux sexes, changement de perspectives, Images de soi/images des autres, préjugés, perception

Les participants sont répartis en groupes de 4 à 6 personnes de cultures homogènes. Chaque groupe dispose d'un appareil photos numérique ou d'un appareil photos avec une pellicule photos. La mission des groupes est de photographier dans la ville ce qui est pour eux typiquement « allemand/français/polonais » (selon le pays qui accueille). Les films seront, soit travaillés numériquement, soit développés dans un magasin photos avec développement rapide. Chaque groupe colle alors ses photos sur une affiche.
Ensuite, les groupes présentent les résultats de leur safari et essaient de répondre ensemble aux questions comme par exemple : Quels sont les motifs qui ont été choisis ? Sous quelle rubrique pourrait-on les regrouper ? Quelles différences et quels points communs peut-on constater entre les groupes culturels ? Dans quelle mesure ces photos de l'Allemagne ou du pays d'accueil correspondant sont-elles nouvelles pour nous ?

Remarque : Le coordinateur du jeu devrait veiller à ce que la discussion porte sur les différences et les points communs, les images propres et étrangères, la perception différenciée, et à ce que les échanges se fassent à ce niveau ; le rappeler si besoin est.

Variante : Si la composition du groupe le permet, il est également possible de former les petits groupes par sexe. En tenir compte lors de la discussion dans le grand groupe.

Wyścig fotograficzny
Ilość uczestników: 12 do 30 • Czas trwania: 2 do 4 godzin
Materiał: kamery digitalne z możliwością wydruku zdjęć lub aparaty fotograficzne, filmy, sklep fotograficzny wywołujący zdjęcia ekspresowo, duże arkusze papieru jako gazetki ścienne, pisaki, klej
Temat: płeć, zmiana perspektywy, wizerunek własny i innych, uprzedzenia, postrzeganie

Grający zostają podzieleni na grupy według języków/kultur składające się z 4 do 8 osób. Każda grupa dostaje kamerę digitalną względnie aparat fotograficzny z jednym filmem. Zadanie polega na fotografowaniu w mieście wszystkiego, co zdaniem grających jest typowo niemieckie/francuskie/polskie (w zależności od kraju goszczącego). Filmy zostają wywołane i wydrukowane metodą digitalną lub ekspresowo w sklepie fotograficznym. Następnie każda grupa przedstawia swoje zdjęcia w formie plakatu. W małych grupach przedstawione zostają wyniki, a ich uczestnicy szukają wspólnie odpowiedzi na pytania: Jakie motywy zostały wybrane? Na jakie grupy tematyczne można je podzielić? Jakie różnice i wspólne cechy można stwierdzić u poszczególnych grup kulturowych? Na ile te wyobrażenia o Niemczech względnie o danym kraju, który jest gospodarzem są dla nas nowością?

Wskazówka: Prowadzący grę musi zwracać uwagę ewentualnie przypominać, że w dyskusji chodzi o różnice i wspólne cechy, o wizerunek własny i innych, o zróżnicowane postrzeganie i wymianę.

Wariant: Przy odpowiednim utworzeniu grup można je podzielić na małe grupki tak, aby składały się one z przedstawicieli różnych płci. Podział ten musi być uwzględniony także w ramach rozmowy w dużej grupie.

Rally fotografico

Numero di partecipanti: da 12 a 30 • Tempo: da 2 a 4 ore

Occorrente: macchine fotografiche digitali con possibilità di sviluppo come da pellicola o macchine fotografiche normali, pellicole, negozi di fotografia che sviluppano nel giro di un'ora, grossi fogli di carta per giornali «murales», matite, colla stick

Argomenti: razze, cambiare prospettiva, autoritratti/ritratti altrui, pregiudizi, percezione

I partecipanti vengono suddivisi in gruppi culturalmente omogenei di 4–6 persone. A ogni gruppo viene data una macchina fotografica digitale o una normale con una pellicola. Loro compito è fotografare in città ciò che ritengono «tipicamente tedesco/francese/polacco (a seconda del paese di provenienza)». Le pellicole vengono sviluppate digitalmente e stampate oppure fatte sviluppare in un punto che garantisca il servizio in un'ora. Poi ogni gruppo riunisce le sue fotografie in un tabellone.

Dopodiché i minigruppi presentano i loro risultati e cercano di rispondere tutti insieme a domande tipo: Quali soggetti sono stati scelti? A quali tematiche di gruppo si possono ricondurre? Quali differenze e comunanze sono riscontrabili fra i gruppi culturali? In che misura queste fotografie della Germania sono per noi nuove?

Nota: Chi dirige il gioco deve ricordarsi e ricordare che la discussione verte su differenze e comunanze, autoritratti e ritratti altrui, diversità di percezione e scambi di vedute in merito.

Variante: Se la composizione lo consente, i gruppi piccoli si possono formare anche in base alle razze; in tal caso il gruppo grande ne terrà conto nei suoi discorsi.

Fotoğraf reli'si

Grubu oluşturanların sayısı: 12–30 • Süre: 2–4 saat

Malzeme: Resimleri tabedilebilen dijital fotoğraf makinası veyahut fotoğraf makinası, filim, resimleri saatte geliştirecek fotoğrafçı dükkanı, duvara asmak için tabaka kâğıt, kalem ve zamklı yapışkan

Konu: Cinsiyet, çeşitli perspektifle görüş, kendi resmin/başkasının resmi, önyargı ve algılama

Oyuna iştirak edenlerden aynı memleketlilerden 4 kişiden 6 kişiye kadar gruplar kurulur. Her gruba bir dijital fotoğraf makinası veyahut fotoğraf makinası ve bir filim verilir. Bunların ödevi şehirde gördükleri ve tipik Alman/Fransız/Polonya usulü (bulunduğumuz memlekete göre) bulduklarının resimlerini çekmek. Filimler dijital işlenir ve tabedilir veyahut fotoğrafçı dükkanında hemen develope edilir. Nihayet her grup resimlerini bir afiş'e dizer. Küçük gruplar daha sonra neticeyi tasvir edip ortaklaşa olan bütün sorulara cevap vermeye çalışırlar, örneğin: Hangi motif seçildi? Bu hangi konu altında toplanabilir? Kültürel gruplar arasında ne gibi farklar ve ne gibi müşterek yönler tesbit edilebilir? Almanya veyahut bulunduğumuz memleketinin tasviri bizim için ne kadar yeni?

Not: Oyun idareciliği bu oyunda müzakere, fark ve ortak yönler, kendi görüşü ve başkasının görüşü, ayrıntılı algılama ve bunun karşılaştırılması hakkında olduğuna bunu belirterek dikkat etmeli.

Değişik şekli: Benzer gruplaşmada küçük gruplar ayrı ayrı cinsiyetlerden kurulabilir. Fakat bu büyük grupta müzakere edilirken dikkati nazara alınmalıdır.

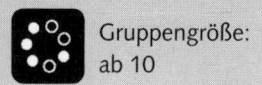 Gruppengröße: ab 10

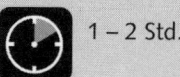 1 – 2 Std.

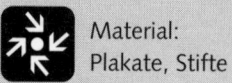 Material: Plakate, Stifte

Einkaufen – Was kostet was wo?

Deutsch

Themen: Landeskunde, Unterschiede und Gemeinsamkeiten entschlüsseln

Die TN bilden monokulturelle Kleingruppen und listen auf einem Plakat die Preise von verschiedenen Grundnahrungsmitteln, Konsumgütern und öffentlichen Transportmitteln in ihrem Land auf. Die einzelnen Preise von Brot, Milch, Früchten, Sportschuhen, Kinokarten, Friseurbesuchen, Bahnfahrten (100 km), einer Schülerkarte usw. werden dem Einkommen verschiedener Berufsgruppen ihres Landes gegenübergestellt. Hierzu können die TN die ihnen bekannten Berufsgruppen und Einkommen von Eltern, Verwandten oder Bekannten nehmen. Dann kommen die Kleingruppen im Plenum zusammen und stellen ihre Plakate vor.

Hinweis: In der Gruppe können unterschiedliche Einkommensverhältnisse, Ursachen, Probleme wie Migration, Subventionen, gerechte Verteilung in Europa usw. thematisiert werden.

Variante: Die Kleingruppen können die Liste auch für ein anderes Land aus der Gruppe erstellen.

English

Shopping – What, where and at what cost?
Number of participants: 10 plus • Duration: 1–2 hrs. • Material: Posters, pencils • Subjects: Geography, identifying differences and similarities

Participants form small monocultural groups and draw up a list of prices of different basic foods, consumables and public means of transport in their country. The individual prices for bread, milk, fruit, trainers, cinema tickets, going to the hairdresser's, train journeys (100 km), school children's' season tickets are then compared with the income of different occupational groups in their countries. For this purpose participants may refer to the occupational groups and incomes of people they know such as parents, relatives or acquaintances. Finally the small groups gather together to present their poster.

Note: Different income ratios, causes, problems such as migration, subsidies, fair distribution in Europe etc. may be discussed in the group.

Variation: The small groups could also draw up a list for another country represented within the group.

Faire les courses – Combien coûte quoi et où ?
Nombre de participants : minimum 10 • Durée : 1–2 heures • Matériel : affiches, crayons
Thèmes : civilisation, décodage des différences et des points communs

Les participants forment des petits groupes monoculturels et inscrivent sur une affiche les prix de différentes denrées alimentaires de base, de biens de consommation, des moyens de transport dans leur pays. Les prix des divers aliments : pain, lait, fruits, chaussures de sport, billets de cinéma, rendezvous chez le coiffeur, tickets de chemin de fer (100 km), carte scolaire, etc. sont mis alors en rapport avec les revenus de différentes catégories professionnelles de leur pays. Sur ce point, les participants peuvent prendre les catégories professionnelles et les revenus de leurs parents, de leur famille ou de leurs connaissances. Les petits groupes se retrouvent ensuite tous ensemble et présentent leur affiche.

Remarque : Au sein du groupe, les différences de revenus, leurs causes, les problèmes tels la migration, les subventions, la répartition équitable en Europe, etc. peuvent être abordés et discutés.

Variante :
Les petits groupes peuvent également faire une liste pour un autre pays représenté dans le groupe.

Zakupy – ile co gdzie kosztuje?
Ilość uczestników: od 10 • Czas trwania: 1 do 2 godzin • Materiał: plakaty, pisaki
Temat: krajoznawstwo, rozszyfrowanie różnic i cech wspólnych

Grający tworzą małe grupy z jednakowego kręgu kulturowego i przedstawiają w formie plakatu ceny różnych produktów żywnościowych, dóbr konsumpcyjnych i publicznych środków transportu obowiązujące w swoim kraju. Poszczególne ceny chleba, mleka, owoców, obuwia sportowego, biletów do kina, wizyty u fryzjera, jazdy koleją (100 km), karty uczniowskiej itd. skonfrontowane zostają z dochodami poszczególnych grup zawodowych danego kraju. W tym celu grający biorą za przykład znane im grupy zawodowe i dochody rodziców, krewnych i znajomych. Następnie małe grupy grających spotykają się na plenum i przedstawiają swoje plakaty.

Wskazówka: W grupie mogą być tematem rozmowy zróżnicowane dochody, przyczyny, problemy takie jak emigracja, subwencje, sprawiedliwy podział w ramach Europy itp.

Wariant: Małe grupy mogą sporządzić listę także dla innego kraju z tej grupy.

Shopping: – Quanto costa questo qui?
Numero di partecipanti: da 10 in su • Dauer: 1–2 ore • Occorrente: tabelloni, matite
Argomenti: geografia, differenze e comunanze

I partecipanti formano piccoli gruppi monoculturali ed elencano su un tabellone i prezzi di vari commestibili di prima necessità, beni di consumo e mezzi di trasporto pubblici nel loro paese. I singoli prezzi di pane, latte, frutta, scarpe da ginnastica, biglietti del cinema, parrucchiere, treno (viaggi di 100 km), biglietto per studenti, ecc. vengono confrontati con il reddito di vari gruppi professionali del proprio paese. Per ciò fare i partecipanti possono considerare il mestiere e il reddito di genitori, parenti o conoscenti. Poi ci si riunisce e ogni gruppo presenta i suoi tabelloni.

Nota: Nel gruppo si può parlare dei vari redditi, di cause, di problemi tipo migrazione, sovvenzioni, equa distribuzione in Europa, ecc.

Variante: I piccoli gruppi possono compilare l'elenco anche per un altro paese del gruppo stesso.

Alışveriş – nereden ne kaça alınır?

Grubu oluşturanların sayısı: 10 kişiden itibaren • Süre: 1–2 saat • Malzeme: Tabela, kalem
Konu: Yurttaşlık bilgisi, aradaki farklılık ve müşterek yönleri bulmak

Oyuna iştirak edenler monokültürel küçük gruplar oluşturur. Bunlar bir tabelaya memleketlerindeki çeşitli gıda maddelerinin fiyatlarını, tüketim mallarının fiyatlarını ve umumi vasıta fiyatlarını liste ederler. Teker teker her şeyin fiyatı, ekmek, süt, meyva, spor ayakkabısı, sinema bileti, kuaför masrafı, tren bileti (100 km), öğrenci kartı v.b. memleketlerindeki çeşitli meslek gruplarının geliri ile bu fiyatlar kıyaslanır. Bunlar bu kıyaslamada bildikleri meslek gruplarını, anne ve babalarının, akrabalarının ve tanıdıklarının gelirlirini ele alırlar. Küçük grupla hep bir araya gelerek yaptıkları listeleri takdim ederler.

Not: Grupta farklı gelirler, bunun sebebleri, migrasyon, sübvansiyon, Avrupada adeletli bir şekilde paylaşma v. b. konular ele alınır.

Değişik şekli: Küçük gruplar bu listeyi grupta bulunan birinin ülkesi için de hazırlayabilirler.

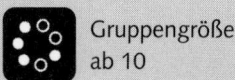 Gruppengröße: ab 10

 1 Stunde

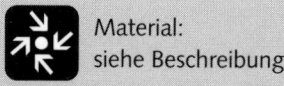 Material: siehe Beschreibung

Grenzen erkennen

Material: Papier in DIN A3, Stifte, Pinnwand (oder Folien und Overheadprojektor)
Themen: Landeskunde, Selbstbilder/Fremdbilder

Die TN bilden Kleingruppen zu drei bis vier Personen und werden aufgefordert eine Europakarte zu erstellen (15 bis 20 Min.). Die Europakarten werden ohne gegenseitige Absprachen hergestellt und dann an einer Pinnwand verglichen oder als Folien übereinander auf den Overheadprojektor gelegt.

Hinweise:
1. Die Spielleitung regt Vergleiche an: Wo ist was im Vergleich zum Gastland situiert? Wie groß ist Europa? Wie genau kennen die TN Europa? Welche Länder fehlen, warum? Wo endet Europa im Norden, Süden, Osten, Westen?
2. Ziel ist es, unterschiedliche Konzepte zu den Grenzen in und um Europa bewusst zu machen.
3. Nehmen TN von anderen Kontinenten teil, sollten diese einbezogen werden.

Identifying frontiers

Number of participants: 10 plus • Duration: 1 hour

Material: Paper in A 3 format, pencils, pin board (or foils and overhead projector) • Subjects: geography, self-image/perceived image

Participants form small groups of 3 to 4 persons and are requested to draw up a map of Europe (15 to 20 min.). Participants draw up the maps without talking to people from the other groups and finally the maps are compared on a pin board or placed on top of each other on an overhead projector.

Notes:

1. The moderator encourages participants to compare: where does the host country lie in relation to other countries etc. What size is Europe? How well do participants know Europe? Which countries are missing and why? Where does Europe end in the North, South, East and West?

2. The aim is to make participants aware of different thoughts around frontiers in and around Europe.

3. If there are participants coming from other continents these should be included in the game.

Reconnaître les frontières

Nombre de participants : minimum 10 • Durée : 1 heure

Matériel : papier au format DIN A 3, crayons, tableau avec punaises (ou transparents et rétro-projecteur) • Thèmes : civilisation, perception de soi/perception des autres

Les participants forment des petits groupes de 3 ou 4 personnes et sont priés de fabriquer une carte de l'Europe (15 à 20 min.). Les cartes de l'Europe sont faites sans aucun échange entre les groupes. Elles sont ensuite accrochées sur un tableau au mur ou placées les unes sur les autres (transparents) sur le rétroprojecteur pour être comparées.

Remarques :

1. Le coordinateur du jeu propose de faire des comparaisons: Où est quoi par rapport au pays d'accueil ? Quelles sont les dimensions de l'Europe ? Est-ce que les participants connaissent bien l'Europe ? Quels sont les pays manquants et pourquoi ? Quelles sont les limites de l'Europe au nord, au sud, à l'est, à l'ouest ?

2. Le but est de faire prendre conscience des différences de conception au niveau des frontières en Europe et autour de l'Europe.

3. S'il y a des participants venant d'autres continents, intégrer ces derniers.

Rozpoznanie granic

Ilość uczestników: powyżej 10 • Czas trwania: 1 godzina

Materiał: papier formatu A3, pisaki, tablica do przyczepiania pinezkami (lub folie i projektor do ich wyświetlania) • Temat: krajoznawstwo, wizerunek własny i innych

Grający tworzą małe 3–4 osobowe grupki i dostają za zadanie zrobienie mapy Europy (w ciągu 15 do 20 minut). Mapy Europy należy robić bez uprzedniego wzajemnego omówienia, a następnie porównać przez zamocowanie pinezkami na specjalnej tablicy lub przez położenie jednej gotowej folii na drugiej na projektorze.

Wskazówka:

1. Prowadzący grę proponuje porównania: Co jest usytuowane w porównaniu do kraju goszczącego? Jak dobrze grający znają Europę? Jakich krajów brakuje, dlaczego? Gdzie kończy się Europa na północy, południu, na wschodzie i zachodzie?
2. Celem zabawy jest uświadomienie różnicy konceptów granic wewnętrznych i zewnętrznych Europy.
3. Jeśli w grze biorą udział osoby pochodzące z innch kontynentów, należy je w grze zintegrować.

Riconoscere i limiti

Numero di partecipanti: da 10 in su • Tempo: 1 ora

Occorrente: carta formato DIN A 3, matite, bacheca (o lucidi e lavagna luminosa)

Argomenti: geografia, autoritratti/ritratti altrui

I partecipanti formano piccoli gruppi di 3–4 persone e devono realizzare una cartina dell'Europa (tempo: 15–20 min.), lavorando senza accordarsi vicendevolmente. Poi tutte le cartine vengono apposte su una bacheca e confrontate oppure – se sotto forma di lucidi – sovrapposte sulla lavagna luminosa.

Note:

1. Chi dirige il gioco suggerisce dei paragoni: quali paesi, e dove, sono situati rispetto al paese ospitante? Quant'è grande l'Europa? Quanto la conoscono i partecipanti? Quali paesi mancano e perché? Quali sono i confini d'Europa a Nord Sud Est Ovest?
2. Lo scopo è evidenziare le diverse visioni sui confini della e intorno all'Europa.
3. Includere nell'esercizio i continenti di provenienza di eventuali partecipanti extraeuropei.

Sınırları bilmek:

Grubu oluşturanların sayısı: 10 kişiden itibaren • Süre: 1 saat

Malzeme: Kâğıt DIN A 3, kalem, pintahtası (veyahut folye ve overhead projektörü)

Konu: Memleket bilgisi, kendi çizimin/başkasının çizimi

Oyuna iştirak edenler 3–4 kişilik ufak grup oluştururlar. Bunlardan bir Avrupa haritası çizmeleri istenir (15 dakikadan 20 dakikaya kadar). Avrupa haritasını oyuncular aralarında birbirine danışmadan çizmeleri gerekir. Daha sonra asılan pintahtasında birbirleri ile mukayese edilir, veyahut folye üst üste koyarak overhead projektörüne yerleştirilir.

Not:

1. Oyun idareciliği oyuncuların mukayese etmelerini celbeder: Misafir olduğumuz memlekete kıyasla hangi ülkeler nerede? Avrupa nekadar büyük? Oyuna katılanların Avrupa hakkında bilgileri ne? Hangi ülkeler eksik, niçin? Avrupa kuzey, güney, doğu ve batıdan nerede sona erer?
2. Bunun amacı Avrupa içinde ve dışında sınırları bilinçlendirmek.
3. Eğer oyuna başka kıt'alardan katılan varsa bu gözönüne alınmalıdır.

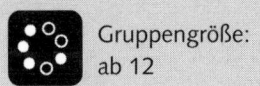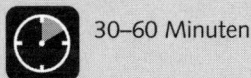
Grüßen

Deutsch

Themen: Kulturen entdecken, Unterschiede und Gemeinsamkeiten entschlüsseln

Die TN bewegen sich im Raum. Die Spielleitung fordert sie in kurzen Zeitabständen auf, ihren Vater, ihre Mutter, einen Freund, eine Vorgesetzte, einen Bekannten bei unterschiedlichen Anlässen und an unterschiedlichen Orten zu grüßen.

Hinweise:
1. Anschließend kann diskutiert werden, wer wann wen wie gegrüßt hat.
2. Mit dem Gruß werden viele Informationen über die Situation, die Beziehungen der Personen sowie die Werte und Normen der Gesellschaft transportiert.

English

Greeting

Number of participants: 12 plus • Duration: 30–60 minutes

Material: none

Subjects: Discovering cultures, identifying differences and similarities

Participants move around in the room. The moderator asks them at short intervals to greet their father, mother, a friend, a superior, an acquaintance on different occasions and in different places.

Notes:
1. Afterwards participants may discuss who has greeted whom, when and how.
2. Greetings contain lots of information about the situation, the relationship between persons as well as about the values and standards of a society.

Français

Les salutations
Nombre de participants : minimum 12 • Durée : 30–60 minutes • Matériel : aucun
Thèmes : découverte des cultures, décodage des différences et des points communs

Les participants se déplacent dans la pièce. Le coordinateur du jeu leur demande à intervalles réguliers et courts de saluer leur mère, leur père, un ami, un supérieur, une connaissance, à l'occasion des évènements les plus divers et à divers endroits.

Remarques :
1. Ensuite, on peut parler de qui a salué qui, quand et comment ?
2. Les salutations contiennent beaucoup d'informations sur la situation, le rapport des personnes entre-elles ainsi que les valeurs et les normes d'une société.

Polski

Pozdrowienia
Ilość uczestników: powyżej 12 • Czas trwania: 30 do 60 minut • Materiał: niepotrzebny
Temat: poznawanie kultur, rozszyfrowanie różnic i wspólnych cech

Grający poruszają się po sali. Prowadzący grę wydaje w krótkich odstępach czasu polecenie przywitania się z ojcem, matką, przyjacielem, przełożonym, znajomym przy różnych okazjach i w różnych miejscach.

Wskazówki:
1. Po zakończeniu gry można dyskutować, kto, kiedy, kogo i jak powitał.
2. W pozdrowieniu przekazywane jest dużo informacji na temat sytuacji, stosunków między ludźmi a także wartości i normy towarzyskie.

Italiano

Saluti
Numero di partecipanti: da 12 in su • Tempo: 30–60 minuti • Occorrente: nulla
Argomenti: scoprire culture, differenze e comunanze

I partecipanti si muovono per la stanza. Chi dirige il gioco chiede ogni poco di salutare il papà, la mamma, un amico, un superiore, un conoscenze in occasioni e luoghi diversi.

Note:
1. Successivamente si può discutere chi ha salutato chi, quando e come.
2. Il saluto consente di veicolare diverse informazioni sulla situazione, i rapporti fra le persone, i valori e le norme della società.

Türkye

Selamlaşma
Grubu oluşturanların sayısı: 12 kişiden itibaren • Süre: 30–60 dakika • Malzeme: Gerekmez
Konu: Kültürel bilgi edinme, farklılığı ve müşterek yönleri bulma

Oyuna iştirak edenler ortada dolaşırlar. Yönetmenlik bunlardan kısa sürelerle bunların anneleri, babaları, bir arkadaşları, şefleri ve bir tanıdıkları ile çeşitli vesilelerle ve çeşitli yerlerde selamlaşmasını ister.

Not:
1. Sonradan kim ne zaman kiminle selamlaştığının tartışması yapılır.
2. Selamlaşmada insanların birbirleri ile ilişkeleri hakkında, toplumda olan kaideleri ve birbirlerine kıymet vermeleri ile ilgili bilgiler elde edilir.

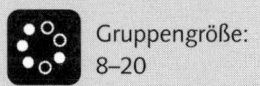

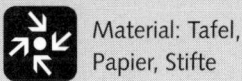
Werte entdecken

Deutsch

Themen: Kulturen entdecken, Sprache, Unterschiede und Gemeinsamkeiten entschlüsseln

Einige Sprichwörter werden auf eine Tafel geschrieben, dann haben die TN ca. zehn Minuten Zeit, alle Sprichwörter aufzuschreiben, die sie kennen. Die Sprichwörter werden anschließend auf der Tafel gesammelt und die TN versuchen gemeinsam herauszubekommen, welche Werte sich hinter diesen Sprichwörtern verbergen. In gemischt-kulturellen Gruppen werden Sprichwörter aus den verschiedenen Kulturen gesammelt, in die andere Sprache übersetzt und besprochen.

Hinweis: Im Plenum kann anschließend diskutiert werden, ob die Werte „nationale", z. B. französische oder polnische Werte sind, ob die TN sie bejahen oder ablehnen, ob sie in ihrer Lebensrealität eine Rolle spielen und realistisch sind.

English

Discovering values
Number of participants: 8–20 • Duration: 1–2 hrs.
Material: Blackboard, paper, pencils
Subjects: Discovering cultures, language, identifying differences and similarities

Several proverbs are written on a board; then participants are given 10 minutes to write down as many proverbs as they know. The proverbs are then written on the blackboard and participants jointly try to find out the values underlying these proverbs. In groups with participants from different cultures proverbs from these different cultures are collected, translated into the other language and discussed.

Note: All participants may later discuss whether the values found are "national" i. e. French or Polish values, whether they approve or disapprove of them, whether they play a role in their real life and whether they are realistic.

Français

Découverte des valeurs
Nombre de participants : 8–20 • Durée : 1–2 heures • Matériel : tableau, papier, crayons
Thèmes : découverte des cultures, langues, décodage des différences et des points communs

Quelques proverbes sont écrits au tableau. Puis, les participants ont environ 10 minutes pour écrire tous les proverbes qu'ils connaissent. Les proverbes seront ensuite reportés sur le tableau et les participants essaient de trouver quelles valeurs se cachent derrière ces proverbes. Pour les groupes multiculturels, les proverbes des différentes cultures sont collectés, traduits dans l'autre langue et discutés.

Remarque : Il sera possible ensuite de discuter tous ensemble si les valeurs nationales, par exemple, sont des valeurs françaises ou polonaises, si les participants les confirment ou les refusent, si elles jouent un rôle dans leur vie et sont réalistes.

Polski

Odkrywanie wartości
Ilość uczestników: 8 do 20 • Czas trwania: 1 do 2 godzin • Materiał: tablica, papier, pisaki
Temat: odkrywanie kultur, język, rozszyfrowanie różnic i wspólnych cech

Na tablicy napisane jest kilka przysłów. Grający mają 10 minut czasu na zapisanie wszystkich przysłów jakie znają. Przysłowia te zostają następnie zebrane na tablicy, a grający próbują wspólnie rozszyfrować wartości ukryte w tych przysłowiach. W grupach mieszanych kulturowo zbierane są przysłowia z rozmaitych obszarów kulturowych, przetłumaczone na inny język i omówione.

Wskazówka: Na plenum można następnie dyskutować, czy wartości te są wartościami narodowymi, np. francuskimi lub polskimi, czy uczestnicy akceptują je czy odrzucają, czy odgrywają one jakąś rolę w realnym życiu i czy są realne.

Italiano

Scoprire valori
Numero di partecipanti: 8–20 • Tempo: 1–2 ore • Occorrente: una lavagna, carta, matite
Argomenti: scoprire culture, il linguaggio, differenze e comunanze

I partecipanti hanno ca. 10 minuti per annotarsi tutti i proverbi che conoscono, i quali vengono successivamente riportati sulla lavagna ed i partecipanti cercano insieme di scoprire quali valori si celano dietro di essi. In gruppi culturalmente misti i proverbi di diverse culture vengono riuniti, tradotti e discussi.

Nota: Tutt'insieme si può poi discutere se i valori sono «nazionali» (p.es. francesi o polacchi) e se i partecipanti concordano o dissentono su di essi, se essi trovano applicazione nella vita reale e se sono concreti.

Türkye

Değer biçme
Grubu oluşturanların sayısı :8–20 • Süre: 1–2 saat • Malzeme: Tahta, kâğıt ve kalem
Konu: Kültürel bilgi edinme, dil, farklı ve müşterek yönleri bulma

Tahtaya bazı atasözleri yazılır. Oyunculara bunlardan bildiklerinin hepsini yazmaları için 10 dakika vakit verilir. Daha sonra bu atasözleri tahtada toplanır ve oyunculardan bu atasözlerinin arkasında gizlenen değeri bulmalarına çalışmaları talep edilir. Mültikültürel gruplarda, çeşitli kültürlerden gelen atasözleri toplanarak diğer dile çevirilip hakkında tartışma yapılır.

Not: Nihayet ortada bu değerin «milli» bir değermi, örneğin Fransızlara veyahut polonyalılara mı mahsus, oyuncular bunu kabulleniyorlarmı kabullenmiyorlarmı, hayatlarında bu bir gerçek rol oynuyormu, gerçeğe uygunmu yolunda tartışılır.

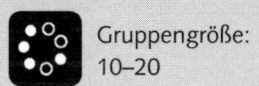 Gruppengröße: 10–20

 1–2 Std.

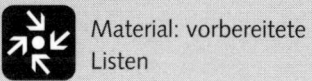 Material: vorbereitete Listen

Haben Sie Vorurteile?

Deutsch

Themen: Vorbereitung, Vorurteile

Die TN erhalten die vorbereitete Kopie einer Liste mit Namen von zehn bis 15 Nationen, darunter die eigene/n der TN. Jede Person soll auf ihrer Liste die Nationen nach Rangfolge der persönlichen Beliebtheit nummerieren. Anschließend markieren alle auf einer Wandzeitung die je drei beliebtesten und unbeliebtesten Nationen mit unterschiedlichen Farben, um ein Bild über die Gruppenmeinung zu erhalten.

Hinweise:
1. Die Auswertung der Übung sollte sich mit der Frage befassen, ob und welche Vorurteile die Wahl beeinflusst und bestimmt haben. Die Vorurteile zu den einzelnen Ländern können auf Plakaten gesammelt werden.
2. Es bietet sich an, vorher oder nachher zu Vorurteilen und ihrer Entstehung zu arbeiten. Ergänzend ist ein Abgleich mit der Realität – Erfahrungen mit den Kulturen, Gespräche mit Angehörigen der Nationalitäten – hilfreich.

English

Do you have prejudices?
Number of participants: 10–20 • Duration: 1–2 hrs.
Material: prepared lists • Subjects: preparation, prejudices

Participants are given a prepared copy of a list containing the names of 10 to 15 nations among which are the participants' nations. Each person is requested to classify on his/her list the nations by numbering them according to their personal preference. Afterwards participants mark the three most popular and most unpopular nations on a wall newspaper so that an idea of the group's opinion is obtained.

Notes:
1. The evaluation of this exercise should deal with the question whether and which prejudices have influenced the result. Prejudices with regard to the single countries may be collected on posters.
2. It is advisable to discuss prejudices and their development prior to or following the exercise. In addition a comparison with reality – experience with cultures, discussions with people from the different countries would be helpful.

Avez-vous des préjugés?
Nombre de participants : 10–20 • Durée : 1–2 heures
Matériel : listes préparées • Thèmes : préparation, préjugés

Chaque participant reçoit la copie préparée d'une liste comportant le nom de 10 à 15 nations parmi lesquelles figure la sienne. Chacun doit numéroter sur sa liste les pays par ordre de préférence. Ensuite, tous indiquent dans un journal mural les 3 nations préférées et les 3 nations les plus impopulaires avec des couleurs différentes pour se faire une idée de l'avis du groupe.

Remarques :
1. Lors de l'évaluation des résultats de l'exercice, il faudra se demander si des préjugés ont influencé et déterminé les choix et quels sont ces préjugés. Les préjugés des divers pays peuvent être notés sur des affiches.
2. Il est indiqué de travailler avant ou après sur les préjugés et leur apparition. Une comparaison avec la réalité : les expériences avec les cultures, les entretiens avec des membres de ces nations, complète cette étude.

Czy Pan/Pani ma uprzedzenia?
Ilość uczestników: 10 do 20 • Czas trwania: 1 do 2 godzin
Materiał: gotowe listy nazwisk • Temat: przygotowanie, uprzedzenia

Grający otrzymują gotową kopię listy z nazwiskami 10 do 15 narodowości, w tym zawierającą nazwiska uczestników. Każdy gracz ma za zadanie ponumerowanie narodowości według stopnia własnej sympatii. Następnie wszyscy grający markują na gazetce ściennej po trzy najbardziej lubiane i nielubiane narodowości różnymi kolorami w celu uzyskania pełnego obrazu opinii grupy.

Wskazówki:
1. Podczas analizy tej gry uczestnicy powinni zająć się zagadnieniem, czy i jakie uprzedzenia wpłynęły i określiły ich wybór. Uprzedzenia wobec poszczególnych krajów można przedstawić na plakatach.
2. Nadarza się okazja rozpracowania problemu uprzedzeń ich i ich powstawania. Uzupełniająco pomocne jest porównywanie rzeczywistości – doświadczenia z przedstawicielami obcych kultur, rozmowy z ludzmi innych narodowości.

Avete dei pregiudizi?
Numero di partecipanti: 10–20 • Tempo: 1–2 ore
Occorrente: elenchi precompilati • Argomenti: predisporre, pregiudizi

Ai partecipanti viene data la copia predisposta di un elenco con i nomi di 10–15 nazioni, fra cui la propria e ogni partecipante deve numerarle in base alla sua preferenza. Successivamente, su un giornale murale tutti segnalano con colori diversi le 3 nazioni preferite e le 3 meno gradite, onde ottenere un quadro delle opinioni del gruppo.

Note:
1. L'analisi dell'esercizio deve mirare a scoprire quali pregiudizi possono eventualmente aver influenzato e deciso la scelta. I pregiudizi sui singoli paesi si possono riassumere su tabelloni.
2. L'indagine sui pregiudizi e la loro insorgenza può avvenire prima o dopo. Ad integrazione di questo lavoro sarà utile effettuare un paragone con la realtà: esperienze culturali, colloqui con i nativi.

Önyargınız varmı?
Grubu oluşturanların sayısı: 10–20 • Süre: 1–2 saat • Malzeme: Hazırlanmış liste
Konu: Hazırlık, önyargı

Oyuna iştirak edenler içinde 10–15 ulus ismi, aynı zamanda kendi ulusunun da ismi yazılı bir listenin kopyası verilir. Herkes bu listedeki ulusları kendi beğendiği gibi sıralayıp numaralar. Daha sonra grubun görüşü hakkında bilgi edinmek için herkes tahtada en çok sevilen ve en az sevilen üçer ülkeyi çeşitli renklerle çizerler.

Not:
1. Bu alıştırmanın değerlendirilmesi yapılırken eğer önyargı varsa seçim yapmada ne gibi etki ve katkısı olduğu sorusunu kapsar. Teker teker memleketler hakkında olan önyargılar plakartlarda toplanır.
2. Önceden veyahut sonradan, nasıl önyargı olabiliyor üzerinde çalışmak uygun olur. Gerçeklere göre eşitleştirme tamamlayıcı olur – kültürel tecrübe, başka memleketlilerle konuşma gibi.

 Gruppengröße: ab 12

 10–60 Minuten

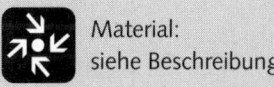 Material: siehe Beschreibung

Rollen

Material: vorbereitete Listen mit Rollenzuschreibungen in Ehen oder bei Paaren, Stifte, Plakate
Themen: Geschlechter, Kulturen entdecken, Unterschiede und Gemeinsamkeiten entschlüsseln, Werte

Die Spielleitung stellt zwölf Rollenzuschreibungen einer Ehe oder bei einem Paar zusammen, z. B. der Mann sollte seiner Frau bei der Hausarbeit helfen; die Frau sollte den Beruf ausüben, den sie will; wenn der Ehemann fremd geht, kann das auch seine Frau tun; Männer sollten strenger mit ihren Ehefrauen sein; Mann und Frau sollen alle Entscheidungen gemeinsam treffen; den Wohnsitz sollte der Mann bestimmen; Heirat ist die beste Karriere für eine Frau usw. Kulturell homogene Gruppen zu vier bis fünf Personen erhalten eine Liste mit den Rollenzuschreibungen und beurteilen die Thesen nach ihren Wertvorstellungen.

Hinweis: Es soll darauf geachtet werde, dass anschließend die Unterschiedlichkeit der Rollenerwartungen besprochen und reflektiert werden und dass überlegt wird, woraus sie sich ableiten (Kultur, Religion etc.). Dies kann eine starke Dynamik in gemischt-nationalen Gruppen entwickeln, persönliche Verletzungen und Ignoranz gegenüber anderen Meinungen und Einstellungen sind zu diskutieren.

Roles

Number of participants: 12 plus • Duration: 10–60 minutes
Material: prepared lists with role attributions for married couples or couples, pencils, posters
Subjects: sexes, discovering cultures, identifying differences and similarities, values

The moderator compiles 12 role attributions for a married couple or couple, for example husbands should help their wives with the housework; a woman should take up the profession of her choice; if a husband is unfaithful his wife has the right to do the same; men should be stricter with their wives; husbands and wives should take all decisions jointly; the man should decide on the place of residence; marriage is a woman's best career etc. Culturally homogeneous groups of 4 to 5 persons are given a list with such role attributions and evaluate the theses according to their moral concepts.

Note: It is important that the difference of role expectations are discussed and reflected afterwards. Participants should try and find out where such expectations come from (culture, religion etc.). This may develop strong dynamics in groups with mixed nationalities; personal offences and intolerance with regard to other people's views and attitudes should be discussed.

Rôles

Nombre de participants : minimum 12 • Durée : 10–60 minutes
Matériel : listes préparées avec les rôles à tenir dans un mariage ou au sein d'un couple, crayons, affiches
Thèmes : les deux sexes, découverte des cultures, décodage des différences et des points communs, valeurs

Le coordinateur du jeu compose douze rôles à tenir dans un mariage ou au sein d'un couple ; par exemple, l'homme devrait aider sa femme à faire le ménage ; la femme devrait exercer le métier qu'elle désire exercer ; si l'homme est infidèle, la femme peut l'être également ; les hommes devraient être plus sévères avec leur femme ; l'homme et la femme doivent prendre toutes les décisions en commun ; c'est à l'homme de décider du domicile ; le mariage est la meilleure carrière pour une femme, etc. Les groupes de cultures homogènes de 4 ou 5 personnes reçoivent une liste avec ces déclarations et les jugent selon leurs valeurs.

Remarque : Il faut veiller à ce qu'ensuite la différence des attentes en matière de rôles soit discutée et méditée et que chacun réfléchisse d'où elle vient (culture, religion, etc.). Cela peut entraîner une forte dynamique dans les groupes aux diverses nationalités. Les blessures personnelles et l'ignorance vis-à-vis d'autres opinions et positions doivent être discutées.

Role

Wielkość grupy: powyżej 12 • Czas trwania: 10 do 60 minut
Materiał: przygotowane listy z opisem ról w małżeństwie lub partnerstwie, pisaki, plakaty
Temat: płeć, odkrywanie kultur, rozszyfrowywanie różnic i wspólnych cech, wartości

Prowadzący grę zestawia 12 ról przypisywanych małżeństwu lub parze, np. mąż powinien pomagać żonie w gospodarstwie domowym; żona powinna wykonywać zawód, jakiego sama chce; jeśli mąż zdradził żonę, wolno jej zrobić to samo; mężczyźni powinni być bardziej surowi dla swoich żon; mąż i żona powinni wspólnie podejmować decyzje; o miejscu zamieszkania powinien decydować mąż; małżeństwo to najlepsza kariera dla kobiety itp. Grupy złożone z graczy z tych samych kręgów kulturowych otrzymują listę z opisem ról i dokonują oceny postawionych tez według własnej skali wartości.

Wskazówka: Należy zwrócić uwagę na to, aby różnorodność oczekiwanego podziału ról została omówiona i przemyślana. Należy zastanowić się, z czego wywodzi się ta różnorodność (kultura, religia itp.). Może to doprowadzić do silnej dynamiki wewnątrz mieszanych narodowościowo grup. Należy przedyskutować problem osobistych urazów i ignorancji w stosunku do innych opinii i zapatrywań.

Ruoli

Numero di partecipanti: da 12 in su • Tempo: 10–60 minuti
Occorrente: elenco precompilato con assegnazione di ruoli a coniugi o coppie, matite, tabelloni
Argomenti: razze, scoprire culture, differenze e uguaglianze, valori

Chi dirige il gioco raggruppa dodici ruoli per due coniugi o per una coppia, p.es. il marito deve aiutare la moglie nei lavori di casa; la moglie esercita la professione desiderata; se il marito tradisce la moglie, lei può fare lo stesso; i mariti devono essere più severi con le mogli; marito e moglie devono prendere insieme tutte le decisioni; il luogo di residenza lo sceglie il marito, il matrimonio è la miglior carriera per una donna, ecc. A gruppi culturalmente omogenei di 4–5 persone viene dato un elenco con l'assegnazione dei ruoli, ognuno dichiarerà le sue idee e in base ad esse discuterà le varie tesi.

Nota: Occorrerà successivamente discutere e riflettere sulle diverse aspettative dei ruoli, e individuarne l'origine (cultura, religione, …). Questo può generare una forte dinamica nei gruppi a nazionalità mista; discutere le offese personali e l'ignoranza nei confronti di opinioni e punti di vista altrui.

Roller

Grubu oluşturanların sayısı: 12 kişiden itibaren • Süre: 10–60 dakika
Malzeme: Önceden hazırlanmış evlilikte veyahut çiftler arasındaki rol listesi, kalem ve plakart
Konu: Cinsiyet, kültürel bilgi edinme, farklı ve ortaklaşa yönleri bulma, değer

Yönetmenlik evlilikte veyahut çiftler arasında olan oniki rol belirtir, örneğin: kocanın karısına ev işinde yardım etmesi gerekir, kadın kendi istediği meslekte çalışabilir, eğer koca başka bir kadınla ilişki kurarsa bunu karısı da yapabilir, kocalar karılarına sert olmaları gerekir, kadın ve erkek bütün kararları birlikte vermelidirler, ikâmet edilecek yer hakkında erkek karar verir, bir kadın için en iyi kariyer evliliktir v. b. Dört beş kişilik kültürel homojen gruplara bu listeler verilir; bunlar da bu tezleri kendi görüşlerine göre değerlendirirler.

Not: Daha sonra rollerden beklenen neticenin farklı olduğunun ortaya çıkmasına dikkat edip hakkında müzakere edilmesi ve yansıtması gerekir ve bunun nerden kaynaklandığını (kültür, din, v. b.) düşünmek gerekir. Bu durum karışık vatandaş grupları arasında kuvetli bir dinamik geliştirebilir. Başkalarının düşünce ve görüşülerine karşı şahsi gücenme ve bilmemezlikten gelme gibi durumların müzakeresi yapılmalıdır.

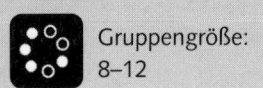 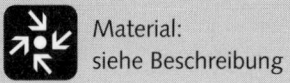
Du hast drei Wünsche frei ...

Deutsch

Material: vorbereitete Liste mit Wünschen, evtl. Klebepunkte, evtl. Symbole und Zeitungsmaterial
Themen: Kennenlernen, Kulturen entdecken, Vorbereitung, Werte

Die TN erhalten eine Liste mit Wünschen, die aus einem realen Bereich (Beruf, Schule, private Situation) stammen. Nun darf sich jede Person drei Dinge aussuchen, die ihr eine „gute Fee" vielleicht erfüllt.

Hinweis: Über die Wünsche, die am häufigsten genannt werden, sollte gemeinsam gesprochen werden: Warum sind das die beliebtesten Veränderungswünsche? Wie realistisch ist ihre Verwirklichung, was sind die größten Hindernisse?

Variante: Es wird keine vorbereitete Liste verteilt, sondern nur die Lebensbereiche vorgegeben. Dann formulieren die TN ihre Wünsche selber. Symbole und Zeitungsmaterial helfen zur Visualisierung.

English

You have three wishes ...
Number of participants: 8–12 • Duration: 2–3 hrs.
Material: prepared list of wishes, possibly adhesive marks, possibly symbols and newspapers
Subjects: Getting to know each other, discovering cultures, preparation, values

Participants are given a list of wishes from a real life situation (job, school, private situation). Each person may now choose three wishes that a "good fairy" might grant.

Note: The wishes most frequently chosen should be discussed. Why are these the most popular wishes for change? How realistic is it that they may come true and which are the most important obstacles?

Variation: No list is distributed and participants are only given the different areas of life. Participants formulate their wishes themselves. Symbols and newspaper material contribute to the visualisation.

Tu as trois vœux …
Nombre de participants : 8–12 • Durée : 2–3 heures • Matériel : listes préparées avec les vœux, éventuellement des points collants, des symboles et du matériel de journal
Thèmes : faire connaissance, découverte des cultures, préparation, valeurs

Les participants reçoivent une liste avec des vœux provenant d'un domaine bien réel (profession, école, vie privée). Chacun peut choisir 3 vœux qu'une bonne fée réalisera peut-être.

Remarque : Les vœux qui reviennent le plus souvent feront l'objet d'une discussion commune : Pourquoi ces vœux sont-ils les vœux préférés de changement ? Est-ce que leur réalisation est réaliste ? Quels sont les plus grands obstacles à leur réalisation ?

Variante : Il ne sera pas distribué de liste préparée mais les domaines seront définis. Les participants déterminent alors eux-mêmes leurs propres vœux. Les symboles et le matériel de journal aident à visualiser le tout.

Masz do wyboru trzy życzenia
Ilość uczestników: 8 do 12 • Czas trwania: 2 do 3 godzin • Materiał: przygotowana lista z życzeniami, ewentualnie punkty styczne do przyklejenia, ewentualnie symbole i materiał gazetowy

Grający otrzymują listę z życzeniami, dotyczącymi ich realnej dziedziny (zawód, szkoła, sytuacja prywatna). Następnie każda osoba może wybrać trzy rzeczy, które spełni jej „dobra wróżka".

Wskazówka: Na temat najczęściej wymienianych życzeń należy przeprowadzić wspólną rozmowę: Dlaczego są to ulubione życzenia dotyczące zmian, jak realistyczne jest ich urzeczywistnienie, jakie są największe przeszkody?

Wariant: Zamiast rozdzielenia przygotowanych list z życzeniami uczestnicy otrzymują dane odnośnie dziedziny życia. Następnie formułują sami swoje życzenia.Symbole i materiał gazetowy dopomagają wizualizacji.

Puoi esprimere tre desideri …
Numero di partecipanti: 8–12 • Tempo: 2–3 ore • Occorrente: elenco precompilato con i desideri, event. punti preincollati, event. simboli e giornali
Argomenti: apprendere, scoprire culture, predisposizione, valori

Ai partecipanti viene dato un elenco con dei desideri desunti da situazioni reali (lavoro, scuola, vita privata). Ciascuno penserà a tre cose che una «fatina» potrebbe realizzare.

Nota: Parlare insieme dei desideri più gettonati: perché sono le cose che più si vorrebbero cambiare? Quali sono le reali probabilità che ciò avvenga? Quali gli ostacoli maggiori?

Variante: Nessun elenco precompilato: vengono indicate solo le situazioni di vita; poi i partecipanti formulano i loro desideri. Simboli e giornali contribuiscono alla visualizzazione.

Üç dileğin var …
Grupları oluşturanların sayısı: 8–12 • Süre: 2–3 saat
Malzeme: Dileklerle hazırlanmış liste, belki zamklı kâğıt, belki sembol ve gazete malzemesi
Konu: Tanışma, kültürel bilgi edinme, hazırlık, değer

Oyunculara imkan dahili içinde gerçekleşebilecek dilek listesi (meslek, okul, özel durum) verilir. Şimdi her kişi «iyi peri» nin belki bunu yerine getirebileceği üç dileği seçebilir.

Not: En çok seçilen dilek üzerinde hep beraber tartışılır: Niçin en çok seçilen dilekler bunlardır? Acaba bunun gerçekleşmesi ne kadar mümkün, en büyük engeller nelerdir?

Değişik şekli: Hazır liste yerine yaşam şekli ve tarzı öne sürülür. Böylece oyuna katılanlar dileklerini kendileri dile getirir. Sembol ve gazeteden kesme parçalarlar bunu göstermeye yarar.

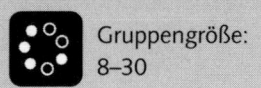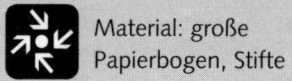
Der ängstliche Jim

Deutsch

Themen: Kennenlernen, Perspektivenwechsel, Vorbereitung, Vertrauen, Werte

Auf einem Papierbogen wird der Umriss eines Menschen aufgezeichnet, der „ängstliche Jim". Der Bogen hat vier „Kummerecken", in welche die Ängste notiert werden, die die TN in Bezug auf die Begegnung nennen. Jede Person nennt maximal fünf Ängste oder Befürchtungen. Anschließend formuliert die Gruppe die Ängste in Hoffnungen um und schreibt sie in den Jim hinein. Jim nimmt nur Positives auf!

Variante: Es werden Gastgeber und Gäste aufgezeichnet und die jeweiligen Ängste und Hoffnungen eingetragen.

English

Frightened Jim
Number of participants: 8–30 • Duration: 1 hour
Material: large sheet of paper, pencils
Subjects: Getting to know each other, change of perspectives, preparation, confidence, values

The outline of a man, known as "frightened Jim" – is drawn on a sheet of paper. The sheet has four "trouble corners" where the fears participants mention with regard to the encounter are written down. Each person indicates at most 5 fears or troubles. Then the group rewords such fears transforming them into hopes and writes them down into Jim. Jim accepts only positive things!

Variation: Host and guests are drawn on the sheet of paper and the respective fears and hopes are written down.

Jim le Peureux
Nombre de participants : 8–30 • Durée : 1 heure
Matériel : grande feuille de papier, crayons
Thèmes : faire connaissance, changement de perspectives, préparation, confiance, valeurs

Sur une feuille de papier est dessinée la silhouette d'un être humain « Jim le Peureux ». La feuille a quatre coins « à soucis » dans lesquels sont notées les peurs des participants au niveau de la rencontre. Chacun nomme au maximum 5 peurs ou craintes. Ensuite, le groupe reformule ses craintes en espoirs et les inscrits dans la silhouette de Jim. Jim n'enregistre que le positif!

Variante : Les hôtes et les invités sont dessinés et leurs craintes et espoirs sont enregistrées.

Strachliwy Jim
Ilość uczestników: od 8 do 30 • Czas trwania: 1 godzina
Materiał: duże arkusze papieru, pisaki
Temat: poznanie się, zmiana perspektywy, przygotowanie, zaufanie, wartości

Na arkuszu papieru narysowana jest sylwetka człowieka: strachliwego Jima. Arkusz ma cztery rogi „skarg/żalów", w które grający wpisują obawy związane ze spotkaniem. Każda osoba wymienia maksymalnie 5 lęków i obaw. Następnie grupa przeformułowywuje lęki na pokładane nadzieje i wpisuje te nadzieje do środka sylwetki Jima. Jim przyjmuje tylko pozytywne sformułowania!

Wariant: Grający rysują sylwetki własne oraz osób goszczących i wpisują własne lęki i nadzieje.

Jim il pauroso
Numero di partecipanti: 8–30 • Tempo: 1 ora
Occorrente: Grossi fogli di carta, matite
Argomenti: apprendere, cambiare prospettiva, predisporre, acquisire fiducia, valori

Su un foglio di carta viene tracciata la figura di un uomo, «Jim il pauroso». Il foglio ha quattro «angoli delle preoccupazioni», nei quali vengono scritte le paure espresse dai partecipanti in merito all'incontro. Ognuno indica mass. 5 paure o timori. Successivamente il gruppo riformula queste paure in speranze e le scrive nella figura di Jim, che ora sarà soltanto più positivo!

Variante: Si tracciano le figure di ospitanti e ospitati e si riportano le relative paure e speranze.

Korkak Jim
Grubu oluşturanların sayısı: 8–30 • Süre: 1 saat
Malzeme: Büyük levha kâğıt, kalem
Konu: Tanışma, değişik perspektifte görüş, hazırlık, güven ve değer

Bir levha kâğıdın üzerine bir kişinin taslağı çizilir, «korkak Jim». Levha kâğıdının dört «Kahır köşesi» mevcuttur. Oyuna katılanlar bu köşelere, görüşüp temasa geçmenin ne gibi endişeler verdiğini kaydederler. Her kişi, en fazla korkularından 5 tanesini söyler. Nihayet grup bu endişeleri umuda çevirir ve Jim'in üzerine yazar. Jim bunu olumlu karşılar.

Değişik şekli: Ev sahibi ve misafirler çizilir ve her çizimin üzerine kendi korkuları yazılır.

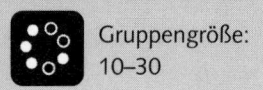

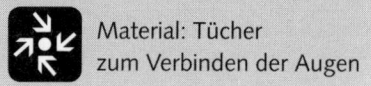
Blindführen

Deutsch

Themen: Kooperation, Verständigung, Vertrauen, Wahrnehmung

Die TN bilden Paare, die aus unterschiedlichen Kulturen kommen. Einer Person werden die Augen verbunden, die andere führt sie. Die Führenden übernehmen die volle Verantwortung für ihre Partnerinnen und Partner. Es darf nicht gesprochen werden. Die Nicht-Sehenden sollen die Möglichkeit haben auf einem vorbereiteten Pfad alle Sinne (Tasten, Schmecken, Hören) zu verwenden. Es gibt viele Möglichkeiten, um Kontakt aufzunehmen und die Partnerin/den Partner zu führen, und verschiedene Signale sollten ausprobiert werden: mit der Handfläche, an den Schultern; oder man kann den Paaren jeweils einen Fuß zusammenbinden.

Hinweis: Wichtig ist genügend Zeit um die Rollen zu tauschen, und für die anschließende Auswertung in der Gruppe. Mögliche Auswertungsfragen können sein: Wie habe ich mich gefühlt? Was war leicht, was war schwer für mich?

English

Blind man's buff
Number of participants: 10–30 • Duration: 40 minutes
Material: scarves to cover up the eyes
Subjects: co-operation, communication, confidence, perception

Participants form pairs from different cultures. One person's eyes are covered while the other is guiding this person. The persons guiding their partners are fully responsible for them. They are not allowed to talk. The "blind" persons should be given the opportunity to use all their senses (touch, taste, hearing) on a previously prepared path. There are many ways to contact and guide the partner; different signals should be tried out: using the palm, touching the shoulders or one could even tie the pairs together at one foot.

Note: It is important to have sufficient time for role reversal and for group evaluation. Possible questions for evaluation: How did I feel? What did I find easy, what was not so easy?

Les yeux bandés

Nombre de participants : 10–30 • Durée : 40 minutes • Matériel : foulards pour bander les yeux • Thèmes : coopération, information, confiance, perception

Chaque participant choisit un partenaire d'une autre culture que la sienne pour former un couple. Une personne a les yeux bandés et l'autre la guide. Les guides sont entièrement responsables de leur partenaire. Il n'est pas permis de parler. Les « non-voyants » doivent avoir la possibilité d'utiliser leurs sens (le toucher, le goûter, l'ouie) en marchant sur un chemin préparé pour eux. Il y a de nombreuses possibilités de prendre contact et de guider le partenaire et de prendre contact avec lui. Il faut donc essayer d'utiliser divers signaux : avec la paume de la main, aux épaules, ou chaque couple peut être lié ensemble par le pied.

Remarque : Il est important d'avoir suffisamment de temps pour échanger les rôles et pour ensuite mener une discussion au sein du groupe. Il est possible de poser les questions suivantes : comment est-ce que je me suis senti ? Qu'est-ce qui m'a paru facile, difficile ?

Prowadzenie niewidomego

Czas trwania: 40 minut • Ilość uczestników: 10 do 30 • Materiał: chustki do zawiązania oczu Temat: współpraca, porozumienie sią, zaufanie, postrzeganie

Grający tworzą pary pochodzące z różnych kręgów kulturowych. Jedna osoba ma zawiązane oczy, druga ją prowadzi. Prowadzący przejmują całkowitą odpowiedzialność za partnerkę lub partnera. Rozmawiać nie wolno. Osobom nie-widzącym wolno posługiwać się na obranym szlaku używając wszystkich zmysłów (dotykając, smakując, słuchając). Istnieje dużo możliwości nawiązania kontaktu i prowadzenia współpartnera. Zaleca się wybróbować różne rodzaje sygnałów: dotyk dłoni, pleców. Można też związać jedną nogę grającego z nogą jego współpartnera.

Wskazówka: Ważny jest czas, potrzebny na zamianę ról a następnie na grupową analizę. Możliwe pytania analizujące: Jak się czułem? Co było łatwe, co było dla mnie trudne?

Guidare i ciechi

Numero di partecipanti: 10–30 • Tempo: 40 minuti • Occorrente: fazzoletti per bendare gli occhi • Argomenti: collaborare, concertare, acquisire fiducia, percezione

I partecipanti formano coppie di diversa provenienza culturale. A una persona vengono bendati gli occhi, l'altra la guida. Chi guida si assume l'intera responsabilità per i suoi compagni e compagne di gioco. Vietato parlare. I non-vedenti devono avere la possibilità di utilizzare tutti i sensi (tatto, odorato, udito) lungo un percorso predisposto. Ci sono molte possibilià di stabilire un contatto e guidare il compagno/compagna di gioco ed occorre provare vari segnali: con il palmo della mano, sulle spalle; o si può legare insieme un piede alle coppie.

Nota: È importante avere tempo sufficiente per scambiare i ruoli e per la successiva analisi nel gruppo. Domande possibili per l'analisi possono essere: come mi son sentito? Che cosa ho fatto con facilità, in che cosa ho avuto difficoltà?

Âmaya kılavuzluk etmek

Grubu oluşturanların sayısı: 10–30 • Süre: 40 dakika • Malzeme: Göz bağlamak için mendil Konu: İşbirliği, anlaşma, güven ve algılama

Çeşitli kültürel yörelerden gelen, oyuna iştirak edenler birer çift oluşurlar. Bunlardan birinin gözü bağlanır diğeri onu idare eder. İdare eden kişiler eşlerinin bütün sorumluluğunu üzerine alırlar. Konuşmamak gerekir. Göremeyen kişiler hazırlanmış dar bir yolda duygularını (dokunmak, tatmak ve duymak) kullanabilirler. Temasa geçmek için ve eşleri eşine kavuşturmak için birçok imkanlar mevcuttur, çeşitli sinyaller denenmeli: El içine dokunmak, omuzlara dokunmak veyahut omuzlardan tutmak, veyahut eşleri birer ayakklarından birbirine bağlamak.

Not: Rolleri değiştirmek ve grup içinde değerlendirme yapmak için yeterli vakit olması gerekir. Değerlendirmede şöyle sorular sorulur: Kendimi nasıl hissettim? Bana ne kolay geldi? Bana ne zor geldi?

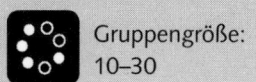

Dosenturm

Deutsch

Themen: Kooperation, Verständigung, Werte

Die TN werden in gemischt-kulturelle Gruppen von vier Personen aufgeteilt. Die Gruppe, die in drei Minuten den höchsten Dosenturm baut, gewinnt. Wichtig ist ein ausreichender Abstand zwischen den Baustellen.

Hinweis: Mögliche Auswertungsfragen können sein: Wie hat die Kommunikation funktioniert? Wer hatte welche Rolle? Wie bedeutsam war die Konkurrenz mit den anderen Gruppen?

Variante: Der Turm soll nonverbal gebaut werden.

English

Tin tower
Number of participants: 10–30 • Duration: 20 minutes
Material: empty tins • Subjects: co-operation, communication, values

Participants are divided into groups of four persons from different cultures. The group which builds the highest tower within 3 minutes wins. Make sure the distance between the "building sites" is sufficient.

Note: Questions for evaluation might be: How did communication work? Who played which part? How important was the competition with the other groups?

Variation: The tower is built without speaking.

La tour de boîtes
Nombre de participants : 10–30 • Durée : 20 minutes • Matériel : boîtes vides
Thèmes : coopération, information, valeurs

Les participants forment des groupes multiculturels de 4 personnes. Le groupe gagnant est celui qui a construit en 3 minutes la plus haute tour. Il est important d'avoir suffisamment de place entre les « chantiers de construction ».

Remarque : Exemples de questions d'évaluation : Comment s'est fait la communication ? Qui avait quel rôle ? Quelle était l'importance de la concurrence avec les autres groupes ?

Variante : La tour doit être construite sans échanger un mot.

Wieża z puszek
Ilość uczestników: 10 do 30 • Czas trwania: 20 minut • Materiał: puste puszki
Temat: kooperacja, zrozumienie, wartości

Grający zostają podzieleni na mieszane kulturowo czteroosobowe grupy. Wygrywa grupa, która zbuduje w ciągu trzech minut najwyższą wieżę. Ważny jest wystarczająco duży odstęp pomiędzy poszczególnymi „placami budowy".

Wskazówka: Możliwe pytania analizujące: Jak przebiegało porozumiewanie się? Kto miał jaką rolę? Jak ważne było poczucie konkurencji w stosunku do innch grup?

Wariant: Wieża ma być zbudowana bez użycia słów.

La torre di lattine
Numero di partecipanti: 10–30 • Tempo: 20 minuti • Occorrente: lattine vuote
Argomenti: collaborare, concertare, valori

I partecipanti vengono suddivisi in gruppi culturalmente misti di 4 persone. Vince il gruppo che in 3 minuti costruisce la torre più alta. E' importante che fra un «cantiere» e l'altro vi sia una distanza sufficiente.

Nota: Domande possibili per l'analisi possono essere: come ha funzionato la comunicazione? Come sono stati distribuiti i ruoli? Quale importanza ha avuto la concorrenza con gli altri gruppi?

Variante: Costruire la torre senza parlare.

Kutudan kale
Grubu oluşturanların sayısı: 10–30 • Süre: 20 dakika • Malzeme: Boş kutu
Konu: İşbirliği, anlaşma ve değer

Çeşitli ülkelerden gelen kişiler karışık olarak dörder kişilik gurplara bölüştürülür. Üç dakika içinde en yüksek kutu kalesini yapan grup kazanır. Çalışma sahasında yeterli derecede mesafe bırakmak önemlidir.

Not: Değerlendirme yaparken aşağıdaki sorular mümkün: Komünikasyon nasıl yürüdü? Kimin ne rolü vardı? Rakibin öbür gruplara karşı önemi ne derece?

Değişik şekli: Kule konuşmadan yapılmalıdır.

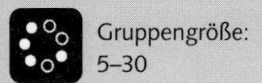

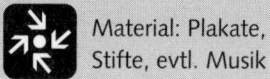
Zwischenbilanz

Deutsch

Themen: Auswertung, Kommunikation, Kulturen entdecken, Sprache

Die TN haben 15 Minuten Zeit folgende Sätze zu vervollständigen:
Ich fühle ..., Ich bin froh ..., Ich würde gerne ..., Ich schlage vor ...; Ich mag nicht ..., die auf großem Plakatpapier oder in Kopie für jede Person aufgeschrieben sind. Jede Person liest dann einen oder zwei der vollständigen Sätze vor.

Hinweis: Die Spielleitung muss nicht sofort reagieren, sondern kann mögliche Programmänderungen bzw. andere Veränderungen, die aus dieser Auswertung resultieren, innerhalb einer gewissen Zeit mit den TN besprechen. Den Zeitpunkt zur Stellungnahme teilt sie den TN mit.

Variante: Bei interkulturellen Gruppen kann auch eine erste Phase in den Herkunftsgruppen durchgeführt werden und in der Gesamtgruppe eine Präsentation der Ergebnisse erfolgen.

English

Interim balance
Number of participants: 5–30 • Duration: 1–2 hrs.
Material: posters, pencils, possibly music
Subjects: evaluation, communication, discovering cultures, language

Participants get 15 minutes to complete the following sentences:
I feel ..., I am glad ..., I would like ..., I suggest ...; I don't like ... written on a large poster or written down on a piece of paper, a copy of which is handed out to each participant. Now, each person reads out one or two completed sentences.

Note: The moderator needn't react immediately but can discuss possible programme changes or other changes resulting from that evaluation together with the participants within a certain period of time. The moderator tells participants when it is time for comments.

Variation: In multicultural groups, a first phase may take place within the national groups while the presentation of results takes place within the entire group.

Bilan intermédiaire
Nombre de participants : 5–30 • Durée : 1–2 heures
Matériel : affiches, crayons, éventuellement musique
Thèmes : évaluation, communication, découverte des cultures, langage

Les participants ont 15 minutes pour compléter les phrases suivantes : Je sens ..., je suis content ..., j'aimerais ..., je n'aime pas ... Ces phrases sont écrites sur une grande feuille ou sur une copie distribuée à chacun. Chaque personne lit à tour de rôle et à voix haute une ou deux des phrases complétées.

Remarque : Le coordinateur du jeu n'a pas besoin d'intervenir tout de suite. Il peut discuter pendant un temps délimité avec les participants des éventuels changements de programme ou de tout autre changement résultant de l'analyse. Il informe les participants du moment de la prise de position.

Variante : Dans des groupes multiculturels, il est possible de faire une première partie au sein des groupes de même origine et de présenter ensuite les résultats devant le groupe entier.

Bilans pośredni
Ilość uczestników: 5 do 30 osób • Czas trwania: 1 do 2 godzin
Materiał: plakaty, ołówki, ewentualnie muzyka
Temat: analiza, porozumiewanie się, odkrywanie innych kultur, język

Uczestnicy gry dostają 15 minut czasu na uzupełnienie następujących zdań: „Czuję ...", „Jestem zadowolony ...", „Chciałbym ...", „Proponuję ...", „Nie lubię ..." napisanych na dużym plakacie lub kserokopiach rozdanych poszczególnym uczestnikom. Następnie każdy z graczy czyta jedno lub dwa uzupełnione przez siebie zdania.

Wskazówka: Prowadzący grę nie musi od razu reagować. Zamiast tego może omówić z grającymi możliwe zmiany programu względnie inne zmiany, wynikające z przeprowadzonej analizy. Termin zajęcia stanowiska wyznacza prowadzący grę.

Wariant: W grupach zróżnicowanych kulturowo można przeprowadzić pierwszą fazę gry w grupach o tym samym pochodzeniu, a prezentację przeprowadzić w grupie ogólnej.

Bilancio intermedio
Numero di partecipanti: 5–30 • Tempo: 1–2 ore
Occorrente: tabelloni, matite, event. musica
Argomenti: analizzare, comunicare, scoprire culture, linguaggio

I partecipanti hanno 15 minuti per completare le seguenti frasi: sento ..., sono contento ..., mi piacerebbe ..., propongo ...; non mi piace ..., scritte su grossa carta da manifesti o su copie date a ogni persona. Ognuno legge poi una o due frasi complete.

Nota: Chi dirige il gioco non deve rispondere subito, bensl discutere entro un certo tempo coi partecipanti eventuali cambiamenti di programma o altro risultante da quest'analisi; nonché comunicare ai partecipanti quando rispondere.

Variante: coi gruppi interculturali si può impostare anche una prima fase nei gruppi di provenienza e presentarne poi i risultati a tutto il gruppo.

Ara bilançosu
Grubu oluşturanların sayısı: 5–30 • Süre: 1–2 saat
Malzeme: Plakart, kalem ve belki müzik
Konu: Değerlendirme, komünikasyon, kültürel bilgiler edinme ve dil

Oyuna iştirak edenlere aşağıdaki bir plakarta yazılmış veyahut kopya olarak dağıtılmış cümleleri tamamlamak için 15 dakika müddet verilir: Plakart kâğıdı veyahut çekilmiş kopyası herkese verilir. Ben kendimi ... hissediyorum. Ben ... seviniyorum. Ben ... isterdim. Ben ... tavsiye ederim ... Ben ... sevmem. Her kişi bu cümlelerden bir veyahut iki tanesini tamamlıyarak okur.

Not: Oyun yönetmenliği hemen etki göstermeyip program değişikliği yani bunlardan oluşan diğer değişiklikler hakkında belirli bir zaman zarfında oyuncularla konuşabilir, ve ne zaman mütalaa edileceğini oyunculara belirtir.

Değişik şekli: İnterkültürel gruplarda, ilk safhada monokültürel gruplar programı tertip edebilir ve daha sonra yekün gruplar neticeyi takdim edebilirler.

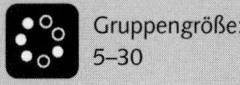 Gruppengröße: 5–30   1 Stunde   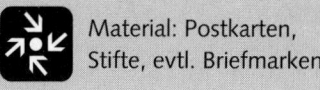 Material: Postkarten, Stifte, evtl. Briefmarken

Postkarte nach Hause

Themen: Auswertung, Nachbereitung

Die Spielleitung verteilt zwei bis drei Postkarten je TN. Die TN schreiben fiktive Karten an Leute, die sie kennen und die ihnen wichtig sind (Freund, Lehrerin, Eltern, Gruppenleiter, ...) und sie berichten, was ihnen an der Begegnung besonders wichtig war und warum, was sie gelernt haben. Die Karten werden ausgestellt und auf Wunsch besprochen.

Variante: Die TN schreiben die Karte an sich selbst. Sie wird einen Monat später vom Leitungsteam zugeschickt. In diesem Fall ist es besonders nützlich, sich auf die Auswirkungen der Begegnung auf das tägliche Leben zu konzentrieren. Bei festen Gruppen können die Karten auch zu Hause ausgeteilt und dann gemeinsam besprochen werden: Was bleibt? Wie geht es weiter?

Sending postcards
Number of participants: 5–30 • Duration: 1 hour
Material: postcards, pencils, possibly stamps
Subjects: Evaluation, reflection

The moderator gives each participant 2–3 postcards. Participants write fictitious cards to people they know and who are important to them (friend, teacher, parents, team leader, ...). They tell those people what they found particularly important about the encounter and what they learnt. Cards are then displayed and discussed if participants wish to do so.

Variation: Participants write the card to themselves. It will be sent by the leadership team one month later. In this case it is particularly important to focus on the impact of the encounter on daily life. In fixed groups the cards can also be distributed at home and discussed jointly: What did I learn? How do things go on?

Envoi d'une carte postale à la maison
Nombre de participants : 5–30 • Durée : 1 heure
Matériel : cartes postales, crayons, éventuellement timbres
Thèmes : évaluation, reprise des résultats

Le coordinateur du jeu distribue 2 ou 3 cartes postales par participant. Les participants écrivent des cartes fictives à des personnes qu'ils connaissent et qui sont importantes pour eux (ami, professeur, parents, chef de groupe, etc.) et ils racontent ce qu'ils ont trouvé important dans la rencontre et pourquoi, ce qu'ils ont appris. Les cartes sont alors exposées et commentées si le souhait en est exprimé.

Variante : Les participants écrivent une carte à leur propre intention et cette carte sera envoyée un mois plus tard par le responsable du groupe. Dans ce cas, il est particulièrement utile de se concentrer sur les répercussions de la rencontre dans la vie quotidienne. Pour les groupes fixes, il est possible de distribuer auparavant les cartes et de les commenter alors ensemble : Que reste-t-il ? Que faire maintenant ?

Pocztówka do domu
Ilość uczestników: 5 do 30 • Czas trwania: 1 godzina
Materiał: pocztówki, pisaki, ewentualnie znaczki pocztowe
Temat: analiza, przygotowanie uzupełniające

Prowadzącv grę rozdaje od 2 do 3 pocztówek każdemu grającemu. Grający piszą na nich fikcyjne teksty do osób, które znają i które są dla nich ważne (przyjaciele, nauczyciele, rodzice, opiekun grupy). Teksty zawierają informacje odnośnie spotkania: co było dla mnie szczególnie ważne i dlaczego, czego sie nauczyłem. Pocztówki zostają wystawione do przeglądu i na życzenie grających skomentowane.

Wariant: Grający piszą kartki do samych siebie. Miesiąc później zostają one przesłane adresatom przez zespół kierowniczy. W tym wypadku korzystne jest skoncentrowanie się na wpływie spotkania na życie codzienne. W przypadku grup stałych można pocztówki rozdzielić także w domu a następnie wspólnie omówić pod kątem: Co zostało?, Jak będzie się to toczyć dalej?

Italiano

Scriviamo a casa
Numero di partecipanti: 5–30 • Tempo: 1 ora
Occorrente: cartoline, matite, eventualmente francobolli
Argomenti: analizzare, ripetere

Chi dirige il gioco distribuisce 2–3 cartoline a ogni partecipante, che le scriverà immaginariamente a persone che conosce e che ritiene importanti (amici, insegnanti, genitori, capigruppo, ...) raccontando ciò ritiene particolarmente importante dell'esperienza nel gruppo e perché, e quello che ha imparato. Le cartoline vengono presentate e su richiesta lette.

Variante: I partecipanti scrivono a se stessi la cartolina, che un mese dopo la direzione del gioco provvederà a spedire. In questo caso è particolarmente utile concentrarsi sugli effetti che l'incontro ha sulla vita di tutti i giorni. Nei gruppi piccoli le cartoline si possono anche recapitare a casa, per poi parlarne insieme: cosa rimane? Come si continua?

Türkye

Eve kartpostal gönderme
Grubu oluşturanların sayısı: 5–30 • Süre: 1 saat
Malzeme: Kartpostal, kalem ve belki posta pulu
Konu: Değerlendirme, sonradan hazırlanma

Yönetmenlik her oyuna katılana iki üç kartpostal dağatır. Oyuncular tanıdıkları ve kendileri için önemli olan kişilere (arkadaş, öğretmen, ebeveyn, grup yöneticisi, ...) hayali kartpostal yazar. Bunlar ayrıyeten karşılaşmada bilhassa kendileri için neler en önemli olduğunu ve niçin, ve ne öğrendiklerini yazarlar. Kartpostallar sergilenir ve arzuya göre hakkında tartışılır.

Değişik şekli: Oyuncular kartpostalları kendilerine yazarlar. Bir ay sonra bu yönetmen idarecileri tarfından postalanır. Böyle bir durumda karşılaşmanın günlük hayata olan etkisi üzerinde konzentre etmek bilhassa faydalı olur. Hep aynı kalan gruplarda kartpostalları evde sergileyip hep beraber tartışabilirler: Kalanlar ne? Nasıl devam eder?

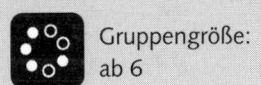
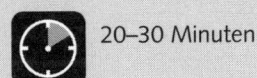

Lügengeschichten

Deutsch

Themen: Kennenlernen, Selbstbilder/Fremdbilder

Die TN erhalten die Aufgabe auf ein Blatt Papier drei Dinge über sich selbst zu schreiben, z. B. Hobbys, Erlebnisse, Auslandsaufenthalte, Lieblingsgruppen ... Dabei können die drei Dinge aus einem Bereich stammen oder auch aus verschiedenen. Zwei der drei Aussagen über sich selbst sollen der Wahrheit entsprechen, eine aber soll eine Lüge sein. Sobald alle drei Sachen ausgesucht und aufgeschrieben haben, gehen sie durch den Raum und stellen sich gegenseitig ihre Auswahl vor. Wenn die Lügen gegenseitig erraten sind, sucht man neue Partnerinnen und Partner.

Hinweis: Bei kleineren Gruppen können alle mit allen in Kontakt gehen; bei größeren Gruppen sollte die Spielleitung das Spiel abbrechen, wenn Reiz und Neugierde nachlassen.

English

Made-up stories
Number of participants: 6 plus • Duration: 20–30 minutes
Material: paper, pencils
Subjects: Getting to know each other

Participants are asked to write three things about their own lives on a piece of paper such as hobbies, experiences, favourite pop groups etc. These may refer to one or more areas. Two of the three statements must be true while the third one is a lie. As soon as all participants have noted down three things they walk around the room and present their statements to each other. When the lies are discovered participants look for a new partner.

Note: In smaller groups each participant may contact each of the others; the moderator should stop the game as soon as the appeal and curiosity diminish.

Français

Mensonges

Nombre de participants : minimum 6 • Durée : 20–30 minutes • Matériel : papier, crayons
Thèmes : faire connaissance

Les participants ont pour tâche d'écrire sur une feuille de papier 3 choses sur eux-mêmes, par exemple, hobbies, expériences, séjours à l'étranger, les groupes préférés, etc. Les trois choses peuvent provenir d'un seul domaine ou de domaines différents. Deux des affirmations sur soi-même sont vraies et la troisième est un mensonge. Une fois que les trois choses ont été écrites, les participants se déplacent dans la pièce et présentent réciproquement leur sélection. Lorsque le mensonge a été découvert réciproquement, on cherche un nouveau partenaire.

Remarque : Dans les groupes réduits, il est possible de prendre contact avec tous les participants. Dans les groupes plus grands, le coordinateur du jeu doit interrompre le jeu dès qu'il remarque que la curiosité et l'intérêt diminuent.

Polski

Zmyślone historyjki

Iość uczestników: od 6 • Czas trwania: 20 do 30 minut • Materiał: Papier, ołówki
Temat: poznanie się

Grający dostają za zadanie napisanie na kartce papieru trzech informacji na swój temat, np. hobby, przeżycia, pobyty za granicą, ulubione grupy ... Infomacje te mogą dotyczyć zarówno tej samej dziedziny jak i różnych dziedzin. Dwie z trzech wypowiedzi o samym sobie powinny być prawdziwe, jedna natomiast powinna być kłamstwem. W momencie, kiedy wszystkie trzy rzeczy znajdą sie na papierze grający chodzą po sali i przedstawiają wspógraczom swoje zapisane informacje. Kiedy gracze odgadną swoje wzajemne kłamstwa szukają innych partnerów gry.

Wskazówka: W małych grupach wszyscy mogą mawiązać kontakt z wszystkimi, w przypadku dużych grup prowadzący powinien przerwać grą w momencie, kiedy zainteresowanie i ciekawość opadną.

Italiano

Storie inventate

Numero di partecipanti: da 6 in su • Tempo: 20–30 minuti • Occorrente: carta, matite
Argomenti: apprendere

Ai partecipanti viene dato il compito di scrivere su un foglio di carta tre cose di se stessi, p.es. hobbys, esperienze, soggiorni all'estero, i gruppi preferiti ... Queste tre cose possono essere prese da uno o più settori della vita. Due di esse devono essere vere, ma la terza dev'essere una bugia. Non appena scelte e scritte queste tre cose, i partecipanti si muovono nella stanza e ognuno racconta agli altri cosa ha scelto. Quando le bugie vengono vicendevolmente smascherate, si cercano nuovi compagni e compagne di gioco.

Nota: in gruppi molto piccoli tutti possono rivolgersi a tutti; per gruppi più grossi chi dirige il gioco dovrà interromperlo quando lo stimolo e la curiosità scemano.

Türkye

Yalan hikâyeleri

Grubu oluşturanların sayısı: 6 kişiden itibaren • Süre: 20–30 dakika • Malzeme: Kâğıt, kalem
Konu: Tanışma

Oyuna iştirak edenlere bir sayfa kâğıt verip kendi haklarında üç şey yazmaları ödev olarak verilir, örneğin: hobi, macera, yabancı ülkede yaşadığı süre hakkında, en çok sevdiği grup ... Bu üç şey aynı konu üzerinde veyahut başka konulardan olabilir. Kendi haklarında yazdıkları üç şeyden ikisi gerçek biri ise yalan olmalı. Üç şey seçilip yazıldıktan sonra kalkıp odada dolaşarak kendi seçtikleri hikâyelerini başkasına takdim ederler. Yalanlar karşılıklı bulunudutkan sonra yeni eş seçilir.

Not: Küçük gruplarda herkes birbiriyle irtibata geçebilir. Eğer büyük grupların dikkat ve merakları azalırsa yöneticiliğin oyunu sona erdirmesi gerekir.

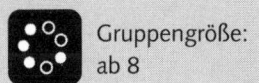 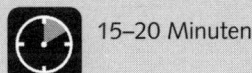
Wer mag wie ich

Themen: Gemeinsamkeiten entdecken, Kennenlernen

Die TN gehen durch den Raum. Eine Person stellt sich in die Mitte des Raumes und formuliert einen Satz, der mit „Wer mag wie ich" oder „Wer hat wie ich" beginnt, z. B. „Wer mag wie ich Volleyball spielen?" oder „Wer hat wie ich keine Geschwister?". Nun stellen sich alle dazu, auf die die Aussage ebenfalls zutrifft. Die TN in der Mitte können nun entweder nur gucken, wer das Kriterium alles miteinander teilt, oder auch eine Verabredung, z. B. zum Volleyball spielen, treffen. Dann löst die Gruppe sich wieder auf in die Raumbewegung, bis eine nächste Person ein „Wer mag wie ich" formuliert.

Variante: Das Spiel kann auch themenbezogen gespielt werden und Einschätzungen oder Statements verlangen, z. B. „Wer glaubt wie ich, dass Europa weiter wachsen muss?" Möglich sind dann kurze Diskussionen zwischen denen, die der Aussage zustimmen und denen, die sie ablehnen.

Who apart from me would also like ...
Number of participants: 8 plus • Duration: 15–20 minutes
Material: none
Subjects: discovering similarities , getting to know each other

Participants walk about the room. One person stands in the middle of the room and formulates a sentence beginning with "Who apart from me would also like ..." or "Who apart from me also has" e. g. "Who apart from me also likes to play volleyball?" or "Who apart from me has no brothers and sisters?". Now each person to whom that statement applies joins the person standing in the middle of the room. Participants standing in the middle of the room may either simply look for who else meets the particular criterion or make an arrangement e. g. to play volleyball etc. Then the group dissolves and everyone moves around the room again until another person formulates a sentence starting with "Who apart from me would also like ..."

Variation: This game can also be played with regard to a certain subject and require opinions or statements such as "Who apart from me thinks that Europe should grow further?" Brief discussions between those who agree and those who don't may now follow.

Qui aime comme moi … ?
Nombre de participants : minimum 8 • Durée : 15–20 minutes • Matériel : aucun
Thèmes : découverte des points communs, faire connaissance

Les participants se déplacent dans toute la pièce. Une personne se met au milieu de la pièce et prononce une phrase qui commence ainsi : « Qui aime comme moi … ? » ou « Qui a comme moi … ? », par exemple, « Qui aime comme moi jouer au volley-ball ? » ou « Qui a comme moi des frères et sœurs ? » Les personnes répondant positivement à la question se mettent ensemble. Au centre de la pièce, elles peuvent alors, soit regarder quelles sont les personnes répondant au même critère, soit décider d'un rendez-vous, par exemple, pour jouer ensemble au volleyball. Le groupe se dissout ensuite dans la pièce et une autre personne demande : « Qui aime comme moi … ? »

Variante: Le jeu peut se faire aussi d'après un thème choisi sur lequel il faut émettre un jugement ou une déclaration, par exemple, « Qui pense comme moi que l'Europe doit continuer de grandir ? » Les personnes partageant cette affirmation et celles ne la partageant pas peuvent alors discuter brièvement entre elles.

Kto lubi tak jak ja
Ilość uczestników: od 8 • Czas trwania: 15 do 20 minut • Materiał: niepotrzebny
Temat: odkrywanie wspólych cech, poznawanie się

Grający spacerują po sali. Jedna osoba staje pośrodku i mówi zdanie, zaczynające się od „Kto lubi tak jak ja …" albo „Kto ma tak jak ja". Przykłady: „Kto lubi tak jak ja grać w siatkówkę?" albo „Kto tak jak ja nie ma rodzeństwa?" Osoby, których ta wypowiedz dotyczy ustawiają się obok mówiącego. Osoba w środku może reagować tylko przyglądaniem się ludziom, którzy dzielą się z nią tym kryterium albo też umówić się z nimi, np. na wspólną grę w siatkówkę. Następnie grupa zostaje rozwiązana i chodzi z innymi po sali, aż następny gracz ustawi sie pośrodku i sformułuje zdanie „Kto lubi tak jak ja".

Wariant: Gra może przebiegać w odniesieniu do konkretnych tematów i wymaga oceny lub wypowiedzi, jak np. „Kto sądzi tak jak ja, że Europa powinna się powiększać?". Możliwe są następnie krótkie dyskusje pomiędzy zwolennikami i przeciwnikami tej wypowiedzi.

A chi come a me piace?
Numero di partecipanti: da 8 in su • Tempo: 15–20 minuti • Occorrente: nulla
Argomenti: scoprire comunanze, apprendere

I partecipanti vanno in giro per la stanza. Uno si mette al centro e dice una frase che inizia con «a chi come a me piace?» oppure «chi come me ha», p. es. «a chi come a me piace giocare a volleyball?» oppure «chi come me non ha fratelli?». Poi si fanno avanti tutti quelli coinvolti dalla domanda. Allora i partecipanti al centro o si limitano a guardare chi risponde al criterio oppure concordano p.es. di giocare a volleyball. Poi il gruppo si scioglie ricominciando ad andare in giro per la stanza finché un'altra persona dice «a chi come a me piace?»

Variante: Il gioco può anche effettuarsi per tematiche e prevedere valutazioni o affermazioni, p.es. «chi come me crede che l'Europa debba continuare a crescere?» E' allora possibile intavolare brevi discussioni fra chi dice di sì e chi dice di no.

Benim gibi kim sever
Grubu oluşturanların sayısı: 8 kişiden itibaren • Süre 15–20 dakika • Malzeme: Gerekmez
Konu: Ortklaşa yönleri keşfetme, tanışma

Oyuncular odada dolaşırlar. Bunlardan birisi odanın ortasında durup «Benim gibi kim sever» veyahut «Benim gibi kimin var» diye başlıyan bir cümle kurar, örneğin: «Benim gibi voleybol oynamayı kim sever» veyahut «Benim gibi kimin kardeşleri yok». Nihayet bu soruya uyan kişiler onun yanına gelirler. Ortadaki oyuncular bu vasfı kimlerin paylaştığına bakar veyahut örneğin voleybol oynamak için bir randevu tayin ederler. Gruplar birbirinden ayrılarak tekrar birinin, «Benim gibi kim sever» sorusunu sorana kadar odada dolaşırlar.

Değişik şekli: Oyun belirli bir konu hakkında da oynanabilir ve bunun üzerinde tahmin ve yorum yapmayı gerektirebilir. Örneğin: «Avrupa'nın daha da büyümesi gerektiğine benim gibi kim inanır?» Bu tezi savunanlar veyahut savunmayanlar arasında kısa bir tartışma mümkün olabilir.

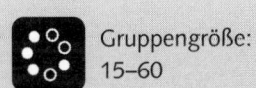 Gruppengröße: 15–60   1 Stunde   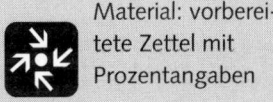 Material: vorbereitete Zettel mit Prozentangaben

Lebendige Leiter

Themen: Auswertung, Kennenlernen

Auf einer imaginären Leiter, die quer durch den Raum geht, befindet sich eine Skala in Prozentangaben. Zur Unterstützung können Anfang, Mitte und Ende der Leiter mit Zetteln, auf denen 100 %, 50 % und 0 % stehen, markiert werden. Die TN haben die Aufgabe, sich zu Fragen wie „Inwieweit engagiere ich mich in der internationalen Jugendarbeit", „Welche Kenntnisse zum Thema X besitze ich", „Wie zufrieden bin ich mit ..." etc. auf der Prozent-Skala von 0–100 % einzuordnen.

Hinweis: Die Methode kann, je nach Art der Fragen, sowohl zu Beginn als auch am Ende einer zwei- oder multikulturellen Begegnung eingesetzt werden, um sprachliche Hürden zu verringern oder um ein Meinungsbild der Gruppe abzufragen (Auswertung, Erwartungsabfrage).

Living ladder
Number of participants: 15–60 • Duration: 1 hour
Material: prepared pieces of paper with percentages written on them
Subjects: evaluation, getting to know each other

An imaginary ladder across the room is provided bearing a percentage scale. The beginning, centre and end of the scale may be marked with pieces of paper showing the 100 %, 50 % and 0 % marks. Participants are requested to classify themselves on the percentage scale from 1 % to 100 % with regard to questions like "To what extent am I committed in favour of international youth work?", "How good is my knowledge of x?", "To what extent am I satisfied with ..." etc.

Note: Depending on the type of questions this method can be applied either at the beginning or at the end of an encounter of two or more cultures in order to reduce language barriers and to get an idea of participants' opinions (evaluation, expectation query).

L'échelle vivante
Nombre de participants : 15–60 • Durée : 1 heure
Matériel : fiches préparées avec pourcentages
Thèmes : évaluation, faire connaissance

Sur une échelle imaginaire qui traverse la pièce se trouve une graduation en pourcentage. Pour faciliter le tout, il est possible de mettre des feuilles sur lesquelles figurent 100 %, 50 % et 0 % sur le début, le milieu et la fin de l'échelle. Les participants doivent se placer sur la graduation de 1 à 100 % correspondante en réponse aux questions comme : « Jusqu'à quel point est-ce que je m'engage dans l'encadrement international de la jeunesse ? », « Quelles sont mes connaissances sur le thème X ? », « Quelle est ma satisfaction en matière de ... ? » etc.

Remarque : Selon la nature des questions, il est possible d'utiliser la méthode au début comme à la fin d'une rencontre bi- ou multiculturelle, pour diminuer les obstacles de la langue ou pour se faire une idée des opinions du groupe (évaluation, demande, attentes).

Zywa drabina
Ilość uczestników: od 15 do 60 • Czas trwania: 1 godzina
Materiał: przygotowane kartki z danymi w procentach
Temat: analiza, poznawanie się

Grający muszą wyobrazić sobie, że wzdłuż sali przebiega drabina, na której znajduje się skala ocen w procentach. Wspomagająco można oznaczyć początek, środek i koniec drabiny kartkami, na których napisane są dane: 100 %, 50 % i 0 %. Zadaniem graczy jest ustawienie się zgodnie ze skalą procentową jako reakcja na pytania typu: „Jak bardzo angażuję się w międzynarodowej współpracy młodzieżowej?", „Jakie wiadomości posiadam na temat XY?", „Jak bardzo podoba mi się ...?" itp.

Wskazówka: Powyższą metodę, w zależności od rodzaju pytań, można zastosować zarówno na początku jak i na końcu spotkań dwu- lub wielokulturowych w celu zmniejszenia problemów językowych lub w celu uzyskania obrazu poglądów członków grupy przy pomocy pytan (analiza, ankieta dotycząca oczekiwań uczestników).

La scala vivente
Numero di partecipanti: 15–60 • Tempo: 1 ora
Occorrente: fogli precompilati con indicazioni percentuali
Argomenti: analizzare, apprendere

Una scala immaginaria trasversale alla stanza riporta una graduazione percentuale. Per facilitare il gioco all'inizio, a metà e al fondo di essa si possono apporre biglietti con scritto 100 %, 50 % e 0 %. I partecipanti devono disporsi fra l' 1 e il 100 % di questa scala percentuale a seconda della risposta che danno a domande tipo «quanto mi impegno nella cooperazione giovanile internazionale?», «quali conoscenze posseggo sull'argomento tal dei tali», «quanto sono contento di …», ecc.

Nota: A seconda del tipo di domande il meccanismo si può applicare sia all'inizio sia alla fine di un incontro bi- o multiculturale, onde ridurre gli ostacoli linguistici od ottenere un quadro delle opinioni del gruppo (analizzare, analisi delle aspettative).

Canlı merdiven
Grubu oluşturanların sayısı: 15–60 • Süre: 1saat
Malzeme: Önceden hazırlanmış üzerinde yüzdelik yazılan kâğıtlar
Konu: Değerlendirme, tanışma

Bir odanın içinden hayali olarak bir ıskala çapraz geçer. Bunun üzerinde yüzdelik sayıları belirtilir. İyi ayar yapılabilinmesi için ıskalanın başlangıcına, ortasına ve sonuna, 100 %, 50 % ve 0 % sayıları kaydedilebilir. Oyuna katılanların ödevi kendilerine aşağıdaki soruları sorup yüzdelik ıskalasına 1–100 % kadar kaydetmek olur: «Uluslar arası gençler çalışmasında benim ne derece katkım var», «Hangi bilgiye x konusu hakkında sahibim?», «Ben … ile ne derece memnunum».

Not: Bu metot soruların şekline göre, mültikültürel veyahut iki kültürel gruplara dil zorluğunu eksiltmek ve düşünceleri hakkında bilgi edinmek için sonradan veyahut önceden tatbik edilebilir. (Değerlendirme, bekledikleri neticeleri sorma).

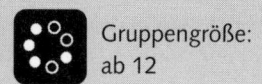
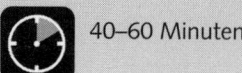

Mein Lebenshaus

Deutsch

Themen: Kennenlernen, Kommunikation

Die TN bilden kulturell gemischte Viererteams. Sie verteilen sich anschließend im Raum und zeichnen ihr persönliches Lebenshaus auf ein eigenes Blatt. Im Kellergeschoss stellen sie ihre Vergangenheit dar. Das Erdgeschoss sagt etwas aus über ihre Gegenwart. Zum Beispiel gibt die Anzahl der Betten im Schlafzimmer Auskunft über die Anzahl der Personen in der Familie. Außerdem stellt dieser Stock die aktuelle berufliche Situation und Hobbys dar. In die Besenkammer kommt all das hinein, was man beiseite stellen möchte. Das Dachgeschoss zeigt die Zukunft auf. Da hat es Platz für Visionen und Wünsche.

Anschließend stellen sich die Vierergruppen ihre Lebenshäuser gegenseitig vor.

English

My life house
Number of participants: 12 plus • Duration: 40–60 minutes
Material: paper, pencils
Subjects: Getting to know each other, communication

Participants form teams of four persons from different cultures. They spread out across the room and paint their personal life house on a piece of paper of their own. Their past is represented in the basement. On the ground floor the observer learns something about their present life. The number of beds in the bedroom for example represents the number of persons forming that family. This floor also gives information on the current job situation and hobbies. The broom cupboard contains everything participants want to put aside. The top floor represents the future. This is the space for visions and wishes.

As soon as the paintings are finished the four members explain their life houses to each other.

La maison de ma vie
Nombre de participants : minimum 12 • Durée : 40–60 minutes
Matériel : papier, crayons • Thèmes : faire connaissance, communication

Les participants forment des groupes multiculturels de 4 personnes. Puis, ils se répartissent dans la pièce et dessinent la maison de leur vie personnelle sur une feuille de papier. Le sous-sol symbolise leur passé. Le rez-de-chaussée représente le présent. Par exemple, le nombre de lits dans la chambre à coucher indique le nombre de personnes dans la famille. Cet étage représente également la situation professionnelle actuelle et les hobbies. Dans le placard à balais est rangé tout ce qu'on aimerait bien mettre de côté. L'étage mansardé symbolise l'avenir. Là, il y a place pour les visions et les souhaits.
Ensuite, les groupes de quatre présentent à tour de rôle la maison de leur vie aux autres groupes.

Dom mojego życia
Ilość uczestników: od 12 • Czas trwania: 40 do 60 minut • Materiał: papier, pisaki
Tematy: poznawanie się, komunikacja

Grający tworzą mieszane kulturowo czteroosobowe zespoły. Następnie każdy zespół wyszukuje sobie osobne miejsce w sali, gdzie maluje osobisty obraz swojego życia na kartce papieru. Piwnica przedstawia przeszłość grających. Parter uwidacznia teraźniejszość. Na przykład ilość łóżek w sypialni może przedstawiać ilość osób w rodzinie. Kondygnacja ta pokazuje oprócz tego aktualną sytuację zawodową oraz hobby. Do schowka na miotłę wpakować można wszystko, czego chciałoby się pozbyć. Dach pokazuje przyszłość. Tam jest miejsce na wizje i marzenia. Następnie czteroosobowe grupy pokazują sobie nawzajem narysowane przez siebie domy.

La casa dove vivo
Numero di partecipanti: da 12 in su • Tempo: 40–60 minuti • Occorrente: carta, matite
Argomenti: apprendere, comunicare

I partecipanti formano squadre multiculturali di quattro persone, si suddividono nella stanza e disegnano la propria casa su un foglio. Nello scantinato rappresentano il loro passato, al pianterreno raccontano qualcosa del loro presente. P.es. il numero di letti nella camera da letto dice quante persone ci sono in famiglia. Inoltre questo piano rappresenta anche l'attuale situazione professionale e gli hobby. Nello sgabuzzino delle scope si mette tutto quello che si desidererebbe accantonare. E' quindi il posto delle visioni e dei desideri. Dopodiché i gruppi illustrano vicendevolmente le loro case.

Yaşadığım ev
Grubu oluşturanların sayısı: Oniki kişiden itibaren • Süre: 40–60 dakika
Malzeme: Kâğıt, kalem • Konu: Tanışma, komünikasyon

Oyuna iştirak edenler dördlü, kültürel karışık gruplara bölüşürler. Daha sonra odaya dağılarak herkez kendi kâğıdının üzerine şahsi evini çizer. Bodrumkata özgeçmişlerini kaydederler. Girişkatı şimdiki zamanı temsil eder. Örneğin: Yatakodasındaki yatakların sayısı ailedeki kişilerin sayısını belirtir. Ayriyeten bu daire şimdiki mesleki durumu ve hobileri temsil eder. Kenara konulması istenen herşey sandık odasına konur. Çatıkat istikbali temsil eder. Orada hayal ve dilekler için yer bulunur. Ondan sonra dördlü gruplar yaşadıkları evi birbirlerine taktim ederler.

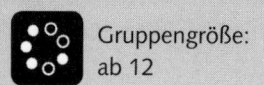 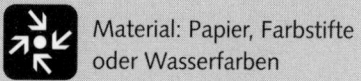
Gemeinsam ohne Worte ein Bild malen

Deutsch

Themen: Kommunikation, Kooperation

Die TN bilden Paare aus verschiedenen Kulturen. Jedes Team malt gemeinsam an einem Bild. Sie dürfen sich dabei aber nicht absprechen. Eine Person fängt mit dem Malen an und die andere fährt dann fort, worauf wieder die erste Person übernimmt.

Hinweise: Mögliche Fragen zur Auswertung: Wie bin ich beim Malen vorgegangen? Wie habe ich mich selbst und die anderen dabei erlebt? Die Bilder werden anschließend der ganzen Gruppe vorgestellt.

Varianten:
1. Es wird in Viererteams gemalt. Beim Malen des Bildes führen immer zwei Personen gemeinsam den Farbstift.
2. Das leere Blatt wird in Puzzleteile zerschnitten. Jede Person bemalt ein Puzzleteil und zum Schluss werden diese zusammengesetzt.

English

Painting a picture without talking
Number of participants: 12 plus • Duration: 1–1.5 hrs.
Material: paper, coloured pencils or water colours
Subjects: communication, co-operation

Participants form pairs from different cultures. The members of each team paint one picture jointly. They must not talk to each other, though. One participant starts painting, the second continues, then the first person resumes and so on.

Notes: Possible questions for evaluation: How did I do with the painting? How did I see myself and the others? Finally the pictures are presented to the whole group.

Variations:
1. Painting is done in groups of four. During painting two persons use the same coloured pencil at the same time.
2. The empty piece of paper is cut to the parts of a puzzle. Each person paints one part and finally the parts are pieced together.

Peindre ensemble une image sans dire un mot
Nombre de participants : minimum 12 • Durée : 1 heure–1 heure 30 minutes
Matériel : papier, crayons de couleur ou peinture à l'eau
Thèmes : communication, coopération

Chaque participant choisit un partenaire d'une autre culture que la sienne pour former un couple. Chaque couple peint ensemble un dessin. Mais il n'est pas permis de communiquer. Une personne commence à peindre, puis la seconde personne continue la peinture qui est à nouveau reprise par la première personne.

Remarques : Quelques exemples de questions d'évaluation: comment ai-je procédé pour peindre ? Comment est-ce que je me suis comporté, comment se sont comportés les autres ? Les peintures sont présentées ensuite au groupe entier.

Variantes :
1. Des groupes de 4 personnes sont formés pour peindre. Deux personnes du groupe peignent en tenant ensemble un crayon de couleur.
2. La feuille de papier est découpée en pièces de puzzle. Chacun peint ou dessine une pièce du puzzle. Ensuite, les pièces du puzzle sont assemblées.

Rysowanie wspólnego obrazu bez słów
Ilość uczestników: od 12 • Czas trwania: 1 do 1,1/2 godziny
Materiał: papier, kolorowe pisaki lub farby wodne
Temat: komunikowanie się, kooperacja

Grający tworzą pary o różnym pochodzeniu kulturowym. Każdy zespół maluje wspólny obraz. Współgraczom nie wolno ani przed ani w czasie rysowania omawiać rysunku. Jedna osoba zaczyna malować, następnie druga i tak dalej na zmianę.

Wskazówka: Możliwe pytania podczas analizy: Jakie miałem podejście do tematu podczas malowania? Jak odbierałem przy tym siebie i innych? Następnie obrazy przedstawiane są całej grupie.

Warianty:
1. Obrazy malowane są w zespołach czeteroosobowych. Podczas malowania dwie osoby prowadzą równocześnie jeden kolorowy pisak.
2. Pusta kartka zostaje pocięta na części puzzle. Każdy osoba maluje jedną część puzzli. Na koniec należy złożyć puzzle w jedną całość.

Dipingere un quadro insieme senza parlare
Numero di partecipanti: da 12 in su • Tempo: 1 – 1,5 ore
Occorrente: carta, matite colorate o acquerelli
Argomenti: comunicare, collaborare

I partecipanti formano coppie di diversa provenienza culturale. Ogni squadra dipinge un quadro, ma i membri non possono concertare il loro lavoro. Una persona inizia e quella dopo prosegue, poi riprende la prima.

Note: Domande possibili per l'analisi possono essere: come ho dipinto? Come ho percepito me stesso e gli altri durante questo lavoro? Poi i quadri vengono presentati a tutto il gruppo.

Varianti:
1. Si dipinge a squadre di quattro persone. La matita colorata è tenuta sempre da due persone insieme.
2. Il foglio vuoto viene tagliato in tesserine tipo puzzle. Ognuno ne dipinge una e alla fine tutte vengono rimesse insieme.

Türkye

Konuşmadan hep beraber resim yapma
Grubu oluşturanların sayısı: Oniki kişiden itibaren • Süre: 1–1,5 saat
Malzeme: Kâğıt, renkli kalem veyahut suluboya
Konu: Komünikasyon, işbirliği

Oyuna iştirak edenler kültürel karışık çiftler oluşturur. Her grup birlikte bir resim yapar. Fakat bunların birbirleri ile danışmamaları gerekir. Birisi resim yapmaya başlar ve diğeri resmi yapmaya devam eder. Sonra eşi tekrar devam eder.

Not: Aşağıdaki sorular sorulabilir: Resmi nasıl yapdım? Resim yaparken kendimi ve başkalarını nasıl gördüm? Daha sonra resimler bütün gruba teşhir edilir.

Değişik şekli:
1. Dörtlü gruplarda resim yapılır. Resim yapılırken hep iki kişi birkikte renkli kalemi idare ederler.
2. Boş kâğıt bilmeceli parçalara kesilir. Her kişi kesik parçaların birine resim yapar ve daha sonra bu parçalar birleştirilir.

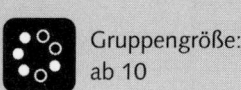 Gruppengröße:
ab 10

 1–2 Std.

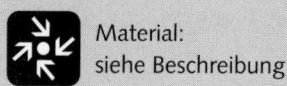 Material:
siehe Beschreibung

Puzzle für ein Gruppenbild

Deutsch

Material: Karton, weißes und farbiges Papier, Farbstifte, Wasserfarben, Zeitungen, Zeitschriften, Wolle und ähnliche Materialien, Leim
Thema: Kennenlernen

Zu Beginn erhalten die TN ein großes Puzzleteil, das sie nach ihren Vorstellungen gestalten dürfen. Es soll die eigene Person vorstellen und etwas über das eigene Leben erzählen. Anschließend erläutern die TN ihr Puzzleteil. Natürlich dürfen die Zuhörenden Rückfragen stellen. Am Schluss werden die Teile zu einem großen Puzzle zusammengefügt, sodass ein kreatives Ganzes entsteht.

Hinweis: Mit dem Puzzle lässt sich der Raum schmücken, in dem sich die Gruppe regelmäßig trifft.

Puzzle for a group picture
Number of participants: 10 plus • Duration: 12 hrs.
Material: cardboard, white and coloured paper, coloured pencils, water colours, newspapers, magazines, wool and similar materials, glue
Subject: Getting to know each other

Participants are given a big piece of a puzzle that they can design as they wish. The piece should represent themselves and give some information about their lives. Then, participants explain their puzzle piece. The listeners may of course ask questions. Finally all pieces are put together to form a creative big puzzle.

Note: The puzzle can be used to decorate the room where the group's regular meetings take place.

Puzzle d'un tableau de groupe
Nombre de participants : minimum 10 • Durée : 1–2 heures
Matériel : carton, papier blanc et de couleur, crayons de couleur, peinture à l'eau, journaux, revues, laine et autre matériel, colle forte
Thème : faire connaissance

Au début, les participants reçoivent chacun une grande pièce de puzzle qu'ils peuvent décorer à leur façon. Le dessin doit représenter la personne et raconter quelque chose sur sa vie. Puis, chacun explique ce qu'il a voulu représenter sur sa pièce de puzzle. Il est bien sûr permit aux autres participants de poser des questions. Finalement, les pièces du puzzle sont assemblées et forment une création commune.

Remarque : Le puzzle peut servir ensuite de décoration dans la pièce où le groupe se retrouve régulièrement.

Puzzle jako obraz grupy
Ilość uczestników: od 10 • Czas trwania: 1 do 2 godzin
Materiał: karton, biały lub kolorowy arkusz papieru, kolorowe pisaki, farby wodne, gazety, czasopisma, wełna lub podobny materiał, klej

Na początek grający dostają jeden kawałek puzzli dużego formatu, któremu mogą nadać wygląd według własnego pomysłu. Ma on przedstawić swoją własną osobę i powiedzieć coś na temat jej własnego życia. Następnie grający objaśniają swoją część puzzli. Naturalnie słuchającym wolno jest stawiać pytania. Na koniec puzzle zostają ułożone w jeden duży obraz w taki sposób, że powstaje kreatywna całość.

Wskazówka: Gotowym puzzlem można udekorować pomieszczenie, w którym grupa regularnie się spotyka.

Italiano

Puzzle per foto di gruppo
Numero di partecipanti: da 10 in su • Tempo: 1–2 ore
Occorrente: cartone, carta bianca e colorata, matite colorate, acquerelli, giornali, riviste, lana e simili, colla • Argomento: apprendere

All'inizio viene data ai partecipanti una grossa tesserina di puzzle, che essi possono strutturare come vogliono. La tesserina deve presentare la persona interessata e dire qualcosa della sua vita. Dopodiché ogni partecipante spiega la propria. Naturalmente chi sta ad ascoltare può fare delle domande. Alla fine con tutte le tesserine viene composto un grosso puzzle, creando cosl un tutt'uno creativo.

Nota: Col puzzle si può decorare la stanza in cui s'incontra regolarmente il gruppo.

Türkye

Grup resmi için puzzle
Grubu oluşturanların sayısı: on kişiden itibaren • Süre: 1–2 saat
Malzeme: Karton, beyaz ve renkli kâğıt, renkli kalem, suluboya, gazete, mecmua, yün ve benziyen malzeme, yapışkan • Konu: Tanışma

Başlamadan önce oyunculara büyük bir kâğıt parçası verilir. Bunu kendi dileklerine göre biçimlendirirler. Bu kendi hayatını temsil edip anlatır. Daha sonra herkes kâğıt parçasındaki temsili izah eder. Dinleyiciler soru sorabilirler. En sonunda bütün kâğıt parçaları birleştirilir. Böylece yaratıcı bir bütünlük ortaya çıkar.

Not: Puzzle'larla grubun düzenli bir şekilde gelip kaldığı oda süslenir.

 Gruppengröße:
ab 10

 1 Std.

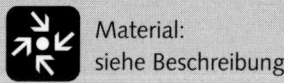 Material:
siehe Beschreibung

Riesenscrabble

Deutsch

Material: verschiedene Kreiden (für draußen) oder ein Blatt und verschiedenfarbige Stifte (für drinnen)
Thema: Kennenlernen

Dieses Spiel kann draußen und drinnen durchgeführt werden. Jede Person erhält eine andersfarbige Kreide bzw. einen andersfarbigen Stift. Die erste Person beginnt und schreibt ihren Namen groß auf den Boden bzw. auf das Papier. Alle anderen Personen fügen nun ihren Namen an einen bestehenden Buchstaben an. Das kann ohne Worte geschehen. Nach dem Vornamen geht das Spiel weiter mit anderen Themen wie Wohnort, Beruf oder Hobby. Anhand der Farben ist gut erkennbar, welche Wörter zur selben Person gehören. Am Schluss stellt jede Person eine andere vor, indem sie die Aussagen in der jeweiligen Farbe sucht.

Hinweise:
1. Voraussetzung für dieses Spiel ist die Verwendung von gemeinsamen (z. B. lateinischen) Buchstaben.
2. Wenn die Anzahl der verschiedenen Farben nicht ausreicht, können auch Farbkombinationen gewählt werden. Dann wird jedes Wort zwei-farbig geschrieben.

Gigantic scrabble

Number of participants: 10 plus • Duration: 1 hr.
Material: different chalks (for outside use) or a piece of paper and different coloured pencils (for indoor use) • Subject: Getting to know each other

This game may be played outside or indoors. Participants are given a piece of chalk or a pencil. Each of them gets a different colour. The first person starts and writes his/her first name in big letters on the ground or on the piece of paper. The remaining participants now add their names to one of the existing letters. This game may be played without talking. The next round continues with other subjects such as the place where participants live, their job or hobby. The colours indicate which words belong to the same person. Finally each person introduces another person to the other participants using the words written in the respective colour.

Notes:
1. This game requires the use of the same type of characters (e. g. Latin characters).
2. If there are not enough colours available, a combination of colours may be chosen. Each word is written in two colours.

Le scrabble géant

Nombre de participants : minimum 10 • Durée : 1 heure
Matériel : craies (pour l'extérieur) ou crayons de différentes couleurs et une feuille de papier (pour l'intérieur) • Thème : faire connaissance

Ce jeu peut être joué à l'intérieur comme à l'extérieur. Chaque personne reçoit une craie ou un crayon de couleur différente. La première personne écrit son nom en gros sur le sol ou sur une feuille de papier. Puis les autres personnes écrivent leur nom en reprenant chacune à leur tour une lettre d'un nom déjà écrit. Ce jeu peut être joué sans dire un mot. C'est au tour du prénom, puis d'autres sujets comme le nom de la ville où on habite, le métier et les hobbies. Les différentes couleurs permettent de reconnaître quels mots appartiennent à quelle personne. Finalement, chacun présente une autre personne en cherchant les mots de la même couleur.

Remarques :
1. Une condition pour ce jeu est l'utilisation des lettres communes (par exemple, latines).
2. Si les diverses couleurs ne suffisent pas en nombre, il est possible de faire des combinaisons de couleurs. Chaque mot peut être alors écrit avec deux couleurs.

Polski

Scrabble-gigant
Ilość uczestników: od 10 • Czas trwania: 1 godzina
Materiał: różnokolorowa kreda (dla gry na zewnątrz) albo kolorowe pisaki (dla gry w pomieszczeniu) • Temat: poznanie się

Gra ta może odbywać się w pomieszczeniu lub na zewnątrz. Każda osoba otrzymuje kredę lub pisak innego koloru. Pierwsza osoba zaczyna pisząc swoje imię dużymi literami na ziemi lub na papierze. Inni grający dopisują swoje imię korzystając przy tym z jednej zapisanej litery. Ma to się odbywać bez użycia słów. Po napisaniu imion gra toczy się dalej na inne tematy, takie jak miejsce zamieszkania, zawód lub hobby. Użyte kolory pozwalają rozpoznać, jakie słowa należą do której osoby. Na końcu każdy grający przedstawia jenego współgracza, wyszukując wypowiedzi napisane tym samym kolorem .

Wskazówka:
1. Założeniem tej gry jest stosowanie wspólnych (np. łacińskich) liter alfabetu.
2. Jeśli ilość kolorów jest niewystarczająca, można stosować kombinację kolorystyczną. W takim przypadku słowa zapisywane są dwoma kolorami naraz.

Italiano

Scarabeo gigante
Numero di partecipanti: da 10 in su • Tempo: 1 ora
Occorrente: gessi vari (per l'esterno) o un foglio e matite colorate varie (per l'interno)
Argomento: apprendere

E' un gioco per esterno e per interno. A ognuno viene dato un gessetto o una matita di colori diversi. La prima persona scrive a grossi caratteri il suo nome sul pavimento o sulla carta. Tutti gli altri aggiungono poi il proprio nome su una lettera presente. Si può fare senza parlare. Dopo avere scritto i nomi di battesimo si può continuare con altri argomenti come residenza, professione o hobby. I colori permettono di capire senza dubbi quali solo le parole che riguardano la stessa persona. Alla fine ogni persona ne presenta un'altra cercando le scritte con lo stesso colore.

Note:
1. La condizione per questo gioco è che si usino le stesse lettere (p. es. quelle dell'alfabeto latino).
2. Se i colori non bastano si può ricorrere a loro combinazioni, nel qual caso ogni parola verrà scritta con due colori.

Türkye

Koca Scrabble
Grubu oluşturanların sayısı: On kişiden itibaren • Süre: 1 saat
Malzeme: Çeşitli tepeşirler (dışarısı için) veyahut kâğıt ile renkli kalemler (içerisi için)
Konu: Tanışma

Bu oyun hem dışarıda hem de içeride oynanabilir. Her kişiye başka bir renkte tepeşir veyahut kalem verilir. Bir kişi başlayıp ismini büyük yazılarla yere veyahut kâğıda yazar. Diğer kişiler isimlerini bir yazılmış harfe dizerler. Bunlar konuşmadan yapılabilir. İlk adlar yazıldıktan sonra oyuna ikamet ettiği yer, meslek veyahut hobi gibi başka konularla devam edilir. Hangi kelimeler hangi kişiye ait olduğu renklerden belli olur. En sonunda her oyuncu başka bir oyuncuyu belirli renkdeki kelimeleri arıyarak tanıtır.

Not:
1. Bu oyunun şartı herkesin aynı harfleri kullanmalarını gerektirir (örneğin: Latin harfleri).
2. Renklerin sayısı yeterli gelmezse, renkkombinasyonları seçilebilir, yani her kelime iki renkle yazılır.

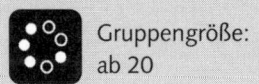
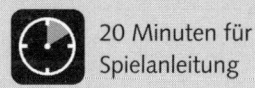

Geheimer Freund

Deutsch

Spiel für einen Zeitraum von mehreren Tagen
Themen: Kommunikation, Kooperation, Vertrauen

Die TN schreiben ihren Namen auf einen Zettel und falten diesen zusammen. Die Leitung sammelt alle Zettel ein und lässt danach alle TN wieder einen Zettel ziehen. In dem Fall, dass eine Person ihren eigenen Namen zieht, wird der Zettel wieder unter die anderen gemischt. Eventuell müssen auch andere TN ihre Zettel wieder abgeben, damit es nicht eindeutig ist, wer welchen Namen gezogen hat. Hat jede Person einen Zettel, ist sie aufgefordert, derjenigen Person kleine Aufmerksamkeiten zu zeigen, deren Name auf dem Zettel steht. Vielleicht liegt ja mal auf dem Platz der betreffenden Person ein Stück Schokolade oder ihr wird Wasser nachgegossen, wenn ihr Glas leer ist. Doch der „Geheime Freund" darf sich nicht zu offensichtlich zu erkennen geben. Am Ende der Begegnung darf jede Person raten, wer ihr „Geheimer Freund" war, und das Rätsel wird aufgelöst.

Hinweis: Bei Begegnungen zwischen zwei Kulturen werden Paare aus beiden Kulturen gebildet und jeweils Zettel der einen Gruppe in der anderen Gruppe verteilt.

English

Secret friend
Number of participants: 20 plus • Duration: 20 minutes for giving instructions; the game is played over a period of several days
Material: paper and pencils
Subjects: communication, co-operation, confidence

Participants write their name on a piece of paper which they then fold up. The moderator collects the pieces of paper and asks all participants to take one of these pieces of paper. If a person gets the one with his/her own name on it that piece of paper will again be mixed with the others. If necessary, other participants, too, have to give back their pieces of paper in order to avoid its being obvious who received which name. As soon as each person has written a name he/she is requested to give small gifts to the person whose name is written on their piece of paper. He/she could give him/her for a piece of chocolate or top up his/her empty glass. However, the "secret friend" should not reveal his/her identity too obviously. At the end of the game each person must guess who their "secret friend" is and the mystery is finally solved.

Note: If two cultures come together, mixed pairs are formed and the pieces of paper of the one group are dealt out to the other one.

Français

L'ami secret

Nombre de participants : minimum 20 • Durée : 20 minutes pour le coordinateur du jeu, le jeu se joue sur plusieurs jours • Matériel : papier et crayons
Thèmes : communication, coopération, confiance

Les participants écrivent leur nom sur une feuille de papier qu'ils plient en quatre.
Le coordinateur du jeu ramasse les feuilles et propose ensuite à chaque participant de tirer un papier au hasard. Au cas où une personne aurait tiré son propre nom, le papier est remis dans le tas. Les participants doivent éventuellement remettre leur papier afin qu'il ne soit pas possible de reconnaître quel nom a été tiré par qui. Une fois que tous les papiers ont été tirés, chacun doit être prévenant ou avoir des attentions amicales à l'égard de la personne dont le nom figure sur son papier ; par exemple, en déposant un morceau de chocolat à la place de la personne en question ou en remplissant son verre quand il est vide. Cependant, « l'ami secret » doit resté discret pour ne pas être découvert. A la fin de la rencontre, chacun peut deviner qui était son « ami secret » et résoudre ainsi l'énigme.

Remarque : Lors de rencontre entre deux cultures, former des couples des deux cultures et distribuer les papiers des membres d'une même culture aux membres de l'autre culture et inversement.

Polski

Potajemny przyjaciel

Ilość uczestników: od 20 • Czas trwania: 20 minut na na wprowadzenie gry, gra na przestrzeni kilku dni • Materiał: papier i pisaki
Temat: komunikowanie się, współpraca, zaufanie

Grający zapisują swoje nazwisko na kartce papieru a następnie składają kartkę. Kierujący grą zbiera wszystkie kartki i daje wszystkim grającym wyciągnąć po jednej kartce. W przypadku wyciągnięcia kartki z własnym nazwiskiem kartka zostaje ponownie zmieszana z innymi. Ewentualnie także inni grający muszą oddać swoje kartki do ponownego przetasowania po to, żeby nie było jednoznacznie wiadomo, kto wyciągnął czyje nazwisko. Kiedy każdy ma już swoją kartkę dostaje za zadanie wyświadczanie osobie, którą wylosował na kartce drobnych uprzejmości. Można położyć kawałek czekolady koło nakrycia stołu tej osoby lub nalać wody do jej opróżnionej szklanki. Jednak „potajemny przyjaciel" nie powinien się z tym zanadto publicznie obnosić. Na końcu spotkania każdemu graczowi wolno zgadywać, kto był jego „potajemnym przyjacielem" i w ten sposób zagadka zostaje rozwiązana.

Wskazówka: W przypadku spotkania grup dwukulturowychnależy utworzyć pary mieszane, po jednej osobie z każdego kręgu kulturowego i rozdzielić kartki z nazwiskami jednej grupy w drugiej grupie.

Italiano

L'amico segreto

Numero di partecipanti: da 20 in su • Tempo: 20 minuti per spiegare il gioco (è un gioco che si sviluppa su un arco di parecchi giorni) • Occorrente: carta e matite
Argomenti: comunicare, collaborare, acquisire fiducia

I partecipanti scrivono il loro nome su un bigliettino e lo ripiegano.
Chi dirige raccoglie i bigliettini e poi ne fa estrarre uno a ciascun partecipante. Se qualcuno estrae il proprio nome, il bigliettino viene rimesso nel mazzo e rimischiato. Eventualmente anche altri partecipanti restituiranno il proprio bigliettino, onde non si possa capire chi ha estratto quello col proprio nome. Quando tutti i partecipanti hanno un bigliettino, ognuno dovrà riservare delle piccole attenzioni alla persona il cui nome sta scritto sul bigliettino in oggetto. Magari mettere un pezzettino di cioccolata vicino a dove questa persona si trova, o versarle dell'acqua nel bicchiere se vuoto. Però l' «amico segreto» non deve rivelarsi troppo palesemente. Alla fine dell'incontro ognuno potrà indovinare chi è il proprio «amico segreto» e il mistero si risolve.

Nota: Negli incontri che coinvolgono due culture vengono formati gruppi biculturali e i bigliettini di un gruppo vengono distribuiti ai partecipanti dell'altro.

Gizli arkadaş

Grubu oluşturanların sayısı: Yirmi kişiden itibaren • Süre: Oyun yönetmenliği için 20 dakika, oyun süresi bir kaç gün • Malzeme: Kalem ile kâğıt
Konu: Komünikasyon, işbirliği, güven

Oyuncular isimlerini bir kâğıda yazıp bunu katlarlar. Oyun idarecisi bütün kâğıtları toplayıp oyuncular bunlardan birer kâğıt çekdirir. Eğer bir oyuncu kendi adını yazdığı kâğıdı çekerse, bu kâğıt tekrar öbürlerinin arasına karıştırılır. Kim kimin ismini çektiği belli olmasın diye başka oyuncuların da kâğıtlarını geri vermeleri gerekebilir. Her oyuncu bir kâğıt çektikten sonra ismi kâğıdın üzerinde yazılan kişiye hüsnümuamele edmelidir. Belki o kişinin oturduğu yerde çikolata bulunur veyahut su bardağı boş ise doldurulur. Fakat «gizli arkadaş» kendini katiyen açıklamamalı. Oyunun sonunda herkes «gizli arkadaşın» kim olduğunu bulmaya çalışır ve bulmaca çözülür.

Not: İkikültürel grupların karşılaştırılmasında karışık kültürel çift oluşturulur, ve bir grubun kâğıdı öbür grupta dağıtılır.

 Gruppengröße:
ab 8

 20–30 Minuten

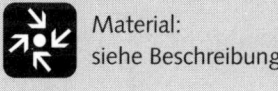 Material:
siehe Beschreibung

Ballonturm

Material: Ballons in größerer Anzahl, Gymnastikstäbe, Springseile, Zeitungspapier, Klebeband, evtl. Augentücher • Thema: Kooperation

Die TN bilden Kleingruppen zu jeweils vier bis fünf Personen. Binnen 15 Minuten soll ein hoher Turm aus Luftballons gebaut werden. Als Hilfsmittel zum Bau einer Struktur stehen zur Verfügung: Gymnastikstäbe, Springseile, Zeitungspapier und eine Rolle Klebeband. Zu berücksichtigen ist allerdings: Das Kreppband darf nicht in direkten Kontakt mit den Luftballons geraten. Alle Utensilien außer den Luftballons sind lediglich Hilfsmaterialien, d. h., der Turm muss vom Boden bis zur Spitze durchgängig aus Luftballons bestehen. Seine Höhe bemisst sich an der Oberkante des obersten Ballons. Außer den zur Verfügung gestellten Hilfsmitteln dürfen keine weiteren Materialien verwendet werden. Nach Ablauf der 15 Minuten muss der Turm mindestens fünf Sekunden lang frei stehen und keine Person darf dann mehr Kontakt zu den Ballons bzw. zur Hilfskonstruktion haben.

Varianten:

Bei größeren Gruppen bieten sich folgende ergänzende Varianten an:
1. Zwei kulturell gemischte Untergruppen müssen sich beim Bau ergänzen: die Architekten, die sehen, aber selbst nicht bauen können, und die Konstrukteure, die bauen, aber nicht sehen können.
2. Es darf immer nur eine Hälfte der Gruppen am Turm arbeiten. Nach jeweils zwei Minuten findet ein Schichtwechsel statt. Die alte Schicht muss dann innerhalb von drei laut ausgezählten Sekunden alles stehen und liegen lassen, unabhängig davon, ob eine Ablösung zur Stelle ist oder nicht.

Balloon tower

Number of participants: 8 plus • Duration: 20–30 minutes

Material: A large quantity of balloons, gymnastic batons, skipping ropes, newspapers, adhesive tape, scarves, if required • Subject: co-operation

Participants form small groups of 4 to 5 persons each. Their task is to build a high balloon tower within 15 minutes. For this purpose the following resources are available: gymnastic batons, skipping ropes, newspapers and a role of adhesive tape. The adhesive tape must not come into direct contact with the balloons. Apart from the balloons all utensils are just aids, i.e. the tower must consist of balloons from the bottom to the top. Its height is measured at the upper edge of the highest balloon. Apart from the aids provided no other materials may be used. After 15 minutes the tower must stand for at least 5 seconds without any support and no person must touch the balloons or the aid construction.

Variations:

The following additional variations would be possible in larger groups:

1. Two culturally mixed sub-groups must support each other in the construction of the tower: the architects who can see but not design and the designers who can build but not see.
2. Only one half of the group may work on the tower at the same time. A "change of shift" takes place every two minutes. The old shift must drop everything within 3 seconds counted out loudly regardless of whether a replacement is available or not.

La tour de ballons

Nombre de participants : minimum 8 • Durée : 20–30 minutes • Matériel : ballons en nombre suffisant, perches, cordes à sauter, journaux, ruban adhésif • Thème : coopération

Les participants forment des petits groupes de 4 à 5 personnes. Il s'agit de construire en l'espace de 15 minutes une tour de ballons. Pour réaliser la charpente de la tour, différents moyens sont mis à disposition : perches, cordes à sauter, journaux et un rouleau de ruban adhésif. Il faut cependant tenir compte du fait suivant: le ruban adhésif ne doit pas être en contact direct avec les ballons. Tous autres objets que les ballons servent uniquement de moyens auxiliaires pour construire la tour, c'est-à-dire que la tour doit être construite, de la base au sommet, essentiellement de ballons. Pour déterminer sa hauteur, on prend l'extrémité supérieure du dernier ballon. Il n'est pas permis de se servir d'autres moyens que de ceux mis à disposition. Une fois les 15 minutes écoulées, il faut que la tour tienne au moins 5 secondes en équilibre, sans que personne ne touche les ballons ou les moyens de construction.

Variantes :

Dans le cas de grands groupes, voici quelques variantes complémentaires :

1. Deux sous-groupes de diverses cultures doivent se compléter en construisant la tour : les architectes qui voient mais ne peuvent pas construire et les constructeurs qui construisent mais ne peuvent pas voir.
2. Dans chaque groupe, seule la moitié construit la tour. Au bout de deux minutes, il y a changement d'équipe. L'équipe relayée doit, en l'espace de trois secondes comptées à haute voix, tout laisser, peu importe si l'équipe de relais est déjà sur place ou non.

Wieża z baloników
Ilość uczestników: od 8 • Czas trwania: 20 do 30 minut • Materiał: duża ilość balonów do nadmuchiwania, drążki gimnastyczne, skakanki, papier gazetowy, taśma samoklejąca, ewentualnie przepaski do zawiązywania oczu • Temat: współpraca

Grający tworzą małe 4 lub 5osobowe grupy. W ciągu 15 minut muszą zbudować wysoką wieżę z balonów. Jako środki pomocnicze do budowy stelażu grający mają do dyspozycji drążki gimnastyczne, skakanki, papier gazetowy i rolkę taśmy samoklejącej. Uwzględnić należy fakt, że taśma nie może przylegać bezpośrednio do balonów. Wszystkie utensylia oprócz balonów są wyłącznie materiałami pomocniczymi, tzn. wieża musi składać się od ziemi aż do wierzchołka bez wyjątku z balonów. Wysokość wieży mierzy się aż do górnego brzegu najwyżej umieszczonego balonu. Nie wolno używać żadnych innych materiałów oprócz środków oddanych do dyspozycji. Po upływie 15 minut wieża musi stać wolna przez co najmniej 5 sekund i żadnej osobie nie wolno już dotykać balonów lub konstrukcji wieży.

Warianty:
W przypadku większych grup można zaproponować warianty uzupełniające:
1. Dwie grupy różne kulturowo muszą się uzupełniać przy budowie: architekci, którzy obserwują, ale sami nie budują i konstruktorzy, którzy budują, ale nie mogą obserwować.
2. Przy budowie wieży może pracować tylko połowa grupy. Po upływie 2 minut następuje każdorazowa zmiana załogi. Stara zmiana musi przy odliczeniu na głos trzech sekund zostawić wszystko, jak stoi i leży, niezależnie od tego, czy nowa zmiana jest na miejscu czy nie.

Torre di palloncini
Numero di partecipanti: da 8 in su • Tempo: 20–30 minuti • Occorrente: tanti palloncini, aste da ginnastica, corde per saltare, carta di giornale, nastro adesivo, event. fazzolettini
Argomento: collaborare

I partecipanti formano piccoli gruppi di 4–5 persone ciascuno. Bisogna costruire una alta torre di palloncini in 15 minuti. Per aiutare a costruire una struttura si hanno a disposizione aste da ginnastica, corde per saltare, carta di giornale e un rotolo di nastro adesivo. Attenzione, però!: il nastro crespato non può toccare direttamente i palloncini. Tutti gli strumenti che non siano i palloncini stessi sono solo materiale ausiliario, cioè dal base alla punta la torre dev'essere fatta esclusivamente di palloncini. L'altezza viene misurata riferendosi allo spigolo superiore del pallone più alto. Oltre agli ausili previsti non si possono usare altri materiali. Trascorsi i 15 minuti la torre deve rimanere cosl com'è almeno 15 secondi e nessuno può più toccare né i palloni né i materiali ausiliari.

Varianti:
Se il gruppo è grosso si può integrativamente procedere come segue:
1. Due sottogruppi multiculturali interagiscono nella costruzione: gli architetti, che vedono senza poter però intervenire personalmente nella costruzione, ed i costruttori, che costruiscono ma non possono vedere.
2. Alla costruzione della torre può lavorare sempre metà della squadra. Le due metà si avvicendano ogni due minuti. Quando la metà che sta lavorando sente contare ad alta voce fino a tre deve interrompersi subito, a prescindere che sia presente o meno l'altra metà di squadra.

Türkye

Balon kulesi
Grubu oluşturanların sayısı: sekiz kişiden itibaren • Süre: 20–30 dakika
Malzeme: Büyük miktarda balon, jimnastik çubuğu, atlamak için ip, gazete kâğıdı, zamklı bant,
belki göz bağlamak için mendil • Konu: İşbirliği

Oyunculardan 4–5 kişilik gruplar oluşur. Balonlardan 15 dakika içinde yüksek bir kule yapılması
istenir. Kuleyi yapmaya yardımcı olan malzemeler: jimnastik çubuğu, atlamak için ip, gazete
kâğıdı ve bir rule zamklı kâğıt. Krep bantının balonla birbirine dokunmaması için dikkat edilmesi
önemlidir. Balondan hariç bütün malzemeler sadece yardımcı alet olarak kullanılmalıdır, yani kule
yerden ucuna kadar aralıksız sadece balondan yapılmalı. Yüksekliği en üsteki balonun üst yüzey-
ine kadar olan kısımdır. Hazırda bulunan malzemeden hariç başka hiç bir şey kullanılmaz. Bu 15
dakika bittikten sonra kule en az 5 saniye yıkılmadan durmalı ve hiç kimse balona veyahut
yardımcı malzemelere dokunmamalı.

Değişik şekli:
Büyük gruplarda aşağıdaki tamamlayıcı şekilde değişiklikler yapılabilir:
1. İki kültürel karışık ara gubu yapımda birbirlerini tamamlamaları gerekir: Mimarlar görebiliyor-
   lar fakat inşaat yapamıyorlar, inşaat yapanlar göremezler.
2. Kule inşaatında grubun sadece yarısı çalışabilir, her iki dakikada bir vardiyeli çalışılır. Daha
   önceki vardiye değişme sırası geldiyse sesli sesli sayılan üç saniye içersinde nöbet olmazsa da
   her şeyi bırakıp terketmesi gerekir.

 Gruppengröße:
ab 12

 30–45 Minuten

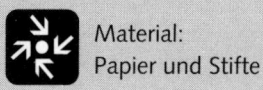 Material:
Papier und Stifte

Unser Bild vom anderen Land ...

Deutsch

Themen: Landeskunde, Stereotypen, Vorbereitung, Vorurteile

Die TN sitzen im Kreis. Die Spielleitung nennt einen Begriff, zu dem die TN
aufschreiben sollen, was ihnen spontan zu einem ausgewählten Land
(z. B. das Gastland oder das Reiseland) einfällt, wenn sie den Begriff hören.
Es können insgesamt bis zu zehn Begriffe sein, wie: Wirtschaft, Gesellschaft, Politik, Frauen, Familie, Sexualität, Jugend, Freizeit, kulturelles Leben etc. Die TN haben für jeden Begriff 30 Sekunden Zeit ein Stichwort
bzw. einen kurzen Satz aufzuschreiben. Fällt ihnen hierzu nichts ein,
machen sie einfach einen Strich. Die Begriffe werden fortlaufend numme-
riert. Nach jedem Begriff veranlasst die Spielleitung, dass jede Person ihren
Zettel an den Nachbarn/die Nachbarin um eine oder mehrere Positionen
im Uhrzeigersinn weiterreicht. Dann wird der nächste Begriff genannt.
Wenn alle Begriffe genannt sind, bittet die Spielleitung alle TN, reihum
vorzulesen, was sie zu den einzelnen Begriffen auf ihrem Zettel vorfinden.

Hinweise:
1. Das Spiel lässt ein Gesamtbild der Gruppe entstehen, das sie von einem anderen Land hat und das zudem zeigt, wo es in der Gruppe weiteren Interessen- oder Lernbedarf gibt.
2. Dieses Assoziationsspiel eignet sich gut zur Vorbereitung einer mono-kulturellen Gruppe auf ihre Reise in ein unbekanntes Gastland. Außerdem bietet das Spiel eine Ausgangsbasis für die spätere Auswertung, um festzustellen, wie sich das Bild der Gruppe während oder nach einer Begegnung verändert hat.
3. Im Rahmen einer interkulturellen Begegnung kann eher das Spiel „Heimat – Nation – Familie" eingesetzt werden.

Our image of the other country ...
Number of participants: 12 plus • Duration: 30–45 minutes
Material: paper and pencils
Subjects: Geography, stereotypes, preparation, prejudices

Participants sit around in a circle. The moderator mentions a term in relation to which participants should write down their spontaneous ideas regarding a selected country (e.g. the host country or the holiday destination). As many as 10 terms may be mentioned such as: economy, society, politics, women, family, sexuality, youth, leisure time etc. Participants get 30 seconds to write down a keyword or a short sentence. If participants can't think of anything they simply draw a line. Terms are numbered consecutively. Following each term the moderator asks the participants to forward their piece of paper to his/her neighbour clockwise. Then, the next term is mentioned. As soon as all terms are mentioned the moderator asks the participants to read out what they find on their pieces of paper with regard to the single terms written on their pieces of paper.

Notes:
1. The game demonstrates the overall image the groups has of another country and also shows where there is more curiosity and need to learn within the group.
2. This association game makes a suitable preparation of a mono-cultural group for a journey to a foreign host country. Furthermore this game forms a starting basis for the later evaluation in finding out how the image of the group changed during or after the encounter.
3. The game called "home – nation – family" may better be used in the framework of an inter-cultural encounter.

Français

L'image que l'on a d'un autre pays...
Nombre de participants : minimum 12 • Durée : 30–45 minutes • Matériel : papier et crayons
Thèmes : civilisation, stéréotypes, préparation, préjugés

Les participants sont assis en cercle. Le coordinateur du jeu prononce un mot et les participants doivent écrire ce qui leur vient spontanément en tête sur le pays choisi (par exemple, le pays natal ou le pays d'accueil) lorsqu'ils entendent ce mot. Il est possible de nommer jusqu'à une dizaine de mots comme: économie, société, politique, femmes, famille, sexualité, jeunesse, liberté, vie culturelle, etc. Les participants ont 30 secondes par mot pour écrire un mot-clé ou une phrase. S'il ne leur vient rien à l'esprit, ils font simplement un trait sur leur feuille. Les mots sont numérotés dans l'ordre. Après chaque mot, le coordinateur du jeu fait en sorte que chacun passe sa feuille à son voisin ou à des voisins plus loin, comme il l'entend, dans le sens des aiguilles d'une montre. C'est au tour du mot suivant et ainsi de suite. Une fois que tous les mots ont été annoncés, le coordinateur du jeu demande à tous les participants de lire à tour de rôle ce qu'il y a d'écrit sur leur feuille.

Remarques :
1. Le jeu permet d'avoir une idée de l'image que le groupe a d'un autre pays et révèle en plus les centres d'intérêts et le besoin de connaissances du groupe.
2. Ce jeu d'associations est idéal pour la préparation d'un groupe monoculturel à un voyage dans un pays d'accueil inconnu. Ce jeu servira également de base à l'évaluation à venir pour constater l'évolution de l'image du groupe pendant et après la rencontre.
3. Dans le cadre d'une rencontre interculturelle, le jeu « Patrie – nation – famille » est plus approprié.

Polski

Nasze wyobrażenie o innym kraju
Ilość uczestników: od 12 • Czas trwania: 30 do 45 minut • Materiał: papier i pisaki
Temat: krajoznawstwo, stereotypy, przygotowanie, uprzedzenia

Grający siedzą w kole. Prowadzący grę wymienia jedno hasło/pojęcie. Zadaniem graczy jest zapisanie wszystkiego, co łączy się im spontanicznie z tym pojęciem na temat danego kraju (kraju goszczącego lub kraju, z którego przyjechali). Może to być do 10u pojęć włącznie, takich jak: gospodarka, społeczeństwo, polityka, kobiety, rodzina, seksualizm, młodzież, wolny czas, życie kulturalne etc. Grający mają 30 sekund czasu na zapisanie swoich asocjacji (hasła lub krótkiego zdania) odnośnie jednego pojęcia. Jeżeli nie mają żadnego pomysłu, robią po prostu kreskę. Pojęcia są numerowane na bieżąco. Kiedy grający zapiszą uwagi na temat jednego pojęcia, prowadzący grę daje sygnał przekazania kartki następnemu graczowi o jedno miejsce lub kilka miejsc dalej zgodnie z ruchem wskazówek zegara. Wtedy pada następne hasło. Kiedy wszystkie hasła zostały wywołane, prowadzący grę prosi wszystkich uczestników o przeczytanie kolejno na głos komentarzy do poszczególnych haseł, jakie znajdują się na kartce.

Wskazówki:
1. Gra dostarcza grupie ogólnego pojęcia, jakie wyobrażenie ma o innym kraju i informację, jakie inne rzeczy ją interesują i czego jeszcze należy się poduczyć
2. Ta gra skojarzeniowa nadaje się zwłaszcza na przygotowanie grupy jednokulturowej do wyjazdu z wizytą na zaproszenie do nieznanego kraju.
3. W ramach spotkania międzynarodowego lepiej jest zastosować grę: „Ojczyzna – naród – rodzina".

La nostra idea di un altro paese ...
Numero di partecipanti: da 12 in su • Tempo: 30–45 minuti • Occorrente: carta e matite
Argomenti: geografia, stereotipi, predisporre, pregiudizi

I partecipanti siedono in cerchio. Chi dirige il gioco esprime un argomento ed i partecipanti devono annotare ciò che spontaneamente gli viene in mente su un determinato paese (p. es. quello che li ospita o quello dove vanno in vacanza) quando sentono l'argomento espresso. Si possono esprimere fino a 10 argomenti, tipo: economia, società, politica, donne, famiglia, sessualità, gioventù, tempo libero, vita culturale, ecc. Per ogni argomento i partecipanti hanno 30 secondi per scrivere una parola-chiave o una corta frase. Se non viene in mente nulla tirano una riga. Gli argomenti vengono numerati progressivamente. Dopo ogni argomento chi dirige il gioco dice a tutti di passare il proprio bigliettino in senso orario a chi siede immediatamente accanto o a una/due ecc. persone dopo. Poi si passa all'argomento successivo. Una volta espressi tutti gli argomenti, chi dirige il gioco fa leggere a tutti ciò che sta scritto sui propri bigliettini in merito ai vari argomenti.

Note:
1. Il gioco permette di ricavare l'idea complessiva che il gruppo ha di un altro paese e inoltre indica chi nel gruppo ha altri interessi o necessità di apprendimento.
2. Questo gioco associativo è molto adatto per preparare un gruppo monoculturale a un viaggio in un paese sconosciuto e offre altresl la base analitica di partenza per stabilire successivamente come sia cambiata l'immagine del gruppo durante o dopo un incontro.
3. Nel quadro di un incontro interculturale si può organizzare in alternativa il gioco «patria – nazione – famiglia».

Başka memleket hakkındaki görüşümüz ...
Grubu oluşturanların sayısı: 12 kişiden itibaren • Süre: 30–45 dakika • Malzeme: Kalem ve kâğıt • Konu: Memleket bilgisi, stereotip, hazırlık ve önyargı

Oyuna iştirak edenler daire halinde otururlar. Oyun yönetmenliği bir kavram söyler. Oyuncular bu kavramı duyunca seçilen bir memleket hakkında (misafir oldukları ülke veyahut seyahat ettikleri ülke) hemen akıllarına ne gelirse onu yazmaları gerekir. Bu aşağıdaki şekilde on kavrama kadar mümkündür: Ekonomi, toplum, politika, kadınlar, aile, seksüalite, gençler, boşvakit, kültürel hayat v. b. Oyunculara her kavram için, not veyahut kısa bir cümle yazmaya 30 saniye vakit verilir. Eğer bununla ilgili akıllarına bir şey gelmezse bir çizgi yapılır. Anlamlar sıra ile numaralanır. Her anlamın sonunda yönetici, herkesin kâğıdının sağa doğru bir veyahut birkaç kişi öne vermesini sağlar. Ondan sonra da diğer anlam belirtilir. Bütün anlamlar söylendikten sonra yönetmenlik sıra ile oyunculardan anlamlarla ilgili teker teker kâğıtlarında yazılanları okumasını ister.

Not:
1. Oyun grubun diğer ülke hakkında toplam görüşünü meydana çıkarır ve grubun ilgilerini veyahut daha neler öğrenmeleri gerektiğini ortaya koyar.
2. Bu çağrışım monokültürel grupları tanımadıkları bir ülkeye seyahat yapmalarına hazırlamada uygun olur. Ayrıyeten bu oyun daha sonraki değerlendirme için temel olur. Böylece grubun görüşü karşılaşmada veyahut karşılaşmadan sonra nasıl değiştiği tespit edilir.
3. İnterkültürel karşılaşma çerçevesi içinde «yurt – ulus – aile» oyunu daha yararlı olur.

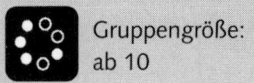 Gruppengröße: ab 10 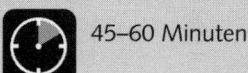 45–60 Minuten  Material: keines

Gesten und Verhalten

Themen: Kommunikation, Kulturen entdecken, Vorbereitung

Die TN werden in zwei Gruppen aufgeteilt und kurz getrennt. Es wird erklärt, dass paarweise ein Gespräch über ein von der Spielleitung vorgegebenes Thema geführt werden soll. Eine der beiden Gruppen erhält den Auftrag, ein besonderes Verhaltensmerkmal an den Tag zu legen. Die andere Gruppe erhält eine neutrale Instruktion. Die Übung wird paarweise durchgeführt.

Beispiele:
– Person per Handschlag begrüßen und die Hand dann nicht mehr loslassen
– während des Gesprächs ständig den Mindestabstand unterschreiten
– während des Gesprächs bei Zustimmung den Kopf schütteln und bei Ablehnung nicken.

Nach ca. zehn Minuten unterbricht die Spielleitung die Übung.

Hinweise:
1. Die Übung wird zuerst paarweise ausgewertet. Beide Personen erhalten die Gelegenheit ihre Eindrücke zu schildern. Anschließend erfolgt der Austausch in der Großgruppe.
2. Mögliche Auswertungsfragen können sein: Was war für mich irritierend? Wie habe ich mich in der Situation gefühlt? Was lässt sich aus der Übung für die Begegnung mit Menschen aus anderen Kulturen lernen?
3. Das Spiel eignet sich besonders zur Vorbereitung von monokulturellen Gruppen auf die Begegnung mit einer anderen Kultur.

Gestures and behaviour
Number of participants: 10 plus • Duration: 45–60 minutes • Material: none • Subjects: communication, discovering cultures, preparation

Participants are divided into two groups and briefly separated. It is explained to them that they are supposed to discuss a subject determined by the moderator. One of the two groups is asked to behave in a particular way while the other receives neutral instructions. The exercise is carried out in pairs.

Examples:
– Greeting a person with a handshake and not letting the other person's hand go

- Not observing the minimum distance during the conversation
- Shaking one's head in consent and nodding one's head to show rejection.

The moderator interrupts the game after approx. 10 minutes.

Notes:
1. Initially the exercise is evaluated by pairs. Both persons are given the opportunity to describe their impressions. Ideas are then exchanged in the entire group.
2. Possible questions for evaluation are the following: What irritated me? How did I feel like in that situation? What can we learn from that exercise with regard to meeting people from other cultures?
3. The game is particularly suited to the preparation of monocultural groups for an encounter with another culture.

Gestes et comportement
Nombre de participants : minimum 10 • Durée : 45–60 minutes • Matériel : aucun
Thèmes : communication, découverte des cultures, préparation

Les participants sont divisés en deux groupes et séparés l'un de l'autre pendant un court instant. Il est alors expliqué qu'un entretien à deux aura lieu sur un thème choisi par le coordinateur du jeu. Un des deux groupes a pour rôle de se comporter d'une manière bien particulière. L'autre groupe reçoit une instruction neutre. L'exercice se fait par couple.
Exemples :
- Saluer une personne en lui serrant la main et ne plus la lâcher.
- Ne pas respecter au cours de l'entretien la distance minimale.
- Ecouer la tête en cas d'accord et faire un signe de tête en cas de désaccord au cours de l'entretien.
Le coordinateur du jeu interrompt l'exercice au bout de 10 minutes.

Remarques :
1. L'exercice est tout d'abord évalué par couple. Chacun a la possibilité d'exprimer ses impressions. Finalement, l'échange se fait au niveau du grand groupe.
2. Quelques questions d'évaluation possibles : Qu'est-ce qui m'a gêné dans ce jeu ? Comment me suis-je senti dans cette situation ? Que nous apprend cet exercice sur le plan de rencontres avec des personnes provenant d'autres cultures ?
3. Le jeu est particulièrement adapté pour la préparation de groupes monoculturels à une rencontre avec une autre culture.

Gesty i zachowanie
Ilość uczestników: od 10 • Czas trwania: 45 do 60 minut • Materiał. brak
Temat: porozumiewanie się, odkrywanie kultur, przygotowanie

Grający zostają podzieleni na dwie grupy i na krótko rozdzieleni. Grający zostają objaśnieni, że muszą przeprowadzić parami rozmowę na temat podany przez prowadzącego grę. Jedna z grup dostaje polecenie pokazania w świetle dziennym specyficznego rodzaju zachowania. Druga grupa otrzymuje instrukcję neutralną. Cwiczenie należy wykonywać parami.
Przykłady:
- przywitać kogoć podaniem ręki a następnie nie wypuścić tej ręki z uścisku
- podczas rozmowy stale przekraczać granicę dystansu fizycznego
- podczas rozmowy kręcić głową na znak zgody a na znak odmowy kiwać głową
Po upływie 10 minut prowadzący przerywa grę.

Italiano

Gestualità e comportamento
Numero di partecipanti: da 10 in su • Tempo: 45–60 minuti • Occorrente: nulla
Argomenti: comunicare, scoprire culture, predisporre

I partecipanti vengono suddivisi in due gruppi e separati per pochi istanti. Si spiega che una coppia dovrà avere un colloquio su un argomento proposto da chi dirige il gioco. A uno dei due gruppi viene dato il compito di manifestare una determinata caratteristica di comportamento. All'altro gruppo viene dato un ordine neutrale. L'esercizio avviene a coppie.
Esempi:
– salutare una persona stringendole la mano e non lasciagliela più
– durante il colloquio avvicinarsi sempre più della distanza minima
– durante il colloquio scuotere la testa per assentire e annuire per dissentire.
Dopo ca. 10 minuti chi dirige il gioco interrompe l'esercizio.

Note:
1. L'esercizio viene prima analizzato a coppie. Le due persone descrivono le loro impressioni. Successivamente le opinioni vengono portate nel gruppo allargato.
2. Domande possibili per l'analisi possono essere: che cos'è stato per me motivo di irritazione? Come mi sono sentito in quella situazione? Che cosa può insegnare quest'esercizio per l'approccio con portatori di altre culture?
3. Il gioco è adatto soprattutto per preparare gruppi monoculturali a incontrare altre culture.

Türkye

Jestik ve davranış
Grubu oluşturanların sayısı: 10 kişiden itibaren • Süre: 45–60 dakika • Malzeme: Gerekmez
Konu: Komünikasyon, kültürel bilgi edinme ve hazırlık

Oyunculardan iki grup oluşturulur. Bunlar kısa bir süre için birbirlerinden ayrılırlar. Bunlara birer eş olarak, oyun yönetmenliği tarafından verilen bir konu hakkında konuşmaları söylenir. Bu gruplardan birinin günlük hayata ait belirli bir tutum göstermesi istenir. Diğer gruba normal vazife verilir, bu alıştırma ikişer ikişer yapılır.
Örneğin:
– Biri ile tokalaşıp onun elini bırakmamak
– Biri ile konuşurken arada gereken mesafeyi bırakmamak
– Biriyle konuşurken evet demek isterken baş sallamak, hayır demek isterken baş eğmek. Takriben on dakika sonra oyun yönetmenliği oyunu durdurur.

Not:
1. Bu oyun ilkönce çiftler tarafından değerlendirilir. Her ikisine de oyunun bunlarda bıraktığı intibayı anlatmaya imkân verilir. Nihayet büyük grupta değerlendirme yapılır.
2. Değerlendirmede aşağıdaki sorular ortaya çıkabilir: Beni şaşırtan ne oldu? Bu durumda kendimi nasıl hissettim? Başka kültürel yörelerden gelen insanlarla karşılaşmada bu oyun dan neler öğrenilir?
3. Bu oyun bilhassa monokültürel grupların başka kültürel kişilerle karşılaşma hazırlıkları için uygundur.

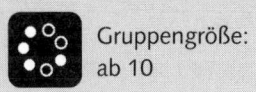 Gruppengröße: ab 10

 30 Minuten

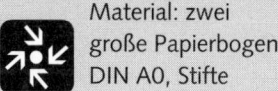 Material: zwei große Papierbogen DIN A0, Stifte

Fischernetz & Teich

Thema: Auswertung

Die Grundfrage einer jeden Auswertung, was war gut und nehme ich mit bzw. was war schlecht und lasse ich zurück, wird in das Bild eines Fischers übersetzt. Er hat sein Netz nach Fischen ausgeworfen. Anschließend begutachtet er seinen Fang. Dabei wählt er die guten Fische aus. Die restlichen Fische, die ihm keinen Nutzen bringen, nicht gefallen oder schmecken, wirft er wieder zurück in den Teich. Zwei große Papierbogen werden zu Netz (schraffierte Linien) und zu Teich (Skizze eines Fischteichs). Die TN schreiben in die Felder des Netzes die Fische, d. h. die positiven Aspekte eines Seminars oder einer Begegnung. Das Plakat mit dem Teich dient dazu, alle negativen, unbrauchbaren Aspekte des Seminars aufzunehmen. Wenn alle wichtigen Punkte notiert sind, verteilen die TN Zustimmungspunkte, indem sie zu den einzelnen Begriffen mit Farbe Punkte malen.

Hinweis: Bei Begegnungen zweier Kulturen werden beide Sprachen auf den Plakaten verwendet, sodass jede Person in ihrer Muttersprache schreiben kann. Bei multikulturellen Begegnungen sollte eine gemeinsame Sprache verwendet werden, die alle einigermaßen verstehen und sprechen bzw. schreiben können.

Fishing net & pond
Number of participants: 10 plus • Duration: 30 minutes
Material: two large sheets of paper A 0, pencils • Subject: evaluation

The basis of each valuation – what was good and what did I gain or what was bad and what do I leave behind is translated into the picture of a fisherman. The fisherman has cast out a net. Then he has a look at his haul and chooses the best fish. He throws the remaining fish which he does not like back into the pond. Two large sheets of paper represent the net (hatched lines) and the pond (sketch of a fish pond). Participants write down the fish, i.e. the positive aspects of a seminar or of an encounter into the fields of the hatched net. The negative and useless aspects of the seminar are written on the poster showing the pond. After all important aspects are written down, participants allocate points of consent drawing coloured points regarding the single aspects.

Note:
In encounters where two cultures meet the aspects are written on the posters in both languages so that everyone can write in his/her native language. In the case of multi-cultural encounters one common language should be used which all participants can understand and speak and write to some extent.

Français

Filet de pêche & étang
Nombre de participants : minimum 10 • Durée : 30 minutes
Matériel : deux grandes feuilles de papier DIN A 0, crayons • Thème : évaluation

La question élémentaire de chaque évaluation: qu'est-ce qui était bien et que j'emmène ou qu'est-ce qui n'était pas bien et que je laisse ? est symbolisée par l'image d'un pêcheur. Il a jeté son filet de pêche vers des poissons. Puis, il regarde ce qu'il a pris dans son filet. Il ne choisit cependant que les bons poissons. Il rejette dans l'étang les autres poissons qui ne lui apportent rien, qui ne lui plaisent pas ou qu'il n'aime pas. Des deux grandes feuilles de papier, l'une représente le filet (avec des hachures) et l'autre, l'étang. Les participants écrivent dans les mailles du filet « les poissons », c'est-à-dire les aspects positifs d'un séminaire ou d'une rencontre. La feuille avec l'étang a pour rôle de recueillir tous les aspects négatifs inutilisables du séminaire. Une fois que tous les points importants ont été notés, les participants distribuent des notes d'approbation en mettant des points de couleur sur les termes correspondants.

Remarque : Lors de la rencontre de deux cultures, il est permis d'écrire dans les deux langues sur les feuilles de façon à ce que chacun puisse s'exprimer dans sa langue maternelle. Lors de rencontres multiculturelles, il est recommandé d'utiliser une langue commune comprise par tous et que tous sachent parler et écrire relativement bien.

Polski

Sieć rybacka & staw
Ilość uczestników: od 10 • Czas trwania: 30 minut
Materiał: dwa duże arkusze papieru DIN A 0, pisaki • Temat: analiza

Podstawowe pytanie każdej analizy, co było dobre i co zabiorę ze sobą ewentualnie co było złe i czego nie biorę zostaje przedstawione na obrazie rybaka. Zarzucił on sieć na ryby. Następnie poddaje swój połów ekspertyzie, wybierając dobre ryby. Resztę ryb, nie dającym mu żadnych korzyści i te, które mu się nie podobają lub nie smakują, wrzuca z powrotem do stawu. Dwa duże arkusze papieru symbolizują sieć (linie kreskowane) oraz staw (szkic stawu). Grający wpisują w sieć ryby, tzn. pozytywne aspekty seminarium lub spotkania. Plakat obrazujący staw służy do zebrania wszystkich negatywnych, nieprzydatnych aspektów seminarium. Po zanotowaniu wszystkich punktów uczestnicy rozdają punkty aprobujące, malując punkty kolorem.

Wskazówka: Przy spotkaniach dwukulturowych stosuje się na plakatach oba języki, tak że każda osoba może pisać w swoim języku ojczystym. Przy spotkaniach wielokulturowych należy używać jednego wspólnego języka, który wszyscy mają opanowany w tym stopniu, że rozumieją go, potrafią nim mówić lub pisać.

Italiano

Rete da pesca & stagno
Numero di partecipanti: da 10 in su • Tempo: 30 minuti
Occorrente: due grossi fogli di carta DIN A 0, matite • Argomento: analizzare

La domanda di fondo di ogni analisi (questo va bene e quindi lo accetto, quest'altro non va e quindi lo scarto) viene trasposta nell'immagine di un pescatore che ha gettato la sua rete per acchiappare dei pesci e giudica com'è andata la pesca scegliendo i pesci buoni e ributtando nello stagno quelli che non gli sono utili, non gli piacciono o non sono di suo gusto. Due grandi fogli di carta diventano la rete (righe tratteggiate) e lo stagno (schizzo di una riserva di pesca).

I partecipanti annotano nei campi della rete i pesci, vale a dire gli aspetti positivi di un seminario o di un incontro. Il manifesto con la riserva di pesca serve per metterci tutti gli aspetti negativi ed inutilizzabili del seminario. Una volta riportati tutti i punti importanti, i partecipanti segnano dei punti positivi disegnando puntini colorati per i singoli argomenti.

Nota: Negli incontri biculturali sul manifesto si scriverà nelle due lingue interessate, in maniera che ogni persona possa utilizzare la sua lingua madre. Negli incontri multiculturali si utilizzerà una lingua comune che più o meno tutti possano comprendere e parlare.

Balıkçı ağı ve göl
Grubu oluşturanların sayısı: 10 kişiden itibaren • Süre: 30 dakika
Malzeme: İki büyük kâğıt levha DIN A 0, kalem • Konu: Değerlendirme

Her değerlendirmede ana mesele olarak iyi olan neyi almam gerekir kötü olan neyi bırakmam gerekir bir balıkçı resmine nakledilir. Balıkçı ağını balık tutmaya atar daha sonra tuttuğu avı inceler. Aynı zamanda iyi balıkları seçer. Kalan balıklardan kendine yaramıyanları veyahut beğenmediklerini, tatsızlarını geri göle atar. İki büyük tabaka kâğıda balıkçı ağı (seyrek çizgili) ve göl (balıkçı gölünün krokisi) çizilir. Oyuncular filenin aralarına balıkları yazarlar yani bir seminerin veyahut karşılaşmanın iyi taraflarını kaydederler. Üzerinde göl olan plakart, seminerin bütün negatif ve değersiz yönlerini kaydetmeye yarar. Önemli bütün noktalar kaydedildikten sonra oyuncular uygun görülen kavramlara puan vererek her kavramı renkli noktalarla boyarlar.

Not: Çeşitli iki kültürel yöreden gelenlerin karşılaşmalarında plakartlarda her iki dil de kullanılır, böylece her kişi kendi anadilinde yazabilir. Mültikültürel karşılaşmalarda herkesin az ve çok anlayıp yazabileceği bir ortaklaşa dil seçilmelidir.

 Gruppengröße: ab 10   30 Minuten   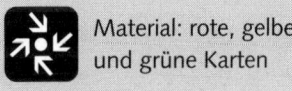 Material: rote, gelbe und grüne Karten

Ampel-Feedback

Thema: Auswertung

Die TN erhalten eine rote, gelbe und grüne Karte zur Hand. Zu verschiedenen Aussagen nimmt nun jede Person sichtbar Stellung. Dabei bedeutet das Hochheben der grünen Karte: „Ja, ich stimme dieser Aussage zu!" Die rote Karte steht für: „Nein, ich stimme dieser Aussage nicht zu!" Die gelbe Karte bedeutet: „Trifft auf mich nur teilweise zu." So nehmen zu einer Aussage alle Stellung, indem sie ihr passendes Kärtchen heben.

Hinweise:
1. In mehrsprachigen Gruppen können die Aussagen auch in andere Sprachen übersetzt werden.
2. Nach jeder Aussage kann die Spielleitung ggf. einzelne Personen befragen, was ihr Kärtchen bedeutet. Auf diese Weise können auch Aussagen von den einzelnen Gruppenmitgliedern gemacht werden.
3. Dieses Spiel eignet sich vor allem für die Auswertung bei Großgruppen, da es einen raschen Ein- und Überblick erlaubt.

Traffic lights feedback

Number of participants: 10 plus • Duration: 30 minutes

Material: red, yellow and green cards • Subject: evaluation

Participants are given a red, a yellow and a green card. Each person is now requested to give his/her visible opinion on different statements. Lifting the green card means: "Yes, I agree with that statement!" Showing the red card means: "No, I don't agree with that statement!" Yellow means: "I agree with that statement to some extent only." Thus everybody is requested to give their opinion by lifting the respective card.

Notes:

1. In multilingual groups statements may also be translated into other languages.
2. Following each statement the moderator may ask individuals what their cards mean. Thus, statements can also be made by the individual group members.
3. This game is suited particularly to the evaluation of large groups since it allows a quick insight and overview to be obtained.

Feux de circulation – réactions

Nombre de participants : minimum 10 • Durée : 30 minutes

Matériel : cartes rouges, oranges et vertes • Thème : évaluation

Chacun des participants reçoit trois cartes : une carte rouge, une orange et une verte. Selon les diverses déclarations, chacun prend position de manière visible en levant la carte correspondante : la carte verte signifie « oui, je suis d'accord avec cette affirmation ». La carte rouge signifie « non, je ne suis pas d'accord avec cette affirmation ». La carte orange signifie « ce n'est que partiellement valable ». De cette manière, tous les participants prennent position.

Remarques :

1. Dans les groupes où plusieurs langues sont parlées, les déclarations peuvent être traduites en plusieurs langues.
2. A chaque affirmation, le coordinateur du jeu peut demander à certaines personnes ce que signifie leur carte, leur permettant ainsi de donner leur avis individuel sur les déclarations.
3. Ce jeu est particulièrement adapté à l'évaluation dans de grands groupes, car il permet d'avoir très vite une idée d'ensemble.

Reagowanie światłami na skrzyżowaniu
Ilość uczestników: od 10 • Czas trwania: 30 minut
Materiał: czerwone, żółte i zielone kartki • Temat: analiza

Grający otrzymują czerwone, żółte i zielone kartki. Każdy zajmuje określone stanowisko na temat różnych wypowiedzi. Oznacza to podnoszenie w górę kartki zielonej „Tak, zgadzam się z tą wypowiedzią!". Kartka czerwona kartka oznacza. „Nie, z tą wypowiedzią się nie zgadzam". Żółta kartka znaczy: „Zgadzam się z tym tylko częściowo". Na temat jednej wypowiedzi wszyscy zajmują stanowisko, podnosząc w górę odpowiednią kartkę.

Wskazówki:
1. W grupach wielojęzykowych wypowiedzi mogą być przetłumaczone także na inne języki.
2. Po każdej wypowiedzi prowadzący grę może zapytać poszczególną osobę, co znaczy jej karteczka. W ten sposób można uzyskać wypowiedzi poszczególnych członków grup.
3. Gra ta nadaje się przede wszystkim do analizowania w grupach dużych, ponieważ umożliwia ona szybki wgląd i rozeznanie.

Feedback semaforico
Numero di partecipanti: da 10 in su • Tempo: 30 minuti
Occorrente: cartellini rossi, gialli e verdi • Argomento: analizzare

Ai partecipanti viene dato un cartellino rosso, uno giallo e uno verde, poi ognuno risponde palesemente a varie affermazioni. Alzando il cartellino verde si intende dire: «Sì, sono d'accordo su quanto detto!». Il cartellino rosso significa: «No, non sono d'accordo!». Quello giallo: «concordo solo in parte». Così tutti rispondono con il cartellino adeguato.

Note:
1. In gruppi multilingue si può effettuare la traduzione.
2. Dopo ogni affermazione chi dirige il gioco può eventualmente domandare a ogni persona perché ha alzato il cartellino di quel determinato colore. In questo modo anche i singoli membri possono fare affermazioni.
3. Questo gioco è adatto soprattutto per l'analisi in gruppi grossi, perché consente di avere rapidamente una visione specifica e generale.

Trafik lambası-Feedback
Grubu oluşturanların sayısı: 10 kişiden ibaret • Süre: 30 dakika
Malzeme: Kırmızı, sarı ve yeşil kâğıt • Konu: Değerlendirme

Oyuncuların eline birer kırmızı, sarı ve yeşil kâğıt verilir. Çeşitli beyanlara karşı her oyuncu belirli pozisyon alır. Bu oyunda yeşil kâğıdı yukarı kaldırmak «Evet, ben bu fikre katılıyorum!», kırmızı kâğıt «Hayır, ben bu fikre katılmıyorum!», sarı kâğıt «Ben buna sadece kısmen katılıyorum!» demektir. Böylece herkes bir tez hakkında uygun kâğıtlarını kaldırarak fikirlerini beyan ederler.

Not:
1. Çok dil konuşulan gruplarda ifadeler başka dile çevrilebilir.
2. İcab ederse her oyunun sonunda yönetmenlik oyunculara teker teker kâğıtlarının ne anlamı olduğunu sorabilir. Böylece grup üyeleri de teker teker beyanda bulunmuş olurlar.
3. Bu oyun bilhassa büyük grupların değerlendirilmesinde uygun olur çünkü çabucak görüp genel fikir edinme olanağı mümkündür.

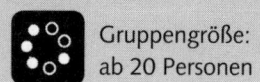

Paargespräche

Deutsch

Themen: Auswertung, Kommunikation, Vertrauen

Es werden Paare gebildet, um sich über Stimmungen und Einstellungen auszutauschen. Hierfür bieten sich folgende Fragen an: „Wie gehe ich hier mit Neuem um?", „Was ist mir gerade wichtig?", „Welche Fragen sind bei mir noch offen?" Zu diesen oder ähnlichen Fragen können sich die einzelnen Paare austauschen – und wenn möglich zu einem zweiten Partner wechseln (wechselnde Paare) oder mit einem Paar zusammengehen.

Hinweis: Dieses Spiel eignet sich vor allem für Großgruppen und bei schwierigen Themen in der interkulturellen Begegnung. Die Paare bieten die nötige Intimität, um Stimmungen und Einstellungen auszutauschen. Die Paargespräche sollen i. d. R. in kulturell gemischten Zweiergruppen durchgeführt werden, manchmal ist jedoch auch die Vertrautheit der eigenen kulturellen Gruppe nötig.

English

Dialogue
Number of participants: 20 plus • Duration: 30 minutes
Material: none • Subjects: evaluation, communication, confidence

Pairs are formed and are requested to exchange feelings and opinions. Suitable questions are the following: "How do I deal with new things?", "What do I find particularly important at this moment in time?", "What questions do I have?" The pairs may discuss these or similar questions and possibly change partners (changing pairs) or join another pair.

Note: This game is suited particularly to large groups and to difficult subjects in an intercultural encounter. Pairs offer the necessary intimacy needed to exchange feelings and opinions. Dialogues should take place between two persons from different cultures but in some cases the familiarity with one's own cultural group is necessary.

Discussions en couple
Nombre de participants : minimum 20 personnes • Durée : 30 minutes
Matériel : aucun • Thèmes : évaluation, communication, confiance

Les participants se mettent par couple et s'entretiennent sur l'ambiance et la façon de voir les choses. Pour cela, il est possible de poser les questions suivantes: « Quelle est ma réaction face à quelque chose de nouveau ? » « Qu'est-ce qui est important pour moi à ce moment là ? » « Quelles sont les questions qui pour moi n'ont pas encore de réponse ? » Les divers couples peuvent donc s'entretenir en essayant de répondre à ces questions ou à des questions de ce genre et, si possible, changer ensuite de partenaire (changement de couple) ou discuter avec un autre couple.

Remarque : Ce jeu est particulièrement adapté pour de grands groupes et dans le cas de thèmes difficiles dans le cadre de la rencontre interculturelle. Le système de couples permet une intimité favorable à l'échange et à la discussion sur l'ambiance et la façon de voir les choses. Les entretiens en couple doivent être menés, en règle générale, avec des couples de différentes cultures ; cependant, la confiance dans un groupe appartenant à la même culture est parfois nécessaire.

Rozmowy w parach
Ilość uczestników: od 20 osób • Czas trwania: 30 minut • Materiał: niepotrzebny
Temat: analiza, komunikowanie się, zaufanie

Grający tworzą pary, które mają się wymieniać nastrojami i poglądami. Do tego celu nadają się następujące pytania: „Jak obchodzę się z czymś, co jest dla mnie nowe?", „Co jest dla mnie właśnie ważne?", „Jakie pytania są dla mnie jeszcze otwarte?" Na temat tych i podobnych im pytań poszczególne pary mogą się wypowiadać, a następnie jeśli to możliwe, zmieniać partnerów lub połączyć się z inną parą.

Wskazówka: Gra ta nadaje się przede wszystkim dla dużych grup i w przypadku trudnych tematów przy spotkaniach międzynarodowych. Pary stwarzają atmosferę intymności, potrzebnej do wymiany nastrojów i poglądów. Rozmowy parami powinny być z reguły przeprowadzane w mieszanych kulturowo grupach dwuosobowych, czasami potrzebny jest jednak intymność własnej grupy kulturowej.

Discorsi a coppie
Numero di partecipanti: da 20 in su • Tempo: 30 minuti • Occorrente: nulla
Argomenti: analizzare, comunicare, acquisire fiducia

Vengono formate delle coppie che si scambiano in base a impressioni e idee ponendosi domande tipo: «come mi comporto davanti a queste novità?», «Che cos'è davvero importante per me?», «A quali domande non ho ancora dato risposta?». Le singole coppie possono scambiarsi su questa e simili domande e, se possibile, cambiare partner (alternanza di coppie) o unirsi a una coppia.

Nota: Questo gioco è adatto soprattutto per gruppi grossi e argomenti difficili in incontri interculturali. Le coppie danno la necessaria confidenza per scambiarsi impressioni e idee. I colloqui a coppie di regola devono avvenire in gruppi di due persone, ma a volte è necessaria anche la familiarità del proprio gruppo culturale.

Eşler konuşması
Grubu oluşturanların sayısı: 20 kişiden itibaren • Süre: 30 dakika • Malzeme: Gerekmez
Konu: Değerlendirme, komünikasyon ve güven

Duygu ve görüşleri birbirleri ile tartışmak üzere çiftler oluşturulur. Bununla ilgili aşağıdaki sorular yararlı olur: «Bu yeni duruma karşı benim davranışım ne?», «Şimdi benim için önemli olan ne?», «Bana göre hangi sorular açık kaldı?». Bu veyahut bunun gibi sorular hakkında çiftler konuşabilirler, mümkün olursa eşler değiştirilir (değişen eşler) veyahut iki çift birleşir.

Not: Bu oyunun bilhassa büyük gruplarda ve interkültürel karşılaşmadaki zor konularda oynanması uygun olur. Eşler görgü ve duyguları üzerinde konuşmak için gereken samimiyeti birbirlerine gösterirler. Normalde gruplar interkültürel ikişer grup halinde tartışmaları gerekir. Bazan da kendi kültürel grubunun samimiyeti gerekebilir.

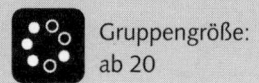 Gruppengröße: ab 20  20 Minuten  Material: keines

Stille Post

Deutsch

Themen: Kommunikation, Kooperation

Mittels einer pantomimischen Kette soll eine Geste, eine Mimik oder ein relativ einfacher Ausdruck möglichst originalgetreu weitertransportiert werden. Dazu stellen sich die TN in zwei kulturell gemischte Reihen auf, die ausgehend von der Spielleitung wie ein V verlaufen. Alle TN stehen zunächst so, dass sie von der Spielleitung wegschauen. Auf ein Zeichen drehen sich die beiden am nächsten zur Spielleitung stehenden Personen um und versuchen sich den Ausdruck der Spielleitung – die für einen kurzen Moment in einer Art Standbild verharrt – möglichst genau einzuprägen. Dann geben sie der jeweils vor ihnen stehenden Person ein Zeichen und imitieren den soeben gesehenen Ausdruck. So wird die Kette bis zu den am Ende des Vs platzierten Personen fortgesetzt. Diese führen ihre Ausdrücke noch einmal der ganzen Gruppe vor, und die jeweiligen Standbilder werden mit dem Original der Spielleitung verglichen.

Varianten:
1. In größeren Gruppen können auch noch zusätzliche Reihen gebildet werden, die dann sternförmig von der Spielleitung aus in verschiedene Richtungen zeigen.
2. Anstelle einer Mimik oder Geste kann auch ein Wort oder ein kurzer Satz, der der nachfolgenden Person ins Ohr geflüstert wird, weitergeben werden.

English

Silent mail
Number of participants: 20 plus • Duration: 20 minutes
Material: none • Subjects: communication, co-operation

Participants are requested to transport a gesture, a facial expression or a relatively simple word via a mime chain in a manner true to the original. For this purpose participants stand in two culturally mixed rows starting from the moderator and forming a "V". At first the participants stand with their backs to the moderator. Upon a signal the two persons standing next to the moderator turn round and try to remember as precisely as possible the expression on the face of the moderator who "freezes" for a brief moment like a statue. They give a signal to the persons standing in front of them and imitate the expression they have seen on the moderator's face. The procedure continues until it is the turn of the two persons standing at the end of the "V" who imitate the facial expression in front of the whole group. The respective "statues" are then compared with the moderator's original.

Variations:
1. In larger groups, additional rows may be formed in the shape of a star pointing into different directions with the moderator standing in the centre of the star.
2. Instead of a facial expression or a gesture, a word or a short sentence may be whispered into the next person's ear and passed on.

Le courrier sans parole
Nombre de participants : minimum 20 • Durée : 20 minutes
Matériel : aucun • Thèmes : communication, coopération

Le but du jeu est de reprendre et de véhiculer une mimique ou une expression relativement simple par le biais d'une chaîne pantomime. Pour cela, les participants se placent sur deux rangées, cultures mélangées, qui, partant de le coordinateur du jeu forment un « V ». Les participants se placent en premier lieu de façon à se détourner de le coordinateur du jeu. Sur un signal donné, les deux personnes placées le plus près de l'organisateur se retournent et essaient d'enregistrer au mieux l'expression de celui-ci, qui garde la pose un court moment. Elles donnent alors un signal à la personne placée devant chacune d'elles et imitent l'expression enregistrée. Et ainsi de suite, jusqu'aux dernières personnes en bout du V. Les dernières personnes refont devant le groupe entier les expressions qui sont alors comparées à l'original de l'organisateur.

Variantes :
1. En cas de groupes plus importants, il est possible de former des rangées supplémentaires, qui, à l'image d'une étoile, dont le point central est l'organisateur, partent dans toutes les directions.
2. Au lieu d'une mimique ou d'un geste, il est possible de transmettre un mot ou une phrase courte qui est murmuré à l'oreille de son voisin.

Cicha poczta
Ilość uczestników: od 20 • Czas trwania: 20 minut • Materiał: niepotrzebny
Temat: komunikowanie się, współpraca

Za pomocą pantonimicznego łańcucha należy przetransponować gest, mimikę lub względnie łatwe wyrażenie możliwie zgodnie z oryginałem. W tym celu grający ustawiają się w dwóch rzędach mieszanych kulturowo, które zaczynając się od prowadzącego grę przebiegają w formie litery V. Grający ustawiają się najpierw w ten sposób, że nie patrzą w stronę prowadzącego grę. Na dany znak osoby stojące najbliżej prowadzącego grę odwracają się i próbują zapamiętać sobie możliwie najdokładniej wygląd/wyraz twarzy prowadzącego grę, który zamienia się na krótką chwilę w swojego rodzaju żywy obraz. Następnie obaj grający dają znak stojącym przed nimi osobom i imitują zobaczony przed chwilą obraz. W ten sposób łańcuch zostaje kontynuowany aż do osób uplasowanych na obu końcach litery V. Osoby te pokazują obrazy jeszcze raz całej grupie w celu porównania końcowych efektów z oryginałami pokazanymi przez prowadzącego grę.

Warianty:
1. W dużych grupach mogą być tworzone dodatkowe szeregi, przebiegające w formie gwiazdy od prowadzącego grę w różnych kierunkach
2. Zamiast mimiki lub gestów może być przekazywane słowo lub krótkie zdanie, które należy wyszeptać następnej osobie do ucha.

Posta muta

Numero di partecipanti: da 20 in su • Tempo: 20 minuti • Occorrente: nulla
Argomenti: comunicare, collaborare

Per mezzo di una catena pantomimica occorre trasmettere da persona a persona il più fedelmente possibile un gesto, una mimica o un'espressione semplice. A questo scopo i partecipanti si dispongono in due file multiculturali, che partendo da chi dirige il gioco assumono un andamento a V. Tutti i partecipanti all'inizio si posizionano in maniera da non guardare chi dirige il gioco. A un cenno le due persone più vicine a chi dirige il gioco si girano e cercano di memorizzarne il più precisamente possibile l'espressione (chi dirige il gioco si sarà infatti per un breve momento irrigidito nella postura di una specie di statua). Poi queste due persone faranno un cenno a chi sta loro davanti e riprodurranno l'espressione appena vista. La catena verrà cosl ripetuta fino alle persone che si trovano alla fine della V, che a loro volta riprodurranno l'espressione davanti a tutto il gruppo e confronteranno le statue con l'originale (cioè chi dirige il gioco).

Varianti:
1. In gruppi grossi si possono formare anche file supplementari, che poi – partendo da chi dirige il gioco – si dirameranno a stella in varie direzioni.
2. Invece della mimica o dei gesti si può scegliere di trasmettere anche una parola o una breve frase da sussurrare nell'orecchio della persona che segue.

Gizli posta

Grubu oluşturanların sayısı: 20 kişiden itibaren • Süre: 20 dakika • Malzeme: Gerekmez
Konu: Komünikasyon, işbirliği

Jestik ifade zincirleme yolu ile, mimik bir hareket, jestik yapma veyahut basit bir ifade, mümkün olduğu kadar yanındaki kişiye aynen nakledilmelidir. Değişik kültürel yöreden gelen oyuncular karıştırılarak iki sıra yapılır. Bu sıranın başı oyun yönetmenliğinden başlamak üzere bir V harfi oluşturur. Bütün oyuncular ilkönce oyun yönetmenliğinden başka tarafa bakar. Bir işaretten sonra oyun idareciliğine en yakın iki kişi dönerler ve kısa bir müddet için heykel gibi katı duran oyun yöneticisinin ifadesini mümkün olduğu kadar tam olarak akıllarında tutmaya çalışırlar. Her kez önlerinde duran kişiye işaret verip henüz gördüklerini taklit ederler. Zincir V harfinin ucundaki oyunculara kadar böyle devam eder. Bunlar tekrar anlamlarını gösterirler ve oluşan heykeller yönetmenliğin orjinal heykeli ile kıyaslanır.

Değişik şekli:
1. Büyük gruplarda oyun yönetmenliğinden başlayıp çeşitli yönlere doğru bakan yıldız şeklinde ilaveten dizi de yapılabilir.
2. Mimik veyahut jest yerine yanındakinin kulağına fısıldıyarak bir kelime veyahut kısa bir cümle nakledebilir.

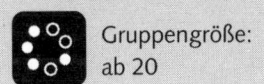 Gruppengröße: ab 20    10 Minuten   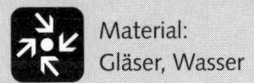 Material: Gläser, Wasser

Wassersegen

Deutsch

Themen: Kommunikation, Kooperation, Vertrauen

Jede Person erhält ein Glas, das zur Hälfte mit Wasser gefüllt ist. Dann gehen jeweils zwei Personen aufeinander zu und schenken etwas von ihrem Wasser in das Glas der anderen Person. Dabei sagen sie der anderen Person etwas Gutes. „Gutes sagen" bedeutet soviel wie „bene dicere". Benediction. Segen. Im Hintergrund läuft Musik.

Hinweis: Dieses Spiel eignet sich für die Gestaltung von Abschiedssituationen in interkulturellen Begegnungen.

Variante: Damit alle mit allen in Kontakt kommen, bilden die TN eine lange Schlange. Die erste Person der Schlange bleibt stehen, die zweite stellt sich vor die erste Person hin, sagt ihr etwas Gutes und stellt sich dann auf die andere Seite neben sie. Die dritte Person geht nun mit ihrem Segen erst zu der ersten, dann zu der zweiten Person und schließt sich wiederum an usw.

English

Water benediction

Number of participants: 20 plus • Duration: 10 minutes • Material: glasses, water • Subjects: communication, co-operation, confidence

Each person is given a glass half full of water. Two persons approach each other, pour some water from their glass into the other person's glass and say something good to each other. "To say something good" means "bene dicere" in Latin. Benediction. Blessing. Music can be heard in the background.

Note: This game is suited to the arrangement of parting situations on the occasion of intercultural encounters.

Variation: Participants stand in a long queue so that each individual comes into contact with everybody else. The first person standing in the queue remains where he/she is while the second person places himself/herself in front of the first one, says something good to him/her and then stands beside the first person (on the other side compared to his/her prior position). Now the third person goes with his/her blessing to the first, then to the second person before he/she gets into line as described above, and so on.

Français

Bénédiction à l'eau

Nombre de participants : minimum 20 • Durée : 10 minutes • Matériel : verres, eau
Thèmes : communication, coopération, confiance

Chacun reçoit un verre rempli à moitié d'eau. Deux personnes se rencontrent et offrent réciproquement un peu d'eau dans le verre de l'autre en prononçant quelques mots bénis : « Gutes sagen » signifie « bénir », « bene dicere ». Bénédiction, Segen, benediction. Avec fond musical.

Remarque : Ce jeu est idéal pour la préparation à des situations d'adieux dans les rencontres interculturelles.

Variante : Pour que tous prennent contact les uns avec les autres, il est demandé aux participants de former une longue queue. La première personne de la queue s'arrête, la seconde se met devant la première et lui donne sa bénédiction, puis se met à côté d'elle. Au tour de la troisième personne d'aller voir et bénir la première, puis la seconde personne et de se placer à côté de la seconde personne et ainsi de suite …

Polski

Błogosławieństwo wodą

Ilość uczestników: od 20 • Czas trwania: 10 minut • Materiał: szklanki, woda
Temat: komunikowanie się, współpraca, zaufanie

Każda osoba dostaje szklankę, wypełnioną do połowy wodą. Następnie dwie osoby na raz podchodzą do siebie i wlewają trochę swojej wody do szklanki drugiej osoby. Muszą przy tym powiedzieć tej drugiej osobie coś dobrego. „Powiedzieć coś dobrego" oznacza tyle co „bene dicere". Benediction. Błogosławienstwo. Za kulisami słychać muzykę.

Wskazówka: Gra ta nadaje się do zastosowania w sytuacjach pożegnalnych spotkań wielokulturowych.

Wariant: Aby wszyscy mieli ze sobą kontakt, grający ustawiają sie w długim wężu. Pierwsza osoba tworząca wąż zatrzymuje się, druga osoba ustawia się przed pierwszą, mówi jej coś dobrego i ustawia się z jej drugiej strony. Trzecia osoba idzie ze swoim błogosławieństwem najpierw do pierwszej, potem do drugiej osoby i przyłącza się z drugiej strony itd.

Italiano

La benedizione dell'acqua

Numero di partecipanti: da 20 in su • Tempo: 10 minuti • Occorrente: bicchieri, acqua
Argomenti: comunicare, collaborare, acquisire fiducia

A ogni persona viene dato un bicchiere con metà acqua dentro. Poi due persone si avvicinano reciprocamente e versano un po' della loro acqua nel bicchiere dell'altro dicendogli al contempo qualcosa di buono. «Dire bene» significa esattamente «bene dicere». Benediction. Benedizione. Musica di sottofondo.

Nota: Questo gioco è adatto per momenti di congedo da incontri interculturali.

Variante: Affinché tutti entrino in contatto con tutti, i partecipanti formano una lunga fila. La prima persona di questa fila sta ferma, la seconda si para dinnanzi alla prima, le dice qualcosa di buono e poi le si mette accanto sull'altro lato. La terza persona adesso porge la sua benedizione alla prima, poi alla seconda e poi si riunisce ad esse e via di seguito.

Türkye

Hayırlı su

Grubu oluşturanların sayısı: 20 kişiden ibaret • Süre: 10 dakika • Malzeme: Bardak ve su
Konu: Komünikasyon, işbirliği ve güven

Her oyuncu elinde yarıya kadar su doldurulmuş bir bardak bulundurur. İkişer kişi birbirlerine karşı karşıya yürürler ve birisi kendi bardağındaki sudan diğerinin bardağına döker. Bu arada birisi diğerine iyi bir şey söyler. «İyi bir şey söylemenin» anlamı yani «bene dicere». Benediction. Hayırlı. Arkadan da müzik sesleri gelir.

Not: İnterkültürel karşılaşmalarda bu oyun vedalaşma durumuna uygundur.

Değişik şekli: Herkes birbiri ile irtibat kurabilmeleri için oyuncular uzun bir sıra olurlar. Sıranın başındaki kişi durur, ikinci kişi birincinin önüne geçer, ona iyi bir şey söyler ondan sonra öbür tarafa geçip onun yanında durur. Üçüncü kişi hayırı ile ilkönce birinci kişiye daha sonra ikinci kişiye gider ve sıraya girer v. b.

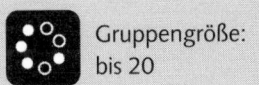 
Punkteblitzlicht

Deutsch

Thema: Auswertung

Nach einer Aktivität finden sich alle TN im Kreis zusammen. Die Spielleitung stellt nach und nach einige Fragen zur Einschätzung des soeben gemeinsam Erlebten und holt immer erst die Antworten ein, bevor sie zur nächsten Frage übergeht.

Denkbare Fragen sind z. B.:
- Wie wohl habe ich mich in der Gruppe gefühlt?
- Wie gut schätze ich unsere Zusammenarbeit ein?
- Wie stark habe ich zum Gelingen der Aufgabe beigetragen?
- Wie zufrieden bin ich mit der Art und Weise, wie Entscheidungen getroffen werden?

Alle TN schließen daraufhin die Augen und zeigen mit ihren Fingern ihre Einschätzung an. Zum Beispiel würden zehn Finger bedeuten, dass sich jemand 100 %ig wohl in der Gruppe gefühlt hat. Überhaupt keine Finger wäre das Zeichen dafür, dass die Person kurz davor steht, nach Hause zu fahren. Erst wenn alle ihre Entscheidungen getroffen haben, gibt die Spielleitung ein Zeichen, dass die Augen wieder geöffnet werden können. Dann können sich alle umschauen, wie die anderen über die jeweilige Frage denken, und ihre Einschätzung in einer kurzen Runde erläutern.

Hinweise: Der Vorteil dieses Spiels besteht vor allem darin, dass jede Person zunächst ihre eigene Position zeigen muss, ohne sich am Meinungsbild der anderen orientieren zu können bzw. zu müssen. Außerdem ist es eine Form der Kurzauswertung, für die keine besonderen Sprachkenntnisse erforderlich sind.

English

Snapshot

Number of participants: up to 20 • Duration: 15 minutes
Material: none • Subject: evaluation

Following a particular activity the participants gather together in a circle. The moderator asks some questions concerning the evaluation of what had just been done waiting for the answers before asking the next question.

Possible questions are the following:
- To what extent did I feel good within the group?
- How good is our co-operation?

- To what extent did I contribute to the successful fulfilment of the task?
- To what extent am I happy with the manner decisions are taken?

Now, all participants close their eyes and indicate their assessment using their fingers. A person who shows 10 fingers wants to express that he/she felt comfortable within the group while no finger means the respective person would prefer to go home. As soon as all participants show their assessment the moderator gives them a signal to open their eyes again. Now they can look around to see what the others' judgment on this particular question is like and explain their own opinion in a short round.

Notes: This game offers the advantage that each person has to show its own position without adapting or having to adapt themselves to the other persons' opinion. It is also some kind of brief evaluation that does not require particular linguistic abilities.

Points flash

Nombre de participants : jusqu'à 20 • Durée : 15 minutes • Matériel : aucun
Thème : évaluation

À la fin d'une activité, tous les participants se mettent en cercle. Le coordinateur du jeu pose quelques questions pour avoir l'avis des participants sur ce qu'ils ont vécu ensemble. Il attend toujours les réponses avant de passer à la question suivante.

Quelques exemples de questions :
- Est-ce que je me suis bien senti dans le groupe ?
- Comment est-ce que je juge notre collaboration ?
- De quelle manière ai-je contribué à la réussite de l'exercice donné ?
- Est-ce que je suis satisfait de la manière dont sont prises les décisions ?

Tous les participants ferment alors les yeux et expriment avec les doigts leur avis, par exemple, dix doigts voudraient dire que le participant s'est senti à l'aise à 100 % dans le groupe ; aucun doigt levé signifierait que le participant était prêt à rentrer chez lui. Une fois seulement que tous les participants ont pris position, le coordinateur du jeu donne le signal d'ouvrir les yeux. Il est possible alors de s'entretenir pour connaître l'avis des autres sur les questions qui ont été posées et d'expliquer brièvement son point de vue.

Remarques : L'avantage de ce jeu réside surtout dans le fait que chacun doit tout d'abord prendre position sans pouvoir ou devoir tenir compte de l'avis d'autres personnes. De plus, cette forme brève d'évaluation n'exige pas de connaissances particulières de la langue.

Punktowanie światłem błyskowym

Ilość uczestników: do 20 • Czas trwania: 15 minut • Materiał: niepotrzebny • Temat: analiza

Po zajęciach grupa spotyka się tworząc koło. Prowadzący grę stawia kolejno pytania, jak uczestnicy oceniają właśnie przeżyte doznania. Najpierw wysłuchuje odpowiedzi, a potem przechodzi do następnego pytania.

Możliwe są pytania typu:
- Na ile dobrze czułem się w grupie?
- Jak dobrze oceniam moją współpracę?
- W jakim stopniu przyczyniłem się do udanego wykonania zadania?
- W jakim stopniu jestem zadowolony z rodzaju i sposobu podejmowania decyzji?

Następnie grający zamykają oczy i pokazują na palcach ocenę. Np. 10 palców oznacza, że dana osoba czuła się w grupie dobrze. Jeśli ktoś nie pokazuje wogóle palców oznacza to, że w najbliższym czasie zamierza jechać do domu. Dopiero wtedy, kiedy wszyscy grający pokażą swoją ocenę prowadzący grę daje znak pozwalający na otwarcie oczu. Wtedy dopiero wszyscy grający mogą zobaczyć, jak inni dookoła szacują postawione pytanie i wyjaśnić swoją ocenę w krótkiej rundzie.

Wskazówka: Zaletą tej gry jest przede wszystkim to, że każdy grający musi napierw pokazać swoje stanowisko, nie mogąc i ewentualnie nie musząc kierować się opiniami innych. Oprócz tego jest to forma szybkiej analizy, przy której niepotrzebna jest specjalna znajomość języków obcych.

Flash puntiforme
Numero di partecipanti: fino a 20 • Tempo: 15 minuti • Occorrente: nulla
Argomento: analizzare

Dopo un esercizio tutti i partecipanti si riuniscono in un cerchio. Chi dirige il gioco incomincia a porre domande onde valutare l'esperienza comune appena conclusa e prima di passare alla domanda successiva aspetta sempre la risposta a quella precedente.
Domande possibili:
– Come mi sono sentito nel gruppo?
– Come valuto la nostra collaborazione?
– Quanto ho contribuito al raggiungimento dell'obiettivo?
– Sono soddisfatto del modo in cui vengono prese le decisioni?
Tutti i partecipanti allora chiudono gli occhi e danno la loro valutazione con le dita. P.es. 10 dita significano che la persona s'è trovata bene al 100% nel gruppo. Nessun dito significa che la persona è ll ll per andare a casa. Solo quando tutti hanno dato la loro valutazione chi dirige il gioco annuncia che si possono riaprire gli occhi. Allora tutti si possono guardare intorno per vedere come gli altri hanno risposto alla domanda posta e spiegare brevemente le proprie valutazioni.

Note: Il vantaggio principale di questo gioco è che ogni persona deve manifestare la propria posizione senza potersi né doversi ispirare a cosa fanno gli altri. Inoltre è una forma di analisi rapida che non richiede particolari conoscenze linguistiche.

Noktalı parlak ışık
Grubu oluşturanların sayısı: 20 kişiye kadar • Süre: 15 dakika • Malzeme: Gerekmez
Konu: Değerlendirme

Bir faaliyetten sonra oyuna katılanlar hep beraber bir çember halinde otururlar. Oyun yöneticisi biraz önce hep beraber geçirdikleri durumla ilgili başka soruya geçmeden cevabı bekleyerek oyuncuların görüşleri hakkında sorular sorar. Aşağıdaki soruların sorulması mümkün.
– Grupta kendimi nasıl hissettim?
– İşbirliği yaparak çalışmamızı nasıl buluyorum?
– Vazifemizin gerçekleşmesinde ne kadar gayretim oldu?
– Karar verme şekli ve tarzından ne kadar memnunum?
Oyuna katılan herkes gözlerini kapatıp tahminlerini parmakları ile gösterirler. Örneğin: On parmak göstermenin anlamı, grupta kendini %100 iyi hissetmek, hiç parmak göstermemek bu kişinin hemen nerdeyse eve gitmek istediğini işaret eder. Ancak herkes karar verdikten sonra oyun yöneticiliği işaret verir ve herkes yine gözünü açabilir. Her kişi bu ilgili soru hakkında diğerlerinin ne düşündüğünü görür ve kendi görüşlerini kısaca toplantıda açıklarlar.

Not: Bu oyunun faydalı tarafı, oyuna katılan herkes başkasının görüşünü bilgi edinmeden ve buna uymadan kendi pozisyonunu göstermek mecburiyetindedir. Ayrıca fazla dil bilgisi olmayanlar için kısa bir değerlendirme şeklidir.

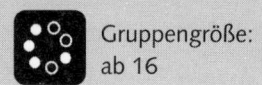 
Die geheime Zahl

Deutsch

Themen: Kennenlernen, Kommunikation

Die TN entscheiden sich im Stillen für eine Zahl zwischen fünf und acht (bei kleineren Gruppen zwischen fünf und sieben, bei größeren Gruppen zwischen fünf und zehn) und merken sich diese. Anschließend nehmen die TN untereinander Kontakt auf und versuchen dabei, diejenigen herauszufinden, welche sich die gleiche Zahl gemerkt haben wie sie selber. Während der gesamten Zeit darf jedoch nicht gesprochen werden. Die TN dürfen auch nicht schreiben oder Zeichen mit den Fingern machen. D. h., sie müssen andere Mittel und Wege finden ihre Zahlen nonverbal zu kommunizieren. Das Spiel ist beendet, wenn alle TN glauben, ihre Gruppe gefunden zu haben und die Gruppen sich räumlich voneinander unterscheidbar zusammengefunden haben.

Varianten:
1. Die Form der Kontaktaufnahme kann auch ritualisiert werden, z. B. Hände schütteln oder Verbeugungen machen, was es den TN im allgemeinen leichter macht, eine einheitliche und für alle verständliche Form zu finden, die Zahl mitzuteilen.
2. Die Gruppen, die sich gefunden haben, können zum Abschluss noch aufgefordert werden, sich eine originelle Form zu überlegen, den anderen ihre Zahl gemeinsam nonverbal darzustellen.

English

The secret number
Number of participants: 16 plus • Duration: 10 minutes
Material: none • Subjects: Getting to know each other, communication

Participants silently choose a number between 5 and 8 (5 and 7 in the case of smaller groups; 5 and 10 in the case of larger groups) and fix it in their memory. Now, the participants come into contact with each other and try to find out those persons who have remembered the same number as he/she. However, no talking is allowed during the whole session. Also, participants are not allowed to write or to give signs using their fingers. This means they have to identify other means of non-verbal communication to disclose to the others the number they remembered. The game is over when all participants think they have found their group and the different groups stand separately from the others.

Variations:

1. The type of approach may also be ritualised for example through shaking hands or bowing to the others which generally makes it easier for the participants to find a uniform manner of communicating their number which is comprehensible for everyone.

2. Finally, the groups which have come together may be asked to think of an original way of jointly showing their number to the other groups without talking.

Le chiffre secret

Nombre de participants : minimum 16 • Durée : 10 minutes • Matériel : aucun
Thèmes : faire connaissance, communication

Les participants choisissent intérieurement un chiffre entre 5 et 8 (pour des petits groupes entre 5 et 7, pour les groupes plus importants entre 5 et 10) et doivent s'en souvenir. Puis, les participants prennent contact entre eux et essaient de trouver ceux qui ont choisi le même chiffre qu'eux. Il n'est cependant pas permis de parler. Les participants n'ont pas le droit non plus d'écrire ou de faire des signes avec les doigts. Cela veut donc dire qu'ils doivent trouver d'autres moyens et possibilités pour se communiquer leur chiffre sans parler. Le jeu se termine lorsque tous les participants pensent avoir trouvé leur groupe et les groupes que l'on peut distinguer les uns des autres de par le lieu se sont regroupés.

Variantes :

1. La forme de la prise de contact peut également être ritualisée, par exemple, serrer les mains ou faire des révérences, ce qui, en général, semble faciliter la tâche des participants à trouver une forme homogène et compréhensible pour communiquer leur chiffre secret.

2. Pour conclure, il est possible de demander aux groupes qui se sont trouvés de rechercher une forme originelle pour représenter ensemble et sans parler leur chiffre secret devant les autres.

Tajemna liczba

Ilość uczestników: od 16 • Czas trwania: 10 minut • Materiał: niepotrzebny
Temat: poznanie się, porozumiewanie się

Grający wybierają dla siebie w myślach liczbę pomiędzy 5 a 8 (w mniejszych grupach pomiędzy 5 a 7, w większych grupach pomiędzy 5 a 10) i zapamiętują ją sobie. Następnie grający nawiązują pomiędzy sobą kontakt i próbują wyszukać te osoby, które wybrały tę samą liczbę co oni. Przez cały czas trwania gry nie wolno mówić. Grającym nie wolno pisać ani dawać znaków palcami. Oznacza to, że należy znaleźć środki i metody na przekazanie swoich liczb bez użycia mowy. Gra kończy się w momencie, kiedy uczestnicy uważają, że znaleźli swoją grupę i kiedy grupy te ustawią się w pomieszczeniu w widocznych odstępach.

Warianty:

1. Formą nawiązania kontaktu może być rytuał, np. potrząsanie ręki lub robienie ukłonów. Ułatwia to grającym ogólne znalezienie jednolitej i zrozumiałej dla wszystkich formy przekazania liczby innym.

2. Grupy, które się odnalazły, mogą na zakończenie dostać jako zadanie wymyślenie oryginalnej formy przekazania swojej liczby w sposób nonwerbalny.

Italiano

Il numero segreto

Numero di partecipanti: da 16 in su • Tempo: 10 minuti • Occorrente: nulla
Argomenti: apprendere, comunicare

I partecipanti scelgono mentalmente un numero da 5 a 8 (se il gruppo è piccolo da 5 a 7, se il gruppo è grosso da 5 a 10) e lo memorizzano. Successivamente comunicano fra loro e cercano di scoprire chi ha scelto il loro stesso numero. Ma per tutto il tempo non possono parlare né scrivere né fare gesti con le mani. Cioè devono trovare altri strumenti e sistemi di comunicazione non verbale. Il gioco termina quando tutti i partecipanti credono di aver trovato il loro gruppo e lo spazio creatosi fra i gruppi indica che cosl è.

Varianti:
1. La forma di contatto può anche essere ritualizzata – p. es. strette di mano o inchini – il che in generale rende più facile trovare una forma di comunicazione unitaria e comprensibile a tutti.
2. Ai gruppi che si sono ritrovati si può infine chiedere di pensare a una forma originale non verbale comune per far sapere agli altri il proprio numero.

Türkye

Gizli sayı

Grubu oluşturanların sayısı: 16 kişiden itibaren • Süre: 10 dakika • Malzeme: Gerekmez
Konu: Tanışma, komünikasyon

Oyuna iştirak edenler sakince 5 ten 8 e kadar (küçük gruplarda 5 ten 7 ye kadar, daha büyük gruplarda 5 ten 10 a kadar) bir sayı seçip akıllarında tutar. Daha sonra oyuncular birbirleriyle irtibata geçerek aynı sayıyı akıllarında tutan kişiyi bulmaya çalışırlar. Bütün bu zaman zarfında konuşmamak gerekir. Oyuncuların yazı yazmayıp parmak işareti de göstermemeleri gerekir. Yani oyuncular konuşmaksızın sayılarını izah edebilmeleri için başka çare ve yol bulmaları gerekir. Oyun, oyuncular gruplarını bulduklarına inanırlarsa ve gruplar ayırt edebilecek şekilde değişik yerlerde buluştuktan sonra biter.

Değişik şekli:
1. Temasa geçme şekli merasimli olabilir. Örneğin: Tokalaşma veyahut hafifçe eğilme. Böyle bir durum oyunculara sayılarını bildirebilmek için genelde daha kolay ve müştrek, herkesin anlıyacağı bir tarz olur.
2. Birbirini bulan gruplardan, daha sonra diğer grupların konuşmadan sayılarını belirtebilmeleri için orjinal bir tarz bulmaları istenir.

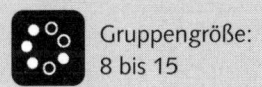 Gruppengröße: 8 bis 15

 1–1,5 Std.

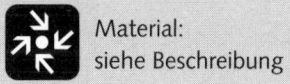 Material: siehe Beschreibung

Satzanfänge vollenden

Material: farbiges Papier im Format DIN A7 und mit Satzanfängen beschriftet, Plakate, Stifte, Klebestifte

Themen: Identität, Kulturen entdecken, Vorbereitung, Vorurteile

Deutsch

Die TN erhalten ein Blatt Papier. Sie werden gebeten einen vorgegebenen Satzanfang mit ihren eigenen Gedanken zu Ende zu führen und, wenn sie möchten, noch einige Sätze mehr hinzuzufügen. Die Ausführungen dürfen jedoch nicht länger sein als Platz auf dem Blatt ist. Wenn alle geschrieben haben, werden die Zettel eingesammelt und auf ein großes Plakat geklebt. Dann folgt die zweite Runde mit einem anderen Satz, eventuell eine dritte.

Hinweise:

1. Im Anschluss liest die Spielleitung die Sätze vor, stellt Nachfragen, weist auf Übereinstimmungen und Widersprüche hin, fordert Kommentare heraus und ermöglicht so eine Diskussion.

2. Diese Übung setzt sprachliche Artikulationsfähigkeit voraus, in multikulturellen Gruppen auch in einer Fremdsprache. Bei mehrtägigen Veranstaltungen können die unterschiedlichen Sätze an dazu passenden Stellen noch einmal aufgegriffen werden. Beispiele für Satzanfänge zum Thema Identität mit einer deutschen Gruppe:
   - Deutsche/r zu sein bedeutet für mich, dass ich ...
   - Wenn ich im Ausland als Deutsche/r erkannt werde, ist mir wichtig, dass (ich) ...
   - Angesichts der Vergangenheit sollten Deutsche im Ausland ...
   - Die Deutschen haben angesichts der Vergangenheit (k)eine besondere Verantwortung, weil ...

Beispiele für Satzanfänge zu Deutschland- und Polenbildern:
- Wenn von Polen die Rede ist, denke ich vor allem an ...
- Deutschland und Polen haben ein besonderes Verhältnis, weil ...
- Wenn wir auf der Autobahn einen voll beladenen kleinen Fiat mit polnischem Kennzeichen überholen, dann denke ich ...
- Wenn in Polen von Deutschland die Rede ist, wird wahrscheinlich vor allem erwähnt, dass ...

Hinweis: Falls einige Satzanfänge zu provozierend formuliert sind, können auch andere Formulierungen gewählt werden.

Variante: Die Teilnehmenden stellen sich vor das Plakat und diskutieren über das, was ihnen auffällt (Konzentration schwieriger).

Completing sentences

Number of participants: 8 to 15 • Duration: 1–1.5 hrs.

Material: coloured A7 paper with the beginning of sentences written on them, posters, pencils, Prittsticks

Subjects: identity, discover cultures, preparation, prejudices

Participants are given a piece of paper. They are asked to complete a sentence, the beginning of which is given to them; if they like they can also add some sentences. They must not use more than one piece of paper, though. As soon as the participants have finished their writing, the sheets are collected and glued onto a large poster. Now a second round is started and possibly a third one.

Notes:
1. Finally the moderator reads out the sentences, asks questions, points out what was similar and what was contradictory, challenges the participants to give their comments thus starting a discussion.
2. This exercise assumes that participants have the ability to articulate themselves well, even in a foreign language in the case of group members of different cultures. If the event lasts several days the different sentences may again be taken up again in suitable situations. If the subject is "identity" then sentences to be used in a German group could for example start like this:
   – To me being a German means that I
   – If people abroad recognise that I am a German I find it important that (I) …
   – In view of the past, Germans in foreign countries should …
   – In view of the past, Germans are / are not particularly responsible because …

Examples how sentences on the way Germans and Poles are viewed:
– When talking about Poles first and foremost I think of …
– The relationship between Germany and Poland is a special one because …
– Seeing a small and fully loaded Fiat from Poland on the motorway then I think …
– When Poles talk about Germany then it is very likely that they will mention that

Note: If some beginnings of sentences are too provocative, other wordings may be used.

Variation: Participants stand in front of the poster and discuss what they notice in particular (more difficult concentration).

Compléter les débuts de phrases
Nombre de participants : 8 à 15 • Durée : 1 à 1 heure 30
Matériel : feuilles de papier de couleur au format DIN A 7 sur lequel figurent des débuts de phrases, affiches, crayons, bâtons de colle
Thèmes : identité, découverte des cultures, préparation, préjugés

Chaque participant reçoit une feuille de papier sur laquelle figure un début de phrase qu'il doit compléter en écrivant ses propres pensées et s'il le souhaite y ajouter d'autres phrases. Les explications ne doivent cependant pas être plus longues qu'il n'y a de place disponible sur la feuille. Lorsque tous ont fini d'écrire, les feuilles sont ramassées et collées sur une grande affiche. Puis vient le second tour avec une autre phrase et éventuellement le troisième.

Remarques :
1. En conclusion, le coordinateur du jeu lit les phrases à haute voix, pose des questions, fait remarquer les consensus et les contradictions, sollicite des commentaires permettant ainsi la discussion.
2. Cet exercice exige une bonne capacité d'expression linguistique des groupes multiculturels et de la langue étrangère. Lors de manifestations qui durent plusieurs jours, il est possible de reprendre les différentes phrases à certains endroits. Exemples de débuts de phrase sur le thème de l'identité avec un groupe allemand :
   – Etre Allemand pour moi signifie que je …
   – Si à l'étranger, on me reconnaît comme étant Allemand, il est important pour moi que (je) …
   – A cause du passé, les Allemands devraient à l'étranger …
   – Les Allemands sont/ne sont pas particulièrement responsables du passé parce que …

Exemples de débuts de phrase concernant les images de l'Allemagne et de la Pologne :
– Lorsqu'il est question de la Pologne, je pense surtout à …
– L'Allemagne et la Pologne ont une relation particulière parce que …
– Si sur l'autoroute, je vois une petite Fiat complètement chargée avec une plaque minéralogique de Pologne, je pense alors …
– Lorsqu'en Pologne il est question de l'Allemagne, il est fort probable que …

Remarque : Dans le cas où des débuts de phrase risqueraient d'être trop provocants, il est recommandé de formuler différemment.

Variante : Les participants se mettent devant l'affiche et racontent ce qu'ils remarquent (concentration plus difficile).

Dokańczanie rozpoczętych zdań
Ilość uczestników: 8 do 15 • Czas trwania: godzina do półtorej
Materiał: papier kolorowy formatu A7 z napisanymi rozpoczętymi zdaniami, plakaty, pisaki, klej
Tematy: tożsamość, odkrywanie kultur, przygotowanie, przesądy

Grający otrzymują kartkę papieru i dostają zadanie dokończenia zapisanego na kartce początku zdania według własnego pomysłu a także, jeśli chcą, dopisania kilku zdań dodatkowo. Uzupełnienia nie powinny przekraczać objętości otrzymanej kartki papieru. Kiedy grający są gotowi, kartki zostają zebrane i naklejone na duży plakat. Zaczyna się druga runda z innym zdaniem, ewentualnie trzecia.

Wskazówki:
1. Na zakończenie prowadzący grę odczytuje zdania na głos, stawia pytania dodatkowe, pokazuje rzeczy wspólne i różnice, wzywa do komentowania i umożliwia w ten sposób dyskusję.
2. Cwiczenie to zakłada umiejętność artykułowania się, w grupach wielokulturowych także w jednym języku obcym. W przypadku imprez wielodniowych poszczególne zdania mogą być użyte jeszcze raz w pasujących do tego momentach. Przykłady początkowych zdań na temat tożsamości w grupie niemieckiej:
   – Bycie Niemcem oznacza dla mnie, że …
   – Kiedy za granicą zostaję poznany jako Niemiec, ważne dla mnie jest to, żeby …
   – Ze względu na przeszłość Niemcy za granicą powinni …

- Kiedy mijamy na autostradzie załadowanego po brzegi małego polskiego Fiata, myślę …
- Kiedy w Polsce mówi się o Niemczech, prawdopodobnie wspomina się przede wszystkim …

Wskazówka: Jeżeli sformułowanie killku początkowych zdań jest zbyt prowokacyjne, można wybrać inne sformułowania.

Wariant: Grający ustawiają się przed plakatem i dyskutują na temat uwag, jakie im się nasuwają.

Italiano

Completa le frasi
Numero di partecipanti: da 8 a 15 • Tempo: 1–1,5 ore
Occorrente: carta colorata formato DIN A7 con su scritti inizi di frase, tabelloni, matite, colla stick
Argomenti: identità, scoprire culture, predisporre, pregiudizi

Ai partecipanti viene dato un foglio di carta e gli si chiede di completare con idee proprie una frase il cui inizio è già stato predisposto aggiungendo – se lo desiderano – anche altre frasi, la cui lunghezza massima però non deve superare lo spazio disponibile sul foglio. Una volta che tutti hanno finito di scrivere, i fogli vengono raccolti e incollati su un grosso tabellone. Poi parte il secondo giro con un'altra frase, ed eventualmente una terza ancora.

Note:
1. Alla fine chi dirige il gioco legge le frasi, pone domande, segnala collimanze e contraddizioni e invita a commentare permettendo cosi la discussione.
2. Quest'esercizio presuppone capacità articolatorie, che in gruppi multiculturali si esplicano anche in lingua straniera. Per gli incontri di più giorni le diverse frasi possono essere riprese in momenti adeguati. Esempi di inizi di frase sull'argomento identità con un gruppo tedesco:
   - essere tedesco/-a per me significa …
   - quando all'estero capiscono che sono tedesco/-a, per me è importante …
   - in merito al passato i tedeschi all'estero dovrebbero …
   - in merito al passato i tedeschi (non) hanno particolari responsabilità perché …

Esempi di inizi di frase sull'idea di Germania e Polonia:
- quando si parla della Polonia, io penso soprattutto a …
- Germania e Polonia hanno un rapporto particolare perché …
- se in autostrada superiamo una piccola Fiat stracarica con targa polacca penso …
- se in Polonia si parla della Germania, probabilmente si dice soprattutto che …

Nota: Se alcuni inizi di frase vengono formulati in maniera troppo provocatoria si può variare la formulazione.

Variante: I partecipanti si mettono davanti al tabellone e parlano di quello che li colpisce (occorre una maggior concentrazione).

Türkye

Başlıyan cümleyi tamamlama
Grubu oluşturanların sayısı: 8–15 kişi • Süre: 1–1,5 saat
Malzeme: Cümle başlığı yazılmış renkli DIN A 7 kâğıt, plakart, kalem ve yapışkan
Konu: Aynılık, kültürel bilgi edinme, hazırlık ve önyargı

Oyunculara birer kâğıt verilir. Bunlardan başlanmış bir cümleyi kendi düşünceleri ile kurmaları rica olunur. Arzu ederlerse kendiliğinden daha birkaç cümle de ilave edebilirler. Ancak cümleler kâğıttaki yereden daha uzun olmamalı. Herkes cümlelerini yazıp bitirdikten sonra kâğıtlar toplanır ve bir plakarta yapıştırılır. Daha sonra başka bir cümle ile ikinci devre başlar, belki üçüncü devre de başlayabilir.

Not:
1. Oyunun sonunda yönetmenlik cümleleri okur ve bununla ilgili sorular sorar, mütabık kılınan veyahut çelişkili taraflarını belirtir, yorum yapılmasını talep eder ve böylece tartışmaya yol açar.

2. Bu alıştırma dil bakımından telefuz etme yeteneğini, mültikültürel gruplarda yabancı dil bilgisinde de gerektirir. Çeşitli cümleler, birkaç günlük toplantılarda uygun görüldüğü yerlerde tekrar ele alınabilir. Alman bir grup için aynılık konusu ile ilgili cümlelerin başlangıcı şöyle olabilir:
   – Benim için Alman olmanın anlamı, ben ...
   – Yabancı ülkede Alman olduğum ortaya çıkarsa, benim için ... önemli
   – Almanların geçmişleri gözönüne alınırsa, yabancı ülkede ...
   – Almanların geçmişi gözönüne alınırsa, bilhassa sorumlulukları var/yok, çünkü ...

Almanya ve Polonya üzerindeki görüşler hakkında cümle başlangıçları örnekleri:
– Polonya hakkında konuşulunca, ben herşeyden önce ... düşünüyorum.
– Almanya ile Polonya'nın özel bir münasebeti var, çünkü ...
– Otoyolda dopdolu Polonya plakalı ufak bir fiyat arabasını geçerken, ... düşünüyorum.
– Polonya'da eğer Almanya hakkında konuşulursa, herhalde bilhassa ... anılır.

Not: Şayet bazı cümle başlangıçları kışkırtıcı düzenlenmişse, değişik cümle başlangıçları seçilir.

Değişik şekli: Oyuncular plakartın önüne geçip akıllarına ne gelirse onun hakkında tartışırlar (konsantrasyon güç olur).

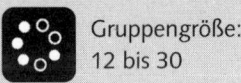 Gruppengröße:
12 bis 30

 1–2 Std.

 Material: Gruppenraum mit großer Fläche; evtl. Musik

Statuentheater

Themen: Landeskunde, Kooperation, Kulturen entdecken, Selbstbilder/Fremdbilder

Deutsch

Die TN werden aufgefordert in kulturhomogenen Kleingruppen mit ihren Körpern eine Statue zu modellieren. Das Thema wird vorgegeben. Sie haben ca. fünf Minuten Zeit, sich darüber auszutauschen. Anschließend wird das Denkmal gestellt. Die anderen sehen es sich in Ruhe an. Dann beschreiben sie, was sie sehen, was sie nicht verstehen, wo sie widersprechen. Hinterher beschreiben die Darsteller und Darstellerinnen, was ihnen wichtig war und wie sie sich gefühlt haben.

Hinweis: Beispiele für Themen zur Aufarbeitung von Kontroversen
– ein Denkmal für die Opfer des Zweiten Weltkriegs in Polen, in Deutschland, in Israel ...
– ein Friedensdenkmal
– ein Denkmal zum Thema „internationale Solidarität" für den nächsten G-8-Gipfel
– Weitere Beispiele: ein Denkmal zum Thema Frieden, Freundschaft, Vorurteile abbauen, „Welt-Jugend-Tag" oder auch „unsere Gruppe".

Variante: In einem zweiten Schritt bauen alle zusammen ein Denkmal. Sie stehen dafür im Kreis. Das Thema wird genannt. Im Hintergrund läuft Musik. Die Spielleitung stoppt die Musik für kurze Zeit. In der Pause springt eine (aber nur eine) Person in die Mitte und stellt einen ersten Teil des Denkmals dar. In der nächsten Pause kommt die nächste Person dazu, bis alle zusammen das Denkmal sind. Es dürfen keine Absprachen getroffen werden. Die Übung ist spontan und ohne Worte. Anschließend erfolgt eine Auswertung mit den genannten Fragen.

Statue theatre

Number of participants: 12 to 30 • Duration: 1–2 hrs.
Material: Spacious meeting room; possibly music
Subjects: Geography, co-operation, discover cultures, self-image/perceived image

Participants are divided into small groups coming from the same culture and are requested to portray a statue with their bodies. The subject is given. They have approx. 5 minutes to exchange their ideas before they "build" that statue. The others stand and watch in silence. Then they are asked to describe what they see, what they do not understand, where they would conflict. Later the "actors" and "actresses" describe what was important for them and how they were feeling.

Note: Examples of subjects suitable for the dealing with controversies
– a statue in memory of the victims of World War II in Poland, in Germany, in Israel ...
– a peace statue
– a statue on the subject „international solidarity" for the coming G 8 summit
– Further examples: a statue on the subject of peace, friendship, reducing prejudices, "International Day of the Youth" or even "our group".

Variation: In a second phase all participants together form a statue. For this purpose, they stand in a circle. The subject is given to them. There is music playing in the background. The moderator stops the music for a short period of time. During that break one (and just one) person jumps into the centre of the circle forming the first part of the statue. During the next break the second person joins the first one and so on until all participants are a part of the statue. No agreements may be made: this is a spontaneous exercise to be carried out without speaking. Finally an evaluation takes place using the aforementioned questions.

La représentation des statues
Nombre de participants : 12 bis 30 • Durée : 1–2 heures
Matériel : salle pour groupes à grande surface, éventuellement musique
Thèmes : civilisation, coopération, découverte des cultures, perception de soi/perception des autres

Il est demandé aux participants, répartis en petits groupes de culture homogène, de modeler avec leur corps une statue. Le thème est défini. Ils ont environ 5 minutes pour s'entretenir sur le thème. Ensuite, le monument est posé. Les autres participants le regardent tranquillement. Puis, ils décrivent ce qu'ils voient, ce qu'ils ne comprennent pas, ce avec quoi ils ne sont pas d'accord. Les interprètes expliquent ensuite ce qui était important pour eux et comment ils se sont sentis.

Remarque : Exemples de thèmes pour un travail de controverses
– un monument pour les victimes de la seconde Guerre mondiale en Pologne, en Allemagne, en Israël.
– un monument de la paix
– un monument avec pour thème la solidarité internationale pour le prochain sommet G-8.
– d'autres exemples : un monument avec pour thème la paix, l'amitié, la suppression des préjugés, le « Jour de la jeunesse mondiale » ou alors « notre groupe ».

Variante : Dans la seconde partie, tous construisent ensemble un monument. Dans ce but, ils se mettent en cercle. Le thème est nommé. Une musique de fond est jouée. Le coordinateur du jeu arrête la musique pendant un court moment. Durant cette pause, une personne (et seulement une personne) se place au milieu et représente un élément du monument. Durant la pause suivante, une seconde personne rejoint la première. Et ainsi de suite, jusqu'à ce que toutes les personnes représentent le monument. Il n'est pas permis de se mettre d'accord sur quoi que ce soit. L'exercice se fait de manière spontanée et sans un mot. En conclusion, les questions mentionnées ci-dessus permettent de faire une évaluation.

Teatr pomników
Ilość uczestników: 12 do 20 • Czas trwania: 1 do 2 godzin
Materiał: pomieszczenie grupowe o dużej powierzchni
Tematy: krajoznawstwo, współpraca, odkrywanie kultur, wizerunek osoby własnej i innych

Grający dostają za zadanie umodelowania pomnika w jednolitych kulturowo małych grupach. Temat zostaje podany. Grający mają 5 minut czasu na wymianę zdan na temat zadania. Następnie modelują pomnik. Inni spokojnie się temu przyglądają. Następnie opisują, czego nie rozumieją, z czym się nie zgadzają. Następnie twórcy pomnika opisują, co było dla nich ważne i jak się czuli.

Wskazówka: Przykłady tematów do pracowania kontrowersji
– pomnik ofiar drugiej wojny światowej w Polsce, w Niemczech, w Izraelu
– pomnik na cześć pokoju
– pomnik na temat „międzynarodowa solidarność" na nadtępne spotkanie na szczycie G-8
– dalsze przykłady: pomnik na temat pokoju, przyjaźni, pozbycia się uprzedzeń, światowego dnia młodzieży lub także „nasza grupa"

Wariant: W drugiej fazie gry wszyscy razem budują pomnik.W tym celu stoją w kole. Temat zostaje podany. Za kulisami gra muzyka. Grający wyłącza na krótko muzykę. W czasie powstałej pauzie jedna osoba (ale tylko jedna) wskakuje na środek i przedstawia pierwszą część pomnika. W czasie następnej przerwy dochodzi do tego następna osoba, potem następna, aż wszystkie razem utworzą pomnik. Grającym nie wolno nic omawiać. Gra ma przebiegać spontanicznie i bez słów. Na zakończenie następuje analiza podanych pytań/zadań.

Il teatro delle statue
Numero di partecipanti: da 12 a 30 • Tempo: 1–2 ore
Occorrente: grossa stanza per gruppi; event. musica
Argomenti: geografia, collaborare, scoprire culture, autoritratti/ritratti altrui

A gruppetti culturalmente omogenei di partecipanti viene richiesto di modellare una statua con il loro corpo (argomento assegnato). Hanno ca. 5 minuti per consultarsi in merito. Successivamente viene realizzato il monumento. Gli altri guardano in silenzio, poi descrivono quello che vedono, quello che non capiscono, quello in cui dissentono. Dopodiché chi ha rappresentato la statua descrive ciò che per loro è stato importante e come si sono sentiti.

Nota: Esempi di argomenti per la gestione di controversie
– un monumento alle vittime della seconda guerra mondiale in Polonia, in Germania, in Israele ...
– un monumento alla pace
– un monumento sul tema «solidarietà internazionale» per il prossimo «G8»
– altri esempi: un monumento sul tema pace, amicizia, abbattimento dei pregiudizi, «giornata mondiale della gioventù» oppure anche «il nostro gruppo».

Variante: In una seconda fase tutti si mettono in cerchio e insieme costruiscono un monumento (argomento assegnato). Musica di sottofondo. Chi dirige il gioco ferma la musica per breve tempo. Durante questa pausa una persona (una sola) salta al centro e raffigura una prima parte del monumento. Alla pausa successiva si aggiunge un'altra persona e cosl via finché tutte insieme rappresentano il monumento. Non si può concordare nulla. L'esercizio è spontaneo e senza parole. Successivamente si procede ad un'analisi con le domande poste.

Heykel tiyatrosu
Grubu oluşturanların sayısı: 12–30 • Süre: 1–2 saat
Malzeme: Grup için büyük salon, belki müzik
Konu: Yurt bilgisi, işbirliği, kültürel bilgi edinme, kendi/diğer kişi hakkında görüş

Oyuncular kültürel homojen küçük gruplara bölünür. Bunlardan kendi vücutları ile bir heykel temsil etmeleri istenir. Konu önceden belirtilir. Danışmak için 5 dakika vakit verilir. Heykel ortaya konur. Diğerleri önce bunu incelerler, ve daha sonra gördüklerini, anlayamadıklarını ve karşı geldikleri konuları tartışırlar. Daha sonra oyuncular onlar için önemli olanları, kendilerini nasıl hissettiklerini anlatırlar.

Not: Tartışmada konuları işlemeye yarıyan örnekler:
– İkinci dünya savaşının kurbanları için bir anıt, Polonya'da, Almanya'da, İsrail'de ...
– Bir barış anıtı.
– «Uluslar arası dayanışma» konusu ile ilgili gelecek G-8-Zirve toplantısı için bir anıt.
– Daha başka anıt yapılması için örnekler: Barış, arkadaşlık, önyargıyı kaldırma, «Bütün dünyada gençler günü» veyahut «bizim grubumuz» konuları hakkında.

Değişik şekli: İkinci devrede herkes beraber bir anıt yapar. Bunun için bir daire oluştururlar. Konu önceden belirtilir. Arkada müzik çalar. Yönetmenlik müziği kısa bir müddet için durdurur. Tenefüste bir kişi (fakat sadece bir kişi) ortaya atlar ve anıtın ilk kısmını temsil eder. Gelecek tenefüste öbürü gelir, hepsi bir anıt oluncaya kadar böyle devam eder. Önceden herhangi bir şey kararlaştırılmaz. Alıştırma aniden ve konuşmadan yapılır. Daha sonra önceden belirtilen sorularla değerlendirme yapılır.

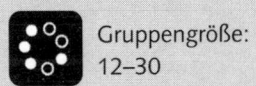 Gruppengröße:
12–30

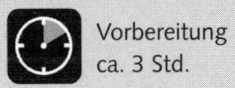 Vorbereitung
ca. 3 Std.

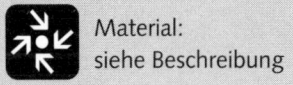 Material:
siehe Beschreibung

Länderabend

Aufführung je nach Gruppengröße 1–2 Std.
Material: Plakate, Stifte; bei Bedarf eine Kiste mit ausgedienten Kleidungsstücken zum Verkleiden
Themen: Landeskunde, Kulturen entdecken

Die TN erhalten den Auftrag in kulturhomogenen Gruppen eine Vorstellung ihres jeweiligen Heimatlandes vorzubereiten und durchzuführen. Hierzu sollen sie eine große Karte ihres Landes malen, die Informationen zu folgenden Themen enthält: die größten Städte und wichtigsten Verkehrswege, die wichtigsten Flüsse, Landschaftsgebiete und Klimazonen, die wichtigsten Industrie- und Landwirtschaftsgebiete, gesellschaftliches Leben (z. B. Arbeitsmarkt, Kirchen, Minderheiten) und politische Situation (politische Struktur, Regierung, Staatsform). Hierfür können auch zusätzliche Schaubilder angefertigt werden. Außerdem sollen die TN eine Szene vorbereiten, die für ihr Land typisch ist und die sie den anderen vorspielen. Weiterhin sollen die TN Noten und Text ihres Lieblingsliedes auf ein großes Plakat schreiben und die anderen im Laufe des Abends lehren.

Varianten:
1. Anstelle des Lieblingsliedes kann auch ein Lieblingstanz oder Spiel vorbereitet und den anderen gelehrt werden.
2. Die TN können auch eine berühmte Persönlichkeit ihres Landes (Sänger/in, Musiker/in, Sportler/in) imitieren und versuchen möglichst viele Leute aus der Gesamtgruppe (z. B. als Orchester, Publikum etc.) an der Spielszene zu beteiligen.
3. In sprachlich fortgeschrittenen Gruppen können die TN auch fiktive Interviews vorbereiten, in denen sich Jugendliche, Hausfrauen, Politiker/innen, Landwirte, Berufsboxer, Milchmänner etc. zu den Herkunftsländern der anderen Gruppen, der internationalen Zusammenarbeit etc. äußern.

National evening
Number of participants: 12–30 • Duration: preparation approx. 3 hrs, duration of the performance depending on the number of participants 1–2 hrs.
Material: posters, pencils; if required, a box containing old articles of clothing for dressing up
Subjects: geography, discovering cultures

Participants are divided into groups with participants coming from one culture; they are requested to prepare and perform a scene which is typical to their home country. For this purpose they are asked to paint a large map of the country showing information on the following subjects: the largest towns, the most important routes, streams and regions, climate zones, the most important industrial and agricultural areas, social life (e.g. job market, churches, minorities) and the political situation (political structure, government, system of government). For this purpose, additional diagrams may be produced. Also, the groups are requested to prepare and perform in front of the other participants a scene which is typical to their country. Participants are also asked to write down the notes and lyrics of their favourite song on a large poster and to teach the others the text and melody during the course of the evening.

Variations:

1. Instead of a favourite song participants may also prepare and teach the others a favourite dance or game.
2. Participants may also imitate a famous personality of their country (singer, musician, sportsman/sportswoman) trying to involve in the play as many people as possible from the whole group (e. g. as members of the orchestra, spectators etc.
3. Where group members have an advanced knowledge of the language, they may also prepare fictitious interviews in the course of which young persons, housewives, politicians, farmers, professional boxers, milkmen etc. comment on the other groups' native countries, on international co-operation etc.

Français

La soirée des pays

Nombre de participants : 12–30 • Durée : préparation environ 3 heures, représentation selon le nombre de participants 1–2 heures • Matériel : affiches, crayons ; si besoin est, un carton avec de vieux vêtements pour le déguisement.
Thèmes : civilisation, découverte des cultures

Répartis en groupes de culture homogène, les participants doivent préparer et représenter leur pays natal. Pour cela, ils doivent représenter une grande carte de leur pays et indiquer les informations suivantes : les plus grandes villes, les voies principales de circulation, les fleuves importants, les différentes régions et les zones climatiques, les régions industrielles et agricoles les plus importantes, la vie sociale (par exemple, le marché de l'emploi, l'église, les minorités) et la situation politique (la structure politique, le gouvernement, le régime). Il est possible de faire des représentations graphiques supplémentaires. De plus, les participants doivent préparer une scène qui est typique à leur pays et qu'ils joueront alors devant les autres. Il est demandé également aux participants d'écrire sur une affiche les notes et le texte d'une de leurs chansons préférées et de la faire apprendre aux autres au cours de la soirée.

Variantes :

1. Au lieu d'une chanson préférée, il est possible de proposer une danse ou un jeu préféré que les autres personnes pourront apprendre.
2. Les participants peuvent également imiter une personnalité célèbre de leur pays (chanteur, musicien, sportif) et essayer de faire participer à la représentation un maximum de personnes dans le groupe entier (par exemple, comme orchestre, comme public, etc.)
3. Dans les groupes dont le niveau linguistique est avancé, les participants peuvent préparer des interviews fictives : des jeunes gens, des maîtresses de maison, des politiciens, des agriculteurs, des boxeurs professionnels, des laitiers s'expriment sur les pays d'origine des autres groupes, la coopération internationale, etc.

Wieczór poświęcony krajom

Ilość uczestników: 12 do 30 • Czas trwania: przygotowanie około 3 godzin, wykonanie w zależności od wielkości grupy godzina do dwóch • Materiał: plakaty, pisaki, w razie potrzeby skrzynia z mocno zużytymi częściami garderoby do przebrania się

Tematy: krajoznawstwo, odkrywanie kultur

Grający otrzymują za zadanie przygotowanie i przygotowanie prezentacji swojego kraju w grupach pochodzących z tego samego kręgu kulturowego. W tym celu muszą namalować dużą mapę swojego kraju, zawierającą informację na następujące tematy: największe miasta i najważniejsze szlaki komunikacyjne, najważniejsze rzeki, tereny krajobrazowe i strefy klimatyczne, najważniejsze tereny przemysłowe i rolnicze, życie społeczne (np. rynek pracy, kościół, mniejszości społeczne) i sytuację polityczną (struktury polityczne, rząd, forma państwowości). W tym celu można sporządzić także dodatkowe wykresy. Oprócz tego grający muszą przygotować jedną scenę, typową dla swojego kraju i którą przedstawią następnie innym graczom. Następnie grający mają nanieść na duży plakat nuty i tekst swojej ulubionej piosenki i nauczyć tej piosenki innych podczas tego wieczoru.

Warianty:

Zamiast ulubionej piosenki można przygotować i nauczyć innych grających ulubionego tanca lub gry. Grający mogą imitować także znaną osobistość swojego kraju (piosenkarza/piosenkarkę, muzyka, sportsmena/sportsmenkę) i starać się przy tym wciągnąć do udziału w przedstawieniu jak najwięcej ludzi z całej grupy.

W grupach zaawansowanych językowo grający mogą przygotować także fikcyjne wywiady, w których młodzież, gospodynie domowe, politycy, rolnicy, bokserzy zawodowi, dostarczyciele mleka etc. wypowiadają się na temat krajów, z których pochodzą współgracze z innych grup, np. międzynarodowej współpracy itp.

Questa sera si parla del mio paese

Numero di partecipanti: 12–30 • Tempo: ca. 3 ore per predisporre il tutto, 1–2 ore per l'esecuzione (a seconda del numero di partecipanti)

Occorrente: tabelloni, matite; all'occorrenza una cassa con abiti smessi per travestirsi.

Argomenti: geografia, scoprire culture

In gruppi culturalmente omogenei i partecipanti devono presentare la propria patria, dipingendone una grande cartina che contenga informazioni sulle città più importanti e sulle maggiori vie di comunicazione, sui principali fiumi, territori paesaggistici e zone climatiche, le zone industriali ed agricole più importanti, la vita sociale (p. es. il mercato del lavoro, le chiese, le minoranze) e la situazione politica (struttura, governo, forma statale). Per ciò fare si possono realizzare anche schizzi supplementari. Inoltre i partecipanti devono preparare una scena tipica del proprio paese e rappresentarla agli altri, scrivere le note e il testo della loro canzone preferita su un grosso tabellone e insegnarla agli altri nel corso della serata.

Varianti:

1. Invece della canzone si può optare per un ballo o un gioco.
2. I partecipanti possono anche imitare un personaggio famoso del proprio paese (cantante, musicista, sportivo/-a) cercando di coinvolgere nella situazione il maggior numero possibile di persone del gruppo (p. es. in veste di orchestra, pubblico).
3. In gruppi linguisticamente avanzati i partecipanti possono anche realizzare interviste fittizie in cui giovani, casalinghe, politici, agricoltori, pugili professionisti, lattai, ecc. parlano dei paesi d'origine degli altri gruppi, della cooperazione internazionale, ecc.

Türkye

Memleketliler gecesi
Grubu oluşturanların sayısı: 12–30
Süre: Hazırlık takriben üç saat, oyun süresi grupların büyüklüğüne göre 1–2 saat
Malzeme: Plakart, kalem ve ihtiyaca göre büyük kutu dolusu eski giyisiler
Konu: Yurt bilgisi ve kültürel bilgi edinme

Oyunculardan homojenik kültürel gruplar kurup kendi memleketleri hakkında bir temsil hazırlayıp bunu oynamaları istenir. Bununla ilgili, oyuncular memleketlerinin aşağıdaki bilgileri gösteren büyük bir haritasını çizmeleri gerekir: Memleketin en büyük şehirleri, en önemli yolları, en önemli ırmakları, bölge ve iklim yöreleri, en önemli sanayi ve tarım yörelerini, toplumsal yaşamı (örneğin iş sahası, kilise, azınlık) ve siyasi durumu (siyasi kuruluş, hükümet, idare şekli). Bunlara ilaveten oyuncular diagramlarda hazırlıyabilirler. Ayrıca oyuncular kendi memleketleri için tipik bir senaryo hazırlayıp bunu diğerlerinin önünde sunarlar. Bundan hariç oyuncular en çok sevdikleri şarkının notasını ve sözlerini bir plakarta yazıp diğerlerine o akşam yavaş yavaş öğretmeleri gerekir.

Değişik şekli:
1. Oyuncular en çok sevdiği şarkı yerine, en çok sevdiği dansı veyahut oyunu hazırlayıp diğerlerine öğretebilir.
2. Oyuncular memleketlerinden meşhur birinin (şarkıcı, müzisyen, sporcu) taklitini yapıp, toplam gruptan mümkün olduğu kadar çok kişinin senaryoya katılmasına (örneğin orkestra, dinleyici olarak v. b.) çalışırlar.
3. Dil bilgileri ilerlemiş gruplarda oyuncular hayali enterviyu hazırlıyabilirler. Buna gençler, ev kadını, siyasetçi, çiftçi, profesyonel boksör, sütçü v. b. kişiler katılır, diğer grupların memleketleri hakkında, enternasyonal işbirliği üzerine bilgi verirler.

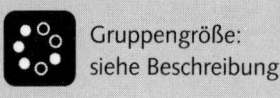 Gruppengröße:
siehe Beschreibung

 siehe Beschreibung

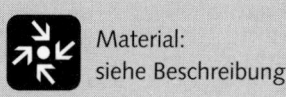 Material:
siehe Beschreibung

Bilder, die Geschichte mach(t)en

Deutsch

Gruppengröße: 12 bis 30 Personen aus mindestens drei verschiedenen Nationen
Zeit: Vorbereitung in nationalen Gruppen 30 Min., Austausch- und Informationsphase in bilateralen Gruppenkonstellationen jeweils 30 Min. (bei vier beteiligten Ländern also 3 × 30 Min.), Verarbeitung in nationalen Gruppen 45 Minuten, Präsentation im Plenum ca. 1 Std.
Material: auf DIN-A3-Format kopierte Sets von je vier Fotos aus den beteiligten Ländern, für jede Gruppe muss von jedem Land ein Set vorhanden sein; Tapetenrolle oder Plakatrolle; Klebestifte, Scheren, Papier, Stifte
Themen: Kulturen entdecken, Landeskunde

Vor dem Seminar werden die TN aufgefordert Pressefotos aus der jüngsten Geschichte ihres Landes mitzubringen. Diese müssen in einer kopierfähigen Qualität sein. In einem ersten Schritt setzen sich die beteiligten nationalen Gruppen zusammen und überlegen, welche der mitgebrachten Fotos sie den anderen präsentieren wollen. Sie dürfen nur drei oder vier auswählen und kopieren diese für alle anderen Gruppen je einmal.

Im zweiten Schritt begegnen sich im Rotationsprinzip jeweils zwei der beteiligten Gruppen. Jede Gruppe stellt den anderen ihre Bilder vor und erzählt über deren Hintergrund. Die Zuhörenden entwerfen anschließend – als Gedächtnisstütze für sich selbst – einen kurzen Text als Untertitel, den sie an den unteren Bildrand kleben. Sie erhalten das vollständige Set der anderen Gruppe und gehen damit weiter in das nächste Treffen. Nach jeweils 30 Minuten rotieren die Gruppen weiter. Am Schluss muss jede Gruppe von jeder anderen Gruppe ein Foto-Set haben.

Im dritten Schritt erhalten die Gruppen den Auftrag, eine Collage aus je einem Bild jeden Landes zu erstellen und für diese ein Thema zu finden (z. B. vereinigtes Europa). Diese Collagen werden in einem vierten Schritt im Plenum präsentiert.

Hinweis: Diese Übung ist besonders geeignet am Ende einer Begegnung und als Einstieg in eine Auswertung oder für persönliche Rückmeldungen.

Pictures that go/went down in history

English

Number of participants: 12 to 30 persons of at least 3 different nations
Duration: preparation in national groups 30 mins., exchange and information phase with bilateral group formations of 30 mins each (e.g. 3 × 30 mins. with 4 different nations involved), review in national groups 45 minutes, presentation in front of the plenum approx. 1 hr.
Material: sets of 4 photos each from the countries involved, copied in A 3 format; each group must be provided with one set per country; roll of wallpaper, or poster roll, Prittsticks, pair of scissors, paper, pencils
Subjects: discovering cultures, geography

Before the seminar starts participants are requested to bring press photos of the recent history of their country which must be of such a quality that they can be copied. In a first phase, the national groups involved come together and discuss which of the photos should be shown to the others. They select just three or four and copy them once for each group.

During a second stage, two of the groups involved meet each other according to the rota system. Each group presents the pictures to the others and tells them something about the pictures' background. Then – as a memory aid for themselves – listeners draw up a brief text as a kind of subtitle which is then stuck onto the lower edge of the picture. They are given the entire set of the other group and then go on and meet with the next group. Every 30 minutes the groups rotate again. At the end each group must have a photo set from each of the other groups.

In a third phase, groups are asked to create a collage using one picture from each country and to find a subject for the collage (e. g. united Europe). These collages are presented during the fourth phase to the plenum.

Note: This exercise is especially suited to the end of a meeting, or as an entry into an evaluation, or for personal feedbacks.

Français

Les images qui font (ou ont fait) l'histoire

Nombre de participants : 12 à 30 personnes d'au moins 3 nations différentes

Durée : préparation dans des groupes de même nationalité 30 minutes, échange et informations dans des constellations bilatérales de groupes, 30 minutes pour chaque groupe (dans le cas d'une participation de 4 pays, cela fait 3 × 30 minutes), travail dans les groupes de même nationalité 45 minutes, présentation en plénum environ 1 heure

Matériel : copies de format DIN A 3 de 4 photos de chaque pays participant, c'est-à-dire qu'il doit y avoir autant de copies d'un pays que de groupes de ce pays ; rouleau de papier peint ou papier affiche ; bâtons de colle, ciseaux, papier, crayons

Thèmes : découverte des cultures, civilisation

Avant le début du séminaire, il sera demandé aux participants d'amener des photos de presse sur l'histoire contemporaine de leur pays. Ces photos doivent avoir une qualité telle qu'il est possible de les photocopier. Dans une première étape, les groupes nationaux participants se rassemblent pour choisir quelles photos parmi les photos apportées ils désirent présenter aux autres groupes. Ils ne peuvent choisir que trois ou quatre photos qu'ils photocopient alors pour tous les autres groupes (1 copie par groupe).

Dans une seconde étape, d'après le principe de rotation, deux des groupes participants se rencontrent. Chaque groupe présente à l'autre ses photos et en explique le contexte. Les auditeurs formulent ensuite, en guise d'aide-mémoire personnel, un petit texte en sous-titre qu'ils collent sur le bord inférieur de la copie. Ils reçoivent la copie complète du groupe et se rendent à la prochaine rencontre. Les groupes doivent changer toutes les 30 minutes. Finalement, chaque groupe doit posséder un set photos de chaque autre groupe.

Dans une troisième étape, les groupes doivent réaliser un collage avec une photo de chaque pays et lui donner un titre (par exemple, la Communauté européenne).

Dans une quatrième étape, ces collages seront présentés en plénum.

Remarque : Cet exercice est idéal à la fin d'une rencontre et comme entrée en matière lors d'une évaluation ou lors d'entretiens sur les avis personnels.

Polski

Zdjęcia, które przeszły do historii

Ilość uczestników: 12 do 30 przedstawicieli co najmniej 3 narodowości

Czas trwania: przygotowanie w grupach jednonarodowościowych 30 minut, wymiana i faza informacyjna w różnojęzycznych konstelacjach grupowych, każdorazowo po 30 minut (a więc w przypadku czterech krajów uczestniczących 3 razy po 30 minut), opracowanie w grupach jednonarodowościowych 45 minut, prezentacja na plenum ok. 1 godziny.

Materiał: skserowane na arkuszach formatu A 3 zestawy zdjęć po 4 sztuki z każdego kraju biorącego udział w spotkaniu, dla każdej grupy potrzebny jest jeden zestaw z każdego kraju; rolka tapety lub zrulowane plakaty, klej, nożyczki, papier, pisaki

Tematy: odkrywanie kultur, krajoznawstwo

Przed seminarium grający są proszeni o przyniesienie zdjęć prasowych dotyczących najnowszej historii swojego kraju. Zdjęcia te powinny mieć jakość pozwalającą na ich skserowanie/powielenie. W pierwszej fazie formują się biorące udział w grze grupy jednonarodowościowe i naradzają się, jakie z przyniesionych zdjęć chcą zaprezentować innym. Wolno im wybrać trzy lub cztery zdjęcia i powielić je jednorazowo dla innych grup.

W drugiej fazie spotykają się na zasadzie rotacji każdorazowo dwie z uczestniczących grup. Każda grupa przedstawia innym swoje zdjęcia i wyjaśnia kulisy ich powstania. Następnie słuchacze formułują – w celu lepszego zapamiętania – krótki tekst jako tytuł, który przyklejają do dolnego brzegu zdjęcia. Otrzymują kompletny zestaw innej grupy i przechodzą z nim do następnego spotkania. Po mniej więcej 30 minutach grupy rotują dalej. Na końcu każda grupa musi posiadać zestaw zdjęć każdej innej grupy.

W trzeciej fazie grupy otrzymują za zadanie utworzenie kolażu z wykorzystaniem jednego zdjęcia z każdego kraju i znalezienie dla niego tematu/tytułu (np. zjednoczona Europa). Kolaże te zostają zaprezentowane w czwartej fazie na ogólnym plenum.

Wskazówka: Gra ta nadaje się szczególnie na zakonczenie spotkania, jako wstęp do analizy lub dla indywidualnych zapytan/reakcji grających.

Immagini che fanno/hanno fatto la storia

Numero di partecipanti: da 12 a 30 di almeno 3 diverse nazionalità

Tempo: 30 min. per predisporre gruppi nazionali, 30 min. per lo scambio d'informazioni in gruppi bilaterali (dunque se i paesi interessati sono 4: 3 × 30 min.), 45 minuti per l'elaborazione in gruppi nazionali, ca. 1 ora per la presentazione generale

Occorrente: set di 4 foto ciasc. in formato DIN A 3 dei paesi interessati (un set di ogni paese per ogni gruppo); rotolo di tappezzeria o di carta per manifesti; colla stick, forbici, carta, matite

Argomenti: scoprire culture, geografia.

Prima del seminario i partecipanti devono portare foto – riproducibili – di giornale sulla storia recente del proprio paese. In una prima fase i gruppi nazionali interessati si riuniscono e decidono quali foto presentare agli altri. Se ne possono scegliere solo tre o quattro, di cui verrà fatta una copia per ciascuno degli altri gruppi.

Nella seconda fase due dei gruppi s'incontrano a rotazione e ogni gruppo presenta agli altri le proprie fotografie spiegandone il contesto. Chi ascolta scriverà un breve sottotitolo come promemoria e lo incollerà sul bordo inferiore della foto. Viene distribuito il set completo dell'altro gruppo e si passa all'incontro successivo. Dopo 30 minuti i gruppi riprendono la rotazione. Alla fine ogni gruppo deve avere un set di foto di tutti gli altri.

Nella terza fase i gruppi devono realizzare un collage con ogni foto di ogni paese e darvi un titolo (p. es. l'Europa Unita). In una quarta fase i collage vengono poi presentati tutt'insieme.

Nota: L'esercizio è adatto alla fine di un incontro e come spunto per un'analisi o per feedback personali.

Tarih oluşturan resimler

Grubu oluşturanların sayısı: En az üç çeşitli ulustan oluşan 12 den 30 kişiye kadar.

Süre: Nasyonal gruplarda hazırlık 30 dakika, bilateral grup konstelasyonunda teatii ve enformasyon safhası her sefer 30 dakika (dört memleket katılırsa yani 3 × 30 dakika), nasyonal gruplarda işlem yapma 45 dakika, toplantıda gösteri 1 saat

Malzeme: DIN A 3 büyüklüğünde kopyası çekilmiş katılan ülkelerden 4 fotoğraf takımı, her grup için katılan her ülkeden bir takım mevcut bulunmalıdır; duvar kâğıdı veyahut plakart rulosu, yapışkan, makas, kâğıt, kalem.

Konu: Kültürel bilgi edinme, yurt bilgisi

Seminerden önce oyunculardan, memleketlerinin en son tarihine ait basının çektiği resimlerden getirmesi istenir. Bu resimlerin kopyası çekilecek kalitede olması gerekir. İlk adımda oyuna katılan nasyonal gruplar hep beraber oturup getirilen resimlerin hangisini göstereceklerini düşünürler. Bunlar yalnız üç veyahut dört resim seçebilirler ve bunların her grup için birer fotokopisi çekilir. İkinci adımda rotasyon usulü her defasında ikişer grup karşılaşır. Her grup kendi resimlerini karşı gruba tanıtır ve bunun menşeğini anlatır. Dinleyiciler daha sonra – kendi akkıllarında kalsın diye – alt yazı olarak bir not tutup bunu resmin alt köşesine yapıştırırlar. Bunlar başka grubun takımlarını tam olarak alıp gelecek karşılaşmaya giderler. Her defaya mahsus gruplar 30 dakikada bir rotasyon usulü devam ederler. En son, her grup diğer gruptan bir fotoğraf takımı almış olmalı. Üçüncü adımda, gruplara her memleketin bir resminin bir colaj'ı yapıp bunlar için bir konu bulmaları (örneğin birleşmiş Avrupa) ile ödevlendirilir. Bu colajlar dördüncü safhada toplantıda teşhir edilir.

Not: Bu alıştırma bilhassa bir karşılaşmanın sonunda veyahut bir değerlendirmeye girişte, şahsen cevaplandırmada uygun görülür.

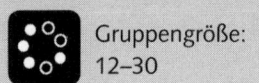 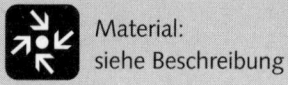
Biographien

Deutsch

Material: Plakate, Stifte, evtl. Übersicht zur Geschichte Europas im 20. Jahrhundert

Themen: Kennenlernen

Die TN sitzen zunächst in nationalen Gruppen zusammen und erzählen sich gegenseitig die Biographien ihrer Großeltern. Dann wählt jede Gruppe ein oder zwei Biographien aus, die sie anschließend im Plenum vorstellt. Während dieser Darstellungen schreibt die Spielleitung die historischen Ereignisse, die dabei erwähnt werden, in eine Zeitleiste auf einem Plakat. Anschließend können Rückfragen gestellt und die historischen Zusammenhänge erläutert werden.

Hinweise:

1. Falls die Biographien der Großeltern nicht ausreichend bekannt sind, kann man sich auch auf die Generation der Eltern einigen. Alle TN sollten sich aber – im Interesse der Vergleichbarkeit – auf dieselbe Generation beziehen.

2. Die Zeitleiste auf dem Plakat kann neben einer Spalte „Europäische Geschichte" auch für jede vorgestellte Person eine eigene Spalte vorsehen, in der die Daten eingetragen werden, die für diese Person bekannt und besonders relevant sind. Dies erleichtert den Vergleich der Biographien.

Variante: Die Einheit kann durch die Befragung von Zeitzeugen und Zeitzeuginnen erweitert werden.

English

Biographies

Number of participants: 12–30 • Duration: approx. 2 hrs.

Material: posters, pencils, maybe an outline of European history in the 20th century. • Subjects: Getting to know each other

At first, participants sit together in national groups and tell each other something about the lives of their grandparents. Then each group chooses one or two biographies before they present it to the plenum. During such presentations the moderator writes down the historical events mentioned, drawing a time bar onto a poster. Questions may now be asked and historical connections explained.

Notes:
1. If the grandparents' biographies are not sufficiently known one could also use the parents. However – for the purpose of comparison – all participants should refer to the same generation.
2. Apart from a "European history" column, the time bar on the poster may also provide one column for each person where data can be entered that is known and is of special importance to that particular person. This facilitates the comparison of biographies.

Variation: The exercise may be widened by questioning contemporary witnesses.

Biographies
Nombre de participants : 12–30 • Durée : environ 2 heures
Matériel : affiches, crayons, éventuellement une vue d'ensemble de l'histoire de l'Europe au XX° siècle • Thèmes : faire connaissance

Les participants sont assis tout d'abord dans des groupes nationaux et se racontent mutuellement l'histoire de leurs grands-parents. Puis, chaque groupe se met d'accord sur une ou deux biographies qu'il présente ensuite en plénum. Pendant ces présentations, le coordinateur du jeu note sur une affiche les événements historiques qui sont alors répartis sur une échelle temporelle. Il est possible ensuite de poser des questions pour expliquer les contextes historiques.

Remarques :
1. Dans le cas où les biographies des grands-parents ne seraient pas bien connues, il est possible de se mettre d'accord sur la génération des parents. Mais les participants devraient tous se mettre d'accord sur la même génération afin d'avoir une même base de comparaison.
2. L'échelle temporelle sur l'affiche peut comporter, en plus de la colonne « Histoire de l'Europe », une colonne pour chaque personne présentée ; dans cette colonne figurent les informations connues sur cette personne et qui sont particulièrement importantes. Cela facilite ensuite la comparaison des biographies.

Variante : L'unité peut être élargie en questionnant des témoins de l'époque.

Biografie
Ilość uczestników: 12 do 30 • Czas trwania: ok. 2 godzin
Materiał: plakaty, pisaki, ewent. przegląd historii Europy XXgo wieku • Temat: poznanie się

Grający siedzą najpierw w grupach jednonarodowościowych i opowiadają sobie nawzajem biografie swoich dziadków. Następnie każda grupa wybiera jedną lub dwie biografie, które przedstawia następnie na plenum. Podczas przedstawiania biografii prowadzący grę zapisuje wymienione przez referującego wydarzenia historyczne na plakacie w formie skali czasowej/dziejowej. Na zakończenie można stawiać pytania i wyjaśniać powiązania historyczne.

Wskazówki:
1. Jeśli biografie dziadków nie są wystarczająco znane, można się zgodzić na biografię rodziców. Wszyscy grający muszą się wówczas – w celu zachowania porównywalności – powoływać na tę samą generację.
2. Skala dziejowa na plakacie może przedstawiać obok szpalty „Historia Europy" także szpaltę indywidualną każdego grającego, zawierającą dane znane i szczególnie istotne dla tej osoby. Ułatwia to porównywanie biografii.

Wariant: Jednolitość może być poszerzona poprzez zadawanie pytań świadkom historii.

Italiano

Biografie

Numero di partecipanti: 12–30 • Tempo: ca. 2 ore

Occorrente: tabelloni, matite, event. sguardo sulla storia d'Europa nel 20^ sec.

Argomenti: apprendere

I partecipanti siedono dapprima in gruppi nazionali e si raccontano la biografia dei loro nonni. Poi ogni gruppo sceglie una o due biografie e le presenta a tutti i partecipanti. Durante questa presentazione chi dirige il gioco scrive in una striscia cronologica su un tabellone gli avvenimenti storici menzionati. Successivamente si possono porre domande e spiegare i contesti storici.

Note:
1. Se i partecipanti non conoscono bene la biografie dei nonni si può ripiegare su quella dei genitori. L'importante è che tutti i partecipanti parlino della stessa generazione (questo nell'interesse della raffrontabilità).
2. La striscia cronologica sul tabellone può prevedere vicino alla colonna «storia d'Europa» anche una colonna per ogni persona presentata, nella quale riportare le informazioni note e particolarmente importanti su di essa. Questo facilita il confronto delle biografie.

Variante: Possibile ampliamento con domande ai e alle testimoni del tempo.

Türkye

Biografi

Grubu oluşturanların sayısı: 12–30 • Süre: 2 saat

Malzeme: Plakart, kalem, belki 20. yüzyıl Avrupa tarihi hakkında bilgi • Konu: Tanışma

İlk önce oyuncular nasyonal gruplar halinde hep beraber karşılıklı oturup birbirlerine büyük anne ve babalarının biyografisini anlatırlar. Daha sonra her grup bir veyahut iki biografi seçer ve nihayet bunları toplantıda takdim eder. Oyun idareciliği tarafından bu temsil sırasında anlatılan tarihi olaylar, plakartta zaman geçişi olarak kaydedilir. Sonra da bununla ilgili sorular sorulabilir ve tarihi bağlantılar açıklanabilir.

Not:
1. Şayet büyük anne ve babanın biyografisi bilinmiyorsa, anne ve baba neslinin biyografisi uygulanır. Sadece oyuncular – kıyaslanma yapılabilmesi için – aynı nest'le mutabık kalmaları gerekir.
2. Plakartın üzerindeki zaman geçişi bir „Avrupa tarihi" sütunundan hariç, her taktim edilen kişi, bunun için bilhassa önemli olaylar ve bilinen tarihler kaydedilmesine yarayan ayriyeten bir sütun'a öngörülebilir. Bu biografilerin mukayese edilmesini kolaylaştırır.

Not: Tarihi yaşayan kişilere sorular sorarak bu konu genişletilebilir.

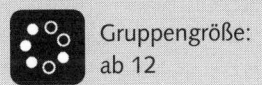 Gruppengröße: ab 12

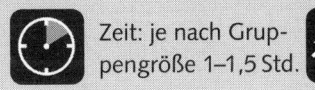 Zeit: je nach Gruppengröße 1–1,5 Std.

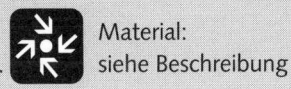 Material: siehe Beschreibung

Gottesbilder

Deutsch

Material: pro TN drei grüne und drei rote Karteikarten (4 × 4 cm), Plakate, Klebematerial, Bibeln in den Sprachen der TN
Themen: Unterschiede und Gemeinsamkeiten entschlüsseln, Werte

Alle TN erhalten je drei rote und grüne Karten und schreiben auf die grüne Karte drei Dinge, die Gott auf jeden Fall in seiner Tasche hat, und auf die rote Karte drei Dinge, die Gott auf keinen Fall in seiner Tasche hat. Es kann sich natürlich auch um symbolische Dinge handeln.
Dann stellen alle TN ihre roten und in einer zweiten Runde ihre grünen Karten vor und kleben sie auf zwei verschiedene Plakate. Um das ‚Bild‘, das die Gruppe sich von Gott macht, noch deutlicher zu machen, können die Karten auf den beiden Plakaten noch nach Themen geordnet werden.

Hinweis: In der Gesamtgruppe sollte über das Ergebnis gesprochen werden: Hat die Gruppe ein gemeinsames Gottesbild, welche Unterschiede und Gemeinsamkeiten gibt es? Bestehen die Unterschiede und Gemeinsamkeiten nur zwischen den kulturellen Gruppen oder gibt es andere Überlappungen und Grenzen? Welche Antworten auf die Eingangsfragen kann man in den biblischen Texten finden? Die Spielleitung sollte einige Zitate aus biblischen Texten ausgewählt haben und am Schluss mit einbringen können.

Varianten:
1. Um einen intensiveren Austausch zu ermöglichen und Sprachhürden zu verringern, können die ersten Phasen auch in Sprachgruppen durchgeführt werden. Dann muss aber ausreichend Zeit sein, um gemeinsam die Ergebnisse zu vergleichen und zu besprechen.
2. Die letzte Frage kann auch – mithilfe von Bibelausgaben in den verschiedenen Sprachen – in der Großgruppe gemeinsam beantwortet werden.

English

Pictures of God
Number of participants: 12 plus
Duration: depending on the number of participants: 1–1.5 hrs.
Material per participant: 3 green and 3 red index cards (4 × 4 cm), posters, adhesive, bibles written in the participants' languages.
Subjects: identifying differences and similarities, values

All participants are given 3 red and 3 green cards each. They are then asked to write down on the green card three things that God would always have in his pockets and on the red card three things that God would never have in his pockets. Such objects can of course be symbolic things.

Then, all participants present their red cards and – in a second round their green cards and stick them onto 2 different posters. In order to make the group's "picture" of god even clearer, cards on the two posters may be arranged by subjects.

Note: The result should be discussed in the entire group: is there a common picture of god within the group, what are the differences and similarities? Do differences and similarities exist just between the cultural groups or are there other overlaps and barriers? What answers to the initial questions can be found in the biblical texts? The moderator should have selected some quotations from biblical texts in order to bring them into the final discussion.

Variations:
1. In order to ensure a more intensive exchange and to reduce language barriers the first phases could also take place in language groups. In that case there must be sufficient time to compare and discuss the results.
2. The last question can also be answered by the entire group as a whole – helped by bibles written in the different languages.

Français

La représentation de Dieu
Nombre de participants : à partir de 12
Durée : selon le nombre de participants 1 heure à 1 heure et demie
Matériel : par participant, 3 fiches vertes et 3 fiches rouges (4 × 4 cm), affiches, matériel à coller, bibles dans les langues des participants
Thèmes : décodage des différences et des points communs, valeurs

Les participants reçoivent chacun 3 fiches vertes et 3 fiches rouges. Sur les fiches vertes, ils inscrivent trois objets que Dieu a en tous cas dans sa poche (1 objet par fiche) ; puis sur les fiches rouges, de la même manière, 3 objets que Dieu n'a en aucun cas dans sa poche. Il peut évidemment s'agir d'objets symboliques.
Tous les participants présentent alors leurs fiches rouges, puis, au second tour, leurs fiches vertes et les collent sur deux affiches différentes. Pour rendre plus claire encore l'image que le groupe se fait de Dieu, les fiches peuvent être classées par thème sur les deux affiches.

Remarque :
Le résultat devrait être commenté dans le groupe entier : Est-ce que le groupe a une image commune de Dieu ? Quelles sont les différences et quels sont les points communs ? Est-ce que les différences et les points communs existent uniquement entre les groupes culturels ou y a-t-il d'autres recoupements et limites ? Quelles réponses aux questions premières peut-on trouver dans les textes bibliques ? Le coordinateur du jeu devrait avoir auparavant fait un choix de citations bibliques pour pouvoir les nommer en conclusion.

Variantes :
1. Pour permettre un échange intensif et limiter les barrières de la langue, les premières étapes pourraient être faites avec des groupes de même langue. Il faut cependant prévoir suffisamment de temps pour comparer et commenter ensemble les résultats.
2. Il est possible de donner des réponses à la dernière question dans le groupe entier, au moyen d'exemplaires de la bible dans les différentes langues.

Wizerunki Boga
Ilość uczestników: od 12
Czas trwania: w zależności od wielkości grupy godzina do półtorej
Materiał: na każdego uczestnika po trzy czerwone i zielone kartki stosowane w kartotece
(4 × 4 cm), plakaty, materiał klejący, Biblia wydana w językach grających
Tematy: rozszyfrowanie różnic i wspólnych cech, wartści

Wszyscy grający otrzymują po 3 czerwone i zielone kartki i zapisują na zielonej kartce 3 rzeczy, które ich zdaniem Bóg ma zawsze przy sobie. Na czerwonej kartce zapisują rzeczy, których Bóg nie ma przy sobie w żadnym wypadku. Mogą to być naturalnie także rzeczy symboliczne. Następnie wszyscy uczestnicy przedstawiają swoje czerwone, a w drugiej rundzie zielone kartki i naklejają je na 2 różne plakaty. W celu jeszcze lepszego uwidocznienia wizerunku Boga, jaki ma dana grupa, można umieścić kartki na obu plakatach tematycznie.

Wskazówka: Wyniki powinny być omówione w całej grupie: czy grupa ma wspólny wizerunek Boga, jakie są różnice i cechy wspólne? Czy różnice i wspólne cechy występują tylko między grupami jednokulturowymi czy też zachodzą one na siebie lub współgraniczą? Jakie odpowiedzi na pytania wstępne można znaleźć w tekstach biblijnych? Prowadzący grę powinien wybrać kilka cytatów z tekstów Biblii i przedstawić je na koniec gry.

Warianty:
1. Aby umożliwić bardziej intensywną wymianę i zmniejszyć barierę językową pierwsze fazy gry mogą przebiegać w językach danych grup. Należy wówczas wkalkulować wystarczającą ilość czasu na wspólne porównanie i omówienie rezultatów.
2. Na ostatnie pytanie można również – przy pomocy Biblii wydanej w różnych językach – odpowiedzieć wspólnie w dużej grupie.

L'immagine di Dio
Numero di partecipanti: da 12 in su
Tempo: 1–1,5 ore a seconda del numero di partecipanti
Occorrente: per ciasc. partecipante 3 cartelle da schedario verdi e 3 rosse (4 × 4 cm), tabelloni, colla, Bibbie nelle lingue dei partecipanti
Argomenti: differenze e comunanze, valori

Ai partecipanti vengono date 3 cartelle rosse e tre verdi: sulla cartella verde essi scriveranno tre cose che Dio senz'altro ha in tasca e su quella rossa tre cose che Dio sicuramente in tasca non ha. Naturalmente possono essere anche cose simboliche.
Poi tutti presentano le loro cartelle rosse e ad un secondo giro quelle verdi e le incollano su 2 diversi tabelloni. Onde rendere ancora più chiaro il «quadro» che il gruppo si fa di Dio, le cartelle si possono sistemare sui due tabelloni in base agli argomenti.

Nota: parlare in gruppo del risultato ottenuto: l'idea di Dio è comune, quali sono le differenze e le comunanze? Differenze e comunanze riguardano solo i diversi gruppi culturali oppure ci sono altre sovrapposizioni e limitazioni? Quali risposte alle domande iniziali si possono trovare nei testi biblici? Chi dirige il gioco avrà precedentemente scelto citazioni da essi e potrà proporle alla fine.

Varianti:
1. Onde permettere un più intenso scambio e ridurre gli ostacoli linguistici, le prime fasi si possono anche gestire per gruppi linguistici, ma dovrà poi essere garantito un tempo sufficiente per confrontare i risultati e parlarne insieme.
2. All'ultima domanda può anche dare una risposta comune tutto il gruppo, con l'ausilio di edizioni della Bibbia nelle varie lingue.

Allahın tasviri
Grubu oluşturanların sayısı: 12 kişiden itibaren • Süre: Grubun büyüklüğüne göre 1–1,5 saat
Malzeme: Her oyuncuya üç yeşil birde üç kırmızı fiş (4 × 4 sm), plakart, yapışkan malzeme ve oyuncuların kendi dilleri ile yazılı İncil
Konu: Ayrı ve ortaklaşa olan yönleri bulup ortaya koyma, değer

Her oyuncuya üç yeşil ve üç kırmızı fiş verilir. Bunlar yeşil fişe Allahın mutlaka cebinde bulundurduğu üç şeyi, kırmızı fişin üstüne Allahın katiyen cebinde bulundurmadığı üç şeyi yazarlar. Bu tabii sembolik şeyler olabilir.
Daha sonra oyuncular kırmızı fişlerini, ikinci devrede de yeşil fişlerini gösteririp iki çeşitli plakartlara yapıştırırlar. Grubun Allah hakkında yaptıkları «tasvir'in» daha açık ortaya çıkması için bu iki plakarttaki fişler konulara göre düzenlenebilir.

Not: Yekün grupta netice hakkında konuşulması gereken konular: Grubun Allah hakkında ortaklaşa gördükleri yönler varmı? Farklı gördükleri ve ortaklaşa gördükleri yönler ne? Farklı veyahut aynı görüşler, sadece kültürel gruplar arasında mı mevcut, yoksa başka üst üste çakışan yönler veyahut sınırlar da varmı? Giriş sorularına İncil met'ninde hangi cevaplar bulunur? Oyun yönetmenliği İncil'den birkaç metin seçmiş olması gerekir ve sonunda bundan faydalanılabilir.

Değişik şekli:
1. Yeğin bir teatide bulunabilmek ve dil zorluğunu eksiltmek için, bu ilk safhada dil gruplarında da uygulanabilir. Fakat bu durumda neticeyi konuşup karşılaştırmak için yeterli vakit olmalıdır.
2. Son soru – çeşitli dillerde İnciller yardımı ile – büyük grupa hep beraber cevaplandırılır.

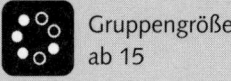 Gruppengröße: ab 15

 1–1,5 Std.

 Material: Plakate, Stifte

Stadtrat

Themen: Geschlechter, Kommunikation, Kooperation, Kulturen entdecken, Unterschiede und Gemeinsamkeiten entschlüsseln, Werte

Die Spielleitung informiert die Gruppe, dass sie jetzt alle zusammen den Stadtrat von „Jugendstadt" bilden. „Jugendstadt" hat eine Erbschaft in Höhe von zehn Millionen Euro erhalten und der Stadtrat muss über die Verwendung dieses Geldes entscheiden. In kulturell homogenen Kleingruppen von fünf oder sechs TN soll für die Verwendung des Geldes jeweils eine Liste mit drei bis fünf Vorschlägen erarbeitet und begründet werden. Die Vorschläge müssen nicht alle die gleiche Menge an Geld erhalten, sondern können unterschiedlich gewichtet sein (z. B. sieben Millionen, zwei Millionen, eine Million). In der Großgruppe werden die Ergebnisse vorgestellt und verglichen.

Hinweise:
1. Mögliche Auswertungsfragen können sein: Welche Vorschläge erhalten die meiste Unterstützung? Welchen „Ressorts" (Bildung, Jugend, Freizeit, Arbeit, Kirche …) kann man diese zu ordnen? Welche Unterschiede und Gemeinsamkeiten in den Listen und Begründungen (!)

können festgestellt werden? Bestehen die Unterschiede und Gemeinsamkeiten nur zwischen den kulturellen Gruppen oder gibt es andere Überlappungen und Grenzen?

2. Je mehr Kleingruppen beteiligt sind, desto strenger sollte die Spielleitung darauf achten, dass die Kleingruppen sich – im Interesse der Vergleichbarkeit der Ergebnisse – wirklich auf eine gemeinsame Liste einigen, evtl. durch Abstimmung. Bei der Frage nach den Unterschieden und Gemeinsamkeiten in den Listen kann dann auch gefragt werden, ob die Listen einstimmig beschlossen wurden.

Variante: Wenn die Gruppenzusammensetzung es ermöglicht, können die Kleingruppen auch nach Geschlechtern getrennt gebildet werden, um auch diesbezügliche Unterschiede und Gemeinsamkeiten herausfinden zu können.

City Council

Number of participants: 15 plus • Duration: 1–1.5 hrs. • Material: posters, pencils • Subjects: sexes, communication, co-operation, discovering cultures, identifying differences and similarities, values

The moderator informs the group that all participants are now members of the city council of "Youth City". "Youth City" has come into an inheritance of 10 million Euros and the city council has to decide how that money should be spent. In small groups made up of 5 to 6 participants coming from one culture a list of 3 to 5 proposals of how the money should be spent should be drawn up and reasons for such proposals should be given. The proposals must not necessarily refer to the same amount of money but can be weighted in different ways (e. g. 7 million, 2 million, 1 million). Results are presented and compared within the entire group.

Notes:

1. Possible evaluation questions could be for example: Which of the proposals are supported most? Which area (education, youth, leisure, work, church ...) can these proposals be allocated to? What differences and similarities can be found on the lists and in the reasons (!)? Do differences and similarities exist just between groups of different culture or are there any other overlaps and barriers?

2. For the purpose of comparison: the more small groups that are involved, the stricter the moderator should be in ensuring that the small groups really reach an agreement on a common list – if necessary by voting. When differences and similarities shown in the lists are discussed the moderator could also ask whether the lists were decided on unanimously.

Variation: If the group's composition allows such a procedure, small groups could also be formed according to sex in order to find out the respective differences and similarities.

Le conseil municipal

Nombre de participants : minimum 15 • Durée : 1 heure à 1 heure et demie
Matériel : affiches, crayons • Thèmes : les deux sexes, communication, coopération, découverte des cultures, décodage des différences et des points communs, valeurs

Le coordinateur du jeu informe les membres du groupe qu'ils forment tous ensemble le conseil municipal de la ville « Jugendstadt ». « Jugendstadt » vient d'hériter de dix millions d'Euros et doit décider comment utiliser cette somme. Dans des petits groupes de culture homogène de 5 ou 6 participants, il s'agit de composer une liste avec 3 à 5 propositions sur l'utilisation de l'argent et d'y apporter les arguments nécessaires. Il n'est pas nécessaire d'accorder le même montant en argent à toutes les propositions ; il est possible de répartir les dépenses en fonction des propositions et de leur importance (par exemple, 7 millions, 2 millions, 1 million). Les résultats seront alors présentés et comparés au sein du grand groupe.

Remarques :
1. Quelques exemples de questions d'évaluation : quelles sont les propositions qui ont obtenu la plus grande approbation ? Dans quelles catégories (éducation, jeunesse, hobbies, travail, église) peut-on les classer ? Quelles différences et quels points communs peut-on constater dans les listes et au niveau des arguments? Est-ce que les différences et les points communs existent uniquement entre les groupes culturels ou y a-t-il d'autres recoupements et limites ?
2. Plus les groupes sont petits et nombreux, plus il est important que le coordinateur du jeu veille à ce que les petits groupes se mettent d'accord sur une liste commune, afin d'avoir une base de comparaison commune, éventuellement par vote. Dans le cadre de la question sur les différences et les points communs dans les listes, on peut poser la question si les listes ont été choisies à l'unanimité.

Variante : Si la composition du groupe le permet, il est possible de former des petits groupes d'après leur sexe, pour réussir à trouver les différences et les points communs à ce niveau.

Rada miejska

Ilość uczestników: od 15 • Czas trwania: godzina do półtorej • Materiał: plakaty, pisaki
Tematy: płciowość, porozumiewanie się, współpraca, okrywania kultur, rozszyfrowywanie różnic i cech wspólnych, wartości

Prowadzący grę informuje grupę, że tworzą teraz wspólnie radę miejską „miasta młodzieży". „Miasto młodzieży" otrzymało spadek w wysokości 10 milionów euro i rada miejska musi rostrzygnąć teraz na co zostaną zużyte te pieniądze. W małych grupach od 5 do 6 grających i jednolitych kulturowo powinna być sporządzona i uzasadniona lista wykorzystania pieniędzy, zawierająca od 3 do 5 propozycji. Propozycje nie muszą dotyczyć tych samych ilości pieniędzy. Mogą być w różny sposób wypośrodkowane. (np. 7 milionów, 2 miliony, 1 milion.). Wyniki zostają przedstawione i porównane w dużej grupie.

Wskazówki:
1. Możliwe pytania analizujące: Jakie propozycje dostały największe poparcie? Do jakich resortów (oświata, młodzież, wolny czas, praca, kościół) można można je zaliczyć? Jakie różnice i cechy wspólne można stwierdzić na podstawie list i uzasadnien(!)? Czy różnice i cechy wspólne istnieją tylko między grupami jednokulturowymi czy też zachodzą one na siebie lub współgraniczą?
2. Im więcej małych grup bierze udział w grze, tym bardziej prowadzący ją musi zwracać ścisłą uwagę na to, żeby małe grupy ustalały rzeczywiście wspólną listę, ewentualnie przez losowanie – w interesie porównywalności wyników. Przy omawianiu kwestii różnic i cech wspólnych sporządzonych list można również wtedy zadać pytanie, czy listy te zostały jednogłośnie postanowione.

Wariant: Jeśli konstelacja grupy na to pozwala, małe grupy mogą być utworzone według płci (grupy żeńskie i męskie) tak, aby można było znaleźć typowe dla obu rodzajów płci różnice i cechy wspólne.

Il consiglio comunale
Numero di partecipanti: da 15 in su • Tempo: 1–1,5 ore • Occorrente: tabelloni, matite
Argomenti: razze, comunicare, collaborare, scoprire culture, differenze e comunanze, valori

Chi dirige il gioco informa il gruppo che adesso tutti insieme si forma il consiglio comunale di «città dei giovani», la quale ha ricevuto un'eredità di 10 milioni di Euro e deve decidere come utilizzarli. In piccoli gruppi culturalmente omogenei di 5 o 6 partecipanti verrà elaborato un elenco contenente da 3 a 5 proposte con relative motivazioni. Non è detto che ad ogni proposta venga assegnata la stessa somma di denaro, che può invece essere ripartito in maniera diversa (p.es. 7 milioni, 2 milioni, 1 milione). I risultati vengono presentati e confrontati nel gruppo allargato.

Note:
1. Domande possibili per l'analisi possono essere: quali sono le proposte che raccolgono il maggior favore? A quali ,settori' (formazione, gioventù, tempo libero, lavoro, chiesa ...) si possono ricondurre? Quali differenze e comunanze si possono riscontrare negli elenchi e nelle motivazioni (!)? Differenze e comunanze riguardano solo i diversi gruppi culturali oppure ci sono altre sovrapposizioni e limitazioni?
2. Quanto maggiore è il numero dei gruppi piccoli coinvolti, tanto più attentamente chi dirige il gioco dovrà controllare, nell'interesse della paragonabilità dei risultati, che venga veramente concordato un elenco comune, magari con una votazione. Per la questione delle differenze e comunanze negli elenchi si può anche chiedere se essi siano stati decisi di comune accordo.

Variante: Se la composizione lo consente, i gruppi piccoli si possono formare anche in base alle razze, onde poter scoprire anche qui differenze e comunanze.

Belediye meclisi
Grubu oluşturanların sayısı: 15 kişiden itibaren • Süre. 1–1,5 saat • Malzeme: Plakart, kalem
Konu: Cinsiyet, komünikasyon, işbirliği, kültürel bilgi edinme, farklılık ve ortak yönleri bulma ve meziyet

Oyun yönetmenliği grupta herkese, hep beraber «Gençler Şehri» nin belediye meclisini kurmaları için bilgi verir. «Gençler Şehri» ne 10 milyon Euro miras kalır, belediye meclisinin bu paranın yönetimi hakkında karar vermesi gerekir. 5 veyahut 6 kişiden oluşan kültürel homojen küçük gruplardan paranın yönetimi hakkında 3 ten 5 e kadar birer teklif listesi hazırlayıp bunun nedenlerini kaydetmeleri gerekir. Bu tekliflerin para meblağı hep aynı miktarda olmasına gerek yok (örneğin 7 milyon, 2 milyon, 1milyon). Netice toplantıda belirtilip kıyaslanır.

Not:
1. Değerlendirmede sorulabilmesi mümkün olan sorular: En çok destek gören teklif hangisi? Bu hangi iş sahalarına (eğitim, gençler, boşvakit, iş, kilise ...) bağlanabilir? Listelerde ve belirtilen sebeblerde (!) ne gibi farklı veyahut ortaklaşa görüşler ortaya çıkar? Farklı veyahut aynı görüşler, sadece kültürel gruplar arasında mı mevcut, yoksa başka üst üste çakışan yönler veyahut sınırlar da varmı?
2. Oyuna ne kadar küçük gruplar katılırsa oyun idareciliğinin o kadar titiz davranarak küçük grupların – neticenin mukayese edilebilmesi için – gerçekten bir listeye mutabık kalmalarına, icab ederse bunun oylama yolu ile yapılmasına dikkat etmesi gerekir. Listlerdeki farklılık ve müşterek sorusuna bu listenin oy birliği ile karara varılıp varılmadığı sorulabilir.

Değişik şekli: şayet grup bileşimleri mümkün kılarsa, küçük gruplar cinsiyetlere göre ayrı ayrı kurulur, bu hususta da farklılık ve müştereklilik ortaya çıkar.

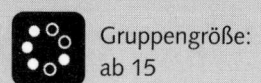 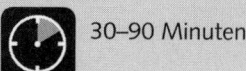
Schattentheater

Deutsch

Themen: Geschlechter, Kooperation, Kulturen entdecken, Sprache, Verständigung

Zwei TN gleicher Kultur begegnen sich und spielen eine ihnen vertraute Situation (Einkauf, Schule, Kino, Straßenbahn ...) der Gruppe vor. Anschließend teilen sie mit, welche Szene sie gespielt haben. Dann erhalten zwei TN aus einer anderen kulturellen Gruppe die Aufgabe den „Schatten" der beiden ersten TN zu bilden, d. h., die beiden ersten TN wiederholen die Spielszene und die beiden anderen TN stehen hinter ihnen und ahmen ihre Gestik, Mimik nach und wiederholen die Worte ihres „Vorbildes". In einem dritten Schritt können die Schatten versuchen die Szene alleine zu spielen. Danach können die Rollen getauscht werden und die bisherigen Schatten beginnen mit einer neuen Szene, in der die bisherigen Vorbilder zu ihren Schatten werden.

Hinweise:
1. Da die Spielidee durch „Vormachen" besser verstanden werden kann als durch rein sprachliche Hinweise, sollten auf jeden Fall mehrere Runden gespielt werden. Am Anfang sollte die Spielleitung Alltagsszenen vorgeben, später können die TN auch selbst gewählte Szenen spielen. Die Spielleitung sollte darauf achten, dass die Kooperation zwischen Vorbild und Schatten im Vordergrund steht, d. h., das gegenseitige Helfen durch langsames Sprechen, Worte wiederholen usw. ist nicht verboten, sondern erlaubt.
2. Das Spiel „Spiegel" kann als Vorübung zu diesem Spiel eingesetzt werden, wobei der Schwierigkeitsgrad der Szenen gesteigert werden kann.

Variante: Anstelle der bisherigen Vorbilder können auch zwei andere TN zu Schatten werden, was die schrittweise Einbeziehung aller TN ermöglicht.

English

Shadow theatre
Number of participants: 15 plus • Duration: 30–90 minutes
Material: none • Subjects: sexes, co-operation, discovering cultures, language, communication

Two participants coming from the same culture meet and perform a familiar situation (shopping, school, cinema, tram ...) in front of the group. Then they tell the others which scene they performed. Now, 2 participants of another cultural group are asked to play the "shadow" of the two first participants, i.e. these two first participants repeat the scene with the other two standing behind them and imitating their gestures and facial expressions and repeating the words of the first two persons. In a third step, the shadows try to play the scene by themselves. Now roles may be interchanged and the former shadows perform a new scene where the former "originals" become their shadows.

Notes:
1. Since the whole game is easier to understand by demonstrating how to play rather than by purely linguistic notes several rounds should be played. In the beginning, the moderator should propose every day situations and at a later stage participants may also perform situations of their own choice. The moderator should make sure that the co-operation between the originals and the shadows is the main focus, i. e. helping each other to speak slowly or repeat words etc. is allowed.
2. The game called "Mirror" may be used as an introductory exercise to this game and the degree of difficulty of the scenes may be increased.

Variation: Instead of the former originals, 2 other participants could become shadows to ensure the gradual involvement of all participants.

Le théâtre des ombres
Nombre de participants : minimum 15 • Durée : 30–90 minutes
Matériel : aucun • Thèmes : les deux sexes, coopération, découverte des cultures, langue, information

Deux participants de même culture se rencontrent et jouent une situation qui leur est familière (achats, école, cinéma, métro) devant le groupe. Ils expliquent alors la scène qu'ils ont jouée. Ensuite, deux participants d'un autre groupe culturel ont pour mission de jouer les ombres des deux premiers participants, c'est-à-dire, les deux premiers participants recommencent la scène qu'ils avaient jouée et les deux autres participants se placent derrière eux, les imitent (gestes, mimiques) et répètent les mots de leurs « modèles ». Dans un troisième temps, les ombres peuvent essayer de jouer seules la scène. Puis, les rôles peuvent être échangés : les ombres jouent une nouvelle scène dans laquelle leurs modèles d'avant sont maintenant leurs ombres.

Remarques :
1. L'idée du jeu étant beaucoup plus compréhensible que des explications orales, il est important de faire plusieurs tours. Au début du jeu, le coordinateur du jeu devrait proposer lui-même des scènes de la vie quotidienne ; plus tard, les participants peuvent jouer des scènes qu'ils ont choisies eux-mêmes. Le coordinateur du jeu devrait veiller à ce que la coopération entre le modèle et l'ombre soit au premier plan, c'est-à-dire, que l'entraide mutuelle : parler lentement, répéter les mots, n'est pas interdite, mais au contraire souhaitée.
2. Le jeu « le miroir » peut servir de préparation à ce jeu, dans lequel la difficulté des scènes à jouer peut augmenter progressivement.

Variante : Au lieu que les modèles deviennent à leur tour des ombres, il est possible de faire jouer les ombres par deux autres participants, permettant ainsi la participation progressive de tous les participants.

Teatr cieni

Ilość uczestników: od 15 • Czas trwania: 30 do 90 minut • Materiał: niepotrzebny
Tematy: płeć, współpraca, odkrywanie kultur, język, porozumienie

Dwóch graczy z tego samego kręgu kulturowego spotyka się i odgrywa przed grupą znaną im sytuację (zakupy, szkoła, kino, tramwaj.). Następnie mówią oni, jaką scenę odegrali. Potem dwóch graczy z innej grupy kulturowej dostaje zadanie odtworzenia „cieni" dwóch pierwszych graczy, tzn. pierwsi dwaj gracze odgrywają powtórnie swoją scenę, a dwóch następnych graczy stoi za nimi i naśladuje ich gestykulację, mimikę i powtarza słowa swojego „prototypu". W trzecim podejściu cienie próbują odgrywać tę scenę same. Potem można zamienić role tak, że dotychczasowe cienie zaczynają odgrywać nową scenę, w której dotychczasowe prototypy grają rolę cieni.

Wskazówki:
1. Ponieważ zasadę gry można lepiej zrozumieć przez pokazywanie niż przez wskazówki czysto językowe, powinno być odgrywane w każdym przypadku po kilka rund. Na początku sceny z dnia powszedniego powinien poddawać grającym prowadzący grę, potem grający mogą odtwarzać także sceny wybrane przez samych siebie. Prowadzący grę powinien zwracać uwagę na to, aby współpraca między prototypami a cieniami wysuwała się na piewszy plan, tzn. wzajemna pomoc przez mówienie w wolnym tempie, powtarzanie słów itp. nie jest zabronione, ale dozwolone.
2. Gra „Lustro" może być zastosowana jako ćwiczenie wstępne do tej gry, jednak stopień trudności scen powinien być wyższy.

Wariant: Zamiast dotychczasowych prototypów mugą zostać cieniami także dwaj inni grający, co umożliwi stopniowe uczestnictwo w grze wszystkich graczy.

Il teatro delle ombre

Numero di partecipanti: da 15 in su • Tempo: 30–90 minuti • Occorrente: nulla
Argomenti: razze, collaborare, scoprire culture, il linguaggio, concertare

Due partecipanti della stessa cultura s'incontrano, recitano davanti al gruppo una situazione che gli sia familiare (lo shopping, la scuola, al cinema, in tram) e dicono poi che scena hanno rappresentato. Dopodiché 2 partecipanti di un altro gruppo culturale devono fare le «ombre» dei primi due, vale a dire che i primi ripetono la scena e gli altri due stanno loro dietro, ne imitano gesti e mimica e ripetono le parole dei loro «modelli». In una terza fase le ombre possono cercare di rappresentare da soli la scena. Poi si possono invertire i ruoli e quelli che fino adesso hanno fatto le ombre recitano una nuova scena, mentre quelli che hanno fatto i modelli diventano invece a loro volta ombre.

Note:
1. Dato che l'idea del gioco si capisce meglio se fisicamente rappresentata che non se semplicemente spiegata a parole, sarà bene fare comunque vari giri. All'inizio chi dirige il gioco dovrà far rappresentare scene della vita quotidiana, poi i partecipanti potranno scegliere loro che scene recitare. Chi dirige il gioco deve controllare che la collaborazione fra i modelli e le ombre sia sempre in primo piano, nel senso che l'aiuto reciproco fornito parlando lentamente, ripetendo le parole ecc. non è assolutamente vietato, bensl permesso.
2. Il gioco «lo specchio» può servire da esercizio preliminare a questo gioco, con possibilità di aumentare il grado di difficoltà.

Variante: In luogo dei modelli che hanno agito finora, anche altri 2 partecipanti possono diventare ombre, consentendo cosl il graduale coinvolgimento di tutti i partecipanti.

Gölge oyunu
Grubu oluşturanların sayısı: 15 kişiden itibaren • Süre: 30–90 dakika • Malzeme: Gerekmez
Konu: Cinsiyet, işbirliği, kültürel bilgiler edinme, dil ve anlaşma

Oyunculardan aynı kültürel yörelerden gelen iki kişi karşılaşır ve gruba günlük hayatlarındaki bir durumu (alışveriş, sinema ziyareti, tramvay ...) oynarlar. Daha sonra hangi senaryoyu oynadıklarını belirtirler. Başka kültürel yöreden gelen iki kişiye, önceki iki oyuncunun «gölgeleri» olmaları vazifesi verilir. Yani önceki iki oyuncu senaryoyu tekrarlarlar, diğer iki oyuncu onların arkasında durup bunların jestik ve mimik hareketlerini taklit edip «modellerinin» konuştuklarını tekrarlarlar. Üçüncü bir safhada gölgeler senaryoyu yalnız oynamaya çalışır. Daha sonra roller değiştirilebilir, şimdiye kadar gölge olanlar yeni bir senaryo ile başlarlar, model olanlar onların gölgesi olur.

Not:
1. Bu oyun gösterme usulü ile izah etmeden daha iyi anlaşıldığı için, mutlaka birkaç defa oynanması gerekir. Oyuna başlarken yönetmenlik günlük hayatta canlandırılabilen bir senaryo belirtmeli, daha sonra oyuncular kendi seçtikleri senaryoyu oynayabilirler. Oyun yönetmenliği, model ile gölgenin arasındaki işbirliğinin önplanda olmasını dikkati nazara almalı yani yavaş yavaş konuşarak, oyuncuların birbirlerine yardımda bulunmaları, kelimeleri tekrarlamaları v. b. durumlar yasaklanmamalı ve bihassa müsaade edilmeli.
2. Ön alıştırma olarak «Ayna» oyunu oynanabilir, bu sürede senaryo da zorlaştırılabilir.

Değişik şekli: Önceki model yerine başka iki oyuncu gölge olup böylece adım adım diğer bütün oyuncuların da oyuna katılması sağlanabilir.

 Gruppengröße: ab 12   30–90 Minuten   Material: keines

Spiegel

Themen: Geschlechter, Kooperation, Kulturen entdecken, Sprache, Verständigung

Ein TN spielt vor der Gesamtgruppe eine Szene aus seinem Alltag: Morgentoilette, Schule, Arbeit, Freizeit ... und beschreibt die Tätigkeit in der eigenen Sprache: Ich stehe auf, ich gehe ins Bad usw. Eine Person aus einer anderen Gruppe stellt sich der ersten Person gegenüber und spiegelt deren Bewegungen, indem sie sie möglichst synchron und seitenverkehrt nachahmt. Außerdem wiederholt sie das Gesagte.

Hinweis: Die Spielleitung sollte darauf achten, dass Situationen des Nicht- oder Missverstehens des Verhaltens der jeweiligen ersten vormachenden Person kurz erläutert werden, da hier unterschiedliche Gepflogenheiten und Verhaltensweisen der beteiligten Kulturen aufscheinen können. Am Anfang sollte die Spielleitung Alltagsszenen vorgeben, später können die TN auch selbst gewählte Szenen spielen. Die Spielleitung sollte darauf achten, dass die Kooperation zwischen Vorbild und Spiegel im Vordergrund steht, d. h., das gegenseitige Helfen durch langsames Sprechen, Worte wiederholen usw. ist nicht verboten, sondern erlaubt.

Das Spiel „Schattentheater" kann gut als Fortsetzung dieses Spiels eingesetzt werden.

Variante: Der Spiegel kann das Gesagte in der eigenen Sprache wiederholen, und die erste Person kann in einer Fremdsprache sprechen. Außerdem können manche Szenen (z. B. Morgentoilette) auch nacheinander von einer Frau und einem Mann vorgespielt werden, wodurch geschlechtsspezifische Unterschiede mit in den Blick genommen werden können.

Mirror

Number of participants: 12 plus • Duration: 30–90 minutes
Material: none • Subjects: sexes, co-operation, discovering cultures, language, communication

One participant performs a situation of his daily life in front of the entire group: washing himself/herself in the morning, school, job, leisure time etc. and describes the activity in his/her own language: I get up, go to the bathroom etc. A person from another group positions himself/herself in front of the first person reflecting the first person's movements imitating the first person synchronously and as a reversed image, as far as possible. He/she also repeats what the first person has said.

Note: The moderator should make sure that the re-enacted situations which are not understood or which are misunderstood are briefly explained since the different cultural customs or behaviours involved might shine through. In the beginning the moderator should decide which everyday situation to play; later, participants may play situations chosen by themselves. The moderator should make sure that the co-operation between the originals and the shadows is the main focus, i. e. helping each other to speak slowly or repeat words etc. is allowed.
The "Shadow theatre" game is a suitable continuation of this game.

Variation: The mirror may repeat what has been said in his/her own language while the first person speaks in a foreign language. Also some situations (e. g. washing in the morning) could be played by a woman and a man one after the other thus allowing to have a look at gender-specific differences.

Le miroir
Nombre de participants : minimum 12 • Durée : 30–90 minutes • Matériel : aucun
Thèmes : les deux sexes, coopération, découverte des cultures, langue, information

Un participant joue devant le groupe entier une scène de la vie quotidienne : la toilette du matin, l'école, le travail, les hobbies, etc. et décrit son activité dans sa propre langue : je me lève, je vais dans la salle de bain, etc. Une personne d'un autre groupe se met face à la personne et reflète les mouvements. Elle refait exactement les mêmes gestes d'une manière la plus synchronisée possible et à l'envers comme dans un miroir. Elle répète en plus ce qui est dit.

Remarque : Le coordinateur du jeu devrait veiller à ce que, du fait des habitudes et des comportements différents des diverses cultures participantes, certaines situations, qui risqueraient de provoquer l'incompréhension ou la mauvaise compréhension du comportement de l'acteur modèle, soient expliquées brièvement. Au début du jeu, le coordinateur du jeu devrait proposer lui-même des scènes de la vie quotidienne ; plus tard, les participants peuvent jouer des scènes qu'ils ont choisies eux-mêmes. Le coordinateur du jeu devrait veiller à ce que la coopération entre le modèle et le miroir soit au premier plan, c'est-à-dire, que l'entraide mutuelle : parler lentement, répéter les mots, n'est pas interdite, mais au contraire souhaitée.
Le jeu « le théâtre des ombres » peut constituer la suite idéale de ce jeu.

Variante : Le miroir peut répéter ce qui a été dit dans sa langue maternelle et la première personne peut parler dans une langue étrangère. De plus, certaines scènes (par exemple, la toilette du matin) peuvent être jouées successivement par une femme et par un homme, les différences spécifiques aux sexes devraient alors être prises en considération.

Lustro
Ilość uczestników: od 12 • Czas trwania: 30 do 90 minut • Materiał: niepotrzebny
Tematy: płeć, współpraca, odkrywanie kultur, język, zrozumienie

Jeden gracz odgrywa przed całą grupą jakąś scenę z dnia powszedniego: poranna toaleta, szkoła, praca, czas wolny ... i opisuje czynności swoim własnym językiem: wstaję, idę do łazienki itd. Osoba z innej grupy ustawia się naprzeciwko osoby grającej i odtwarza jej ruchy jakby w lustrzanym odbiciu, naśladując je możliwie synchronicznie i z odwrotnej strony. Oprócz tego powtarza wypowiadane kwestie.

Wskazówka: Kierujący grą powinien zwracać uwagę na to, aby sytuacje niezrozumienia lub złej interpretacji zachowania osoby pokazującej zostały każdorazowo krótko objaśnione, ponieważ mogą się tu ujawnić różne zwyczaje i sposoby zachowania typowe dla współuczestniczących przedstawicieli kultur/cywilizacji. Na początku sceny z dnia powszedniego powinien proponować grającym prowadzący grę, potem gracze mogą odtwarzać także sceny wybrane przez samych siebie. Prowadzący grę powinien zwracać uwagę na to, aby współpraca między pokazującym a jego lustrzanym odbiciem wysuwała się na pierwszy plan, tzn. wzajemna pomoc przez mówienie w wolym tempie, powtarzanie słów itp. nie było zabronione, ale dozwolone.
Gra „Teatr cieni" może być zastosowana jako kontynuacja tej gry.

Wariant: „Lustro" może powtarzać wypowiedziane słowa czy zdania w swoim własnym języku, a osoba przedstawiająca może mówić w swoim własnym, obcym dla powtarzającego. Oprócz tego niektóre sceny (np. poranna toaleta) mogą być przedstawiane kolejno przez kobietę i mężczyznę, przez co mogą się uwidocznić różnice dla obu płci.

Lo specchio

Numero di partecipanti: da 12 in su • Tempo: 30–90 minuti • Occorrente: nulla
Argomenti: razze, collaborare, scoprire culture, il linguaggio, concertare

Un partecipante recita davanti al gruppo una situazione della sua vita quotidiana: la pulizia del mattino, la scuola, il lavoro, il tempo libero … e descrive queste attività nella sua lingua: mi alzo, vado in bagno, ecc. Una persona di un altro gruppo si mette davanti alla prima e ne riflette i movimenti cercando di imitarla il più sincronicamente possibile ma all'inverso, ripetendo anche quello che la prima persona dice.

Nota: Chi dirige il gioco dovrà aver cura di spiegare brevemente incomprensioni o equivoci derivanti dal comportamento della prima persona che presenta la sua recita, dato che in queste situazioni possono manifestarsi abitudini e comportamenti diversi da cultura a cultura. All'inizio chi dirige il gioco dovrà far rappresentare scene della vita quotidiana, poi i partecipanti potranno scegliere loro che scene recitare. Chi dirige il gioco deve controllare che la collaborazione fra i modelli e lo specchio sia sempre in primo piano, nel senso che l'aiuto fornito parlando lentamente, ripetendo le parole ecc. non è assolutamente vietato, bensl permesso.
Il gioco «il teatro delle ombre» può essere un ottimo proseguimento di questo gioco qui.

Variante: Lo specchio può ripetere nella propria lingua ciò che viene detto e la prima persona può parlare in una lingua straniera. Inoltre alcune scene (p. es. la pulizia del mattino) possono essere rappresentate in sequenza da un uomo e una donna, il che permette di cogliere differenze fra i due sessi.

Ayna

Grubu oluşturanların sayısı: 12 kişiden itibaren • Süre: 30–90 dakika • Malzeme: Gerekmez
Konu: Cinsiyet, işbirliği, kültürel bilgiler edinme, dil ve anlaşma

Bir oyuncu yekün grubun önünde günlük hayatından bir senaryo oynar: Sabah süslenmesi, okul, iş, boşvakit … gibi. Aynı zamanda yaptığı hareketleri kendi dilinde izah eder: Kalkıyorum, banyoya gidiyorum v. b. Başka gruptan birisi kalkıp bu ilk oyuncunun karşısına geçer ve bunun hareketlerini mümkün olduğu kadar senkron ve ters yönden taklit yaparak yansıtır. Ayrıyeten söylenenleri tekrarlar.

Not: Yönetmenlik her ilk model olarak oynayan kişinin tutumunun anlaşılamıyacağını veyahut yanlış anlaşılabileceğini kısa bir şekilde izah etmesi gerekir. Zira burada çeşitli kültürel yörelerden gelip katılanların değişik adet ve davranışları ortaya çıkabilir. Oyun başlarken yönetmenlik günlük olaylardan bir senaryo belirtir, daha sonra oyuncular oynuyacakları senaryoyu kendileri seçer. Oyun yönetmenliği model ile ayna arasındaki işbirliğinin önplana alınmasını dikkati nazara alıp, yani karşılıklı yavaş yavaş konuşarak birbirlerine yardım etmeleri, kelimeleri tekrarlamalarını ister v. b. durumlar yasaklanmayıp bilhassa müsaade edilir. «Gölge» oyunu bu oyunun devamı olarak buna eklenebilir.

Değişik şekli: Ayna söylenen sözleri kendi dilinde tekrarlıyabilir ve ilk oyuncu yabancıdil'de konuşabilir. Ayrıca bazı senaryolar (örneğin: sabah tuvaleti) sıra ile arka arkaya bir erkek bir kadın tarafından oynanabilir ve böylece cinsel farklılık gözetlenebilir.

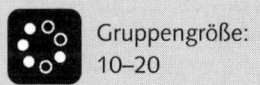 Gruppengröße: 10–20  1–2 Std.  Material: keines

Drei Freiwillige

Deutsch

Themen: Diskriminierung, Perspektivenwechsel, Vorbereitung

Die Spielleitung bittet drei Freiwillige aus der Gruppe den Raum zu verlassen. Sie bekommen keine weiteren Informationen. Nachdem die drei Freiwilligen den Raum verlassen haben, verständigt sich die Gruppe auf ein gemeinsames Thema, das sich für eine Pro & Contra-Diskussion eignet. Aus Gründen der Zeitersparnis kann die Spielleitung auch ein beliebiges kontroverses Diskussionsthema vorgeben. Anschließend verständigt sich die Gruppe auf drei Schlüsselbegriffe, die beim ausgewählten Thema von zentraler Bedeutung sind, und ersetzt diese durch andere Begriffe. Die Gruppe setzt sich daraufhin in einen Stuhlkreis. Sie beginnt über das Thema zu diskutieren und verwendet dabei die verschlüsselte Sprache. Wenn sich eine Person aus der Gruppe verspricht und den originären Begriff verwendet, weisen die anderen TN auf den Fehler hin, indem sie eine gemeinsame Geste oder Mimik verwenden, auf die sie sich zuvor verständigt haben (z.B., gemeinsames Gähnen oder Nasereiben).
Die Spielleitung fordert nun nach und nach die drei Freiwilligen auf, in den Raum zu kommen und sich in die Gruppe zu integrieren. Nach ca. 20 Minuten wird der Spielteil beendet und mit der Auswertung begonnen.

Hinweise:
1. In der Auswertung erhalten die drei Freiwilligen zunächst die Gelegenheit zu berichten, ob sie verstanden haben, über welches Thema in der Gruppe diskutiert worden ist. Anschließend berichten sie über ihre Eindrücke und Empfindungen, wie sie die Situation des Ausgeschlossenseins und das Verhalten der Gruppe erlebt haben. Daraufhin wird die gesamte Gruppe gebeten, ihr Verhalten zu reflektieren. Die Spielleitung weist zudem darauf hin, dass es bei dieser Übung keine Regel gegeben hat, wonach die Mehrheitsgruppe die verschlüsselten Codes den Freiwilligen nicht hätte verraten dürfen.
2. Die Übung fördert die Sensibilisierung für Ausschluss- und Diskriminierungserfahrungen von Minderheiten und eignet sich daher vor allem zur Vorbereitung von monokulturellen Gruppen, sich mit dem Verhältnis von Mehrheit und Minderheit inhaltlich auseinander zu setzen. Bei dem Spiel können heftige Reaktionen und intensive gruppendynamische Prozesse ausgelöst werden
3. Bei der Themenwahl sollte die Spielleitung darauf achten, dass keine Themen ausgewählt werden, die die einzelnen Gruppenmitglieder direkt persönlich betreffen. Außerdem sollte die Spielleitung das Gebot

der Freiwilligkeit strikt einhalten und Personen nicht eigenmächtig benennen.

4. Diese Übung schließt an die Übung „Sesam öffne dich" an.

Varianten:

1. Die Spielleitung kann zunächst eine Person und nach fünf Minuten die beiden anderen Freiwilligen zusammen hereinholen. Falls die Spielleitung keiner Person aus dem Kreis der Freiwilligen zumuten will sich der Mehrheit alleine zu stellen, können auch alle drei Freiwilligen gleichzeitig hereingebeten werden.

2. Die Freiwilligen werden lediglich gebeten in den Gruppenraum zu kommen. Sie erhalten keine weiteren Anweisungen und können völlig frei entscheiden, wie sie sich verhalten wollen. Dadurch lässt sich die Spielsituation etwas entschärfen. Dies ist dann angeraten, wenn sich die Mehrheitsgruppe sehr stark ausgrenzend verhält.

Three volunteers

Number of participants: 10–20 • Duration: 1–2 hrs. • Material: none
Subjects: Discrimination, change of perspectives, preparation

The moderator asks three volunteers from the group to leave the room. These three persons do not receive any further information. After the three volunteers have left the room, the group agrees on a common subject which is suitable to a pros and cons discussion. In order to save time the moderator could propose a controversial subject for discussion as he/she sees fit. Then the group agrees on three key terms which are essential to the subject selected and replaces them with other terms. The group members now sit on chairs in a circle. They start to discuss the subject using the coded language. If a person from the group slips up using the original term, the other participants indicate that error using a common gesture or facial expression they have previously agreed on (e. g. yawning at the same time or rubbing one's nose).

The moderator now asks the volunteers one after the other to come into the room and to join the group. After approx. 20 minutes this part of the game is finished and evaluation starts.

Notes:

1. For the purpose of the evaluation the three volunteers are given the opportunity to report on whether or not they have understood what the subject of the group's discussion was. Then they talk about their impressions and emotions and what they felt like in that situation of being excluded and how they experienced the behaviour of the group. Now the entire group is asked to reflect on their behaviour. The moderator also points out the fact that there was no rule in this game whereby the majority group was not allowed to reveal the codes to the volunteers.

2. This exercise increases the awareness in connection with minorities' experiences of being excluded and discriminated against and is therefore particularly suited to the preparation of monocultural groups discussing the relationship between majority and minority. During the game, severe reactions and processes involving group dynamics may arise.
3. When selecting subjects the moderator should make sure that no subjects are chosen that directly concern single group members. Also the moderator should strictly follow the rule not to appoint persons but to play with volunteers.
4. This game follows the "Open sesame" game.

Variations:
1. The moderator may initially ask one person and after five minutes the remaining two volunteers to come in. If the moderator does not want one of the volunteers to confront the majority alone he/she may also ask all three volunteers to come in at the same time.
2. The volunteers are only asked to come into the group room. They do not get any further instructions and are completely free to decide how to behave. This serves to defuse the situation where the majority group behaves in a way which strongly excludes the voluteers.

Trois volontaires
Nombre de participants : 10–20 • Durée : 1–2 heures • Matériel : aucun
Thèmes : discrimination, changement de perspectives, préparation

Le coordinateur du jeu demande à trois volontaires de quitter la pièce. On ne leur donne aucune information. Une fois que les trois volontaires ont quitté la pièce, le groupe se met d'accord sur un thème commun idéal pour une discussion « pour et contre ». Pour gagner du temps, le coordinateur du jeu peut proposer lui-même un thème à controverses. Le groupe se met alors d'accord sur trois mots-clé de grande importance pour le thème choisi et les remplace par d'autres termes. Le groupe s'assoit alors en cercle. Il commence à discuter sur le thème choisi et utilise à l'occasion le langage codé. Si une des personnes du groupe se trompe et utilise le mot d'origine, les autres participants le lui font remarquer en utilisant ensemble un geste ou une mimique qu'ils avaient convenu auparavant (par exemple, bailler ou se gratter le nez tous ensemble). Le coordinateur du jeu invite alors les volontaires (l'un après l'autre) à revenir dans la pièce et à s'intégrer au groupe. Environ 20 minutes plus tard, le jeu est terminé et l'évaluation commence.

Remarques :
1. Dans l'évaluation, les trois volontaires ont la possibilité de raconter s'ils ont compris le sujet de la discussion dans le groupe. Ensuite, ils font part de leurs impressions et sensations, comment ils ont ressenti le fait d'être exclus et le comportement du groupe. A la suite de cela, c'est au tour du groupe de réfléchir sur son comportement. Le coordinateur du jeu fait constater que dans ce jeu, il n'y avait pas de règle interdisant au groupe de communiquer les mots codés aux volontaires.
2. Cet exercice favorise la sensibilisation des participants aux expériences d'exclusion et de discrimination de minorités. Il est de ce fait prédestiné à la préparation de groupes monoculturels qui se penchent sur les problèmes de rapports entre les minorités et les majorités. Ce jeu peut provoquer des réactions fortes et des processus intensifs de dynamique de groupe.

3. Lors du choix des thèmes, le coordinateur du jeu devrait veiller à ce qu'aucun thème des thèmes choisis ne risque de toucher directement l'un ou l'autre membre du groupe. Le coordinateur du jeu doit, en outre, respecter scrupuleusement l'impératif du volontariat et ne nommer personne.
4. Cet exercice succède à l'exercice « Sésame, ouvre-toi ».

Variantes :
1. Le coordinateur du jeu peut tout d'abord demander à un volontaire de rentrer, puis cinq minutes plus tard, il invite les deux autres volontaires à rentrer. Dans le cas où le coordinateur du jeu ne souhaiterait imposer à aucun des volontaires de se retrouver seul devant le groupe entier, les trois volontaires peuvent être invités à revenir ensemble.
2. Les volontaires sont simplement invités à revenir dans la pièce. Ils ne reçoivent aucune instruction et sont tout à fait libres de décider eux-mêmes de la façon dont ils vont se comporter. De cette manière, la situation est légèrement désamorcée. Cette alternative est à recommander dans le cas où le groupe semblerait avoir une tendance à l'exclusion.

Polski

Trzech ochotników
Ilość uczestników: 10 do 20 • Czas trwania: 1 do 2 godzin • Materiał: niepotrzebny
Tematy: dyskryminacja, zmiana perspektyw, przygotowanie

Prowadzący grę prosi trzech grających o dobrowolne opuszczenie sali. Nie dostają oni żadnych informacji. Po opuszczeniu sali przez trzech ochotników grupa uzgadnia jeden wspólny temat, nadający się na dyskusję „pro & kontra". Żeby skrócić czas przygotowania, prowadzący może poddać dowolny temat wywołujący kontrowersje. Następnie grupa uzgadnia trzy pojęcia kluczowe, które w wybranym temacie mają znaczenie centralne i zastępuje je innymi pojęciami. Następnie grupa siada na krzesłach ustawionych w kręgu i zaczyna dyskusję na ten temat używając zaszyfrowanego języka. Jeśli ktoś z grupy pomyli się i użyje pojęcia oryginalnego, inni grający wskazują na ten błąd, używając wspólnie uzgodnionego przed tym gestu lub grymasu twarzy (np. wspólne ziewanie lub pocieranie nosa).
Prowadzący grę wzywa kolejno trzech ochotników do powrotu do sali i zintegrowania się w grupie. Po upływie ca. 20 minut ta część gry jest zakonczona i zaczyna się jej analiza.

Wskazówki:
1. Podczas analizy trzech ochotników ma najpierw okazję zreferowania, czy zrozumieli, na jaki temat toczyła się dyskusja w grupie. Następnie opowiadają o swoich wrażeniach i uczuciach na temat sytuacji osoby wykluczonej przez grupę i zachowania grupy. Następnie cała grupa proszona jest o przemyślenie swojego zachowania. Prowadzący grę zwraca oprócz tego uwagę na fakt, że w tej grze nie było zakazu zdradzenia ochotnikom zakodowanych pojęć przez grupę.
2. Gra ta wspomaga uwrażliwienie na doświadczenia wykluczenia i dyskryminacji mniejszości narodowych/kulturowych i nadaje się przede wszystkim do przygotowania w grupach jednokulturowych, aby wyjaśnić treściowo układ pomiędzy większością a mniejszością. Podczas gry może dojść do gwałtownych reakcji i intensywnych procesów w dynamice grupy.
3. Przy wyborze tematów kierujący grą powinien zwrócić uwagę na to, aby tematy były tak dobierane, żeby żaden z uczestników gry nie czuł się osobiście dotknięty. Oprócz tego prowadzący grę powinien przestrzegać ściśle zasady dobrowolności i nie delegować żadnych osób samowolnie.
4. Gra ta jest kontynuacją gry „Sezamie otwórz się".

Warianty:
1. Kierujący grę może zawezwać z powrotem najpierw jednego ochotnika, a po 5 minutach dwóch pozostałych na raz. Jeśli prowadzący grę nie chce, aby żaden z członków mniejszości stawiał samotnie czoła grupie, można wezwać do powrotu trzech ochotników równocześnie.
2. Ochotnicy są tylko proszeni o powrót na salę. Nie dostają żadnych dalszych wskazówek i mogą całkowicie dobrowolnie rozstrzygać, jak się będą zachowywać. Przez to napięcie podczas gry zostaje trochę rozładowane. Ten wariant zalecany jest zwłaszcza w przypadku, jeśli zachowanie grupy jest wyjątkowo odpychające.

Tre volontari
Numero di partecipanti: 10–20 • Tempo: 1–2 ore • Occorrente: nulla
Argomenti: discriminare, cambiare prospettiva, predisporre

Chi dirige il gioco chiede a tre volontari del gruppo di uscire dalla stanza, senza dar loro ulteriori informazioni. Poi il gruppo concorda un argomento comune suscettibile di esprimere pareri favorevoli e contrari. Per risparmiare tempo chi dirige il gioco può anche stabilire un argomento controverso che vada per la maggiore. Successivamente il gruppo concorda tre concetti-chiave che rivestano un'importanza centrale per l'argomento scelto. Dopodiché ci si siede in cerchio e s'inizia a discutere sull'argomento scelto utilizzando il linguaggio cifrato. Se qualcuno sbaglia e usa l'argomento originario, gli altri – con un gesto o una mimica comune precedentemente concordati (p. es. sbadigliando o grattandosi il naso tutt'insieme) – gli segnalano l'errore commesso.
Chi dirige il gioco adesso chiede ai tre volontari di entrare uno ad uno nella stanza ed unirsi al gruppo. Dopo ca. 20 minuti finisce il gioco e s'inizia l'analisi.

Note:
1. Nell'analisi i tre volontari hanno l'opportunità di dire se hanno capito di che argomento ha discusso il gruppo. Successivamente raccontano le loro impressioni e sensazioni e spiegano come hanno vissuto la situazione d'esclusione e il comportamento del gruppo. Dopodiché si chiede a tutto il gruppo di riprodurre il loro comportamento. Chi dirige il gioco avverte inoltre che in questo gioco non c'erano regole che sancissero per il gruppo di maggioranza il divieto di rivelare ai volontari i codici cifrati.
2. L'esercizio stimola la sensibilizzazione sulle esperienze di esclusione e discriminazione delle minoranze ed è adatto quindi soprattutto per preparare gruppi monoculturali a gestire i rapporti fra maggioranze e minoranze. Il gioco può scatenare forti reazioni e intensi processi di dinamica di gruppo.
3. Chi dirige il gioco dovrà aver cura di non scegliere argomenti che tocchino in maniera diretta e personale i singoli membri del gruppo e rispettare rigorosamente la natura volontaria dell'esercizio, evitando quindi di scegliere chi deve parteciparvi.
4. Quest'esercizio si raccorda a quello di ‹Apriti, Sesamo!›

Varianti:
1. Chi dirige il gioco può dapprima far intervenire un volontario e dopo cinque minuti gli altri due insieme. Se non si vuole forzare nessuno a porsi da solo di fronte agli altri, si possono far intervenire tutti e tre insieme.
2. Ai volontari si chiede solamente di entrare nella stanza dove c'è il gruppo, senza dar loro ulteriori istruzioni: essi possono quindi decidere in assoluta libertà come comportarsi. Questo contribuisce a sdrammatizzare un po' la situazione, cosa consigliabile se la maggioranza risulta molto emarginata.

Üç gönüllü
Grubu oluşturanların sayısı: 10–20 • Süre: 1–2 saat • Malzeme: Gerekmez
Konu: Diskriminasyon, değişik perspektifte görüş ve hazırlık

Yönetmenlik üç gönüllü oyuncunun odadan çıkmasını teklif eder. Bunlara başka bilgi verilmez. Üç gönüllü odayı terkettikten sonra, grup müştereken «pro&contra»-tartışması için uygun bir konu seçerler. Zamanı kısaltmak için yönetmenlik herhangi bir tartışılacak konu verebilir. Daha sonra grup seçilmiş konudan bilhassa önemli olan üç terim hakkında anlaşır ve bunların yerine başka ifade kullanmayı kararlaştırır. Grup sandalyelerde oturarak bir daire olur. Bunlar konu ile ilgili tartışmaya başlarlar. Tartışmada şifreli ifadeler kullanılır. Eğer gruptan birisi yanlışlıkla orijinal anlamı kullanırsa, oyuncular daha önce anlaştıkları jestik ve mimik hareketleri ile oyuncunun hatasını belirtmek için dikkatini çekerler (örneğin: hep beraber esnemek, burun ovmak). Yöneticilik yavaş yavaş üç gönüllüyü içeri çağırıp gruba integre olmalrını talep eder. Takriben 20 dakika sonra oyun biter ve değerlendirme başlar.

Not:
1. Değerlendirmenin başlangıcında üç gönüllüye söz hakkı vererek bu grupta hangi konu hakkında tartışıldığını anlayıp anlamadıkları sorulur. Daha sonra bunlar grubun bunlarda

bıraktığı intibayı, dışlanma durumu ve grubun bunlara karşı tutumu hakında kendilerini nasıl hissettiklerini anlatırlar. Bunun üzerine bütün gruptan tutumlarını yansıtmaları istenir. Ayrıyeten, oyun yönetmenliği kaideye göre gönüllülere şifrelerin grup tarafından açıklanması yasak olmadığını vurgular.

2. Bu alıştırma, azınlığı hariç kılma ve diskriminasyon tecrübelerine karşı duygu ve hassasiyetleri geliştirir ve monokültürel grupları azınlık ve çoğunluk konuları hakkında esaslı bir şekilde hazırlamaya yarar. Bu oyun çok şiddetli tepkilere ve gruptan oluşan mekanizmalara yol açabilir.

3. Yöneticilik konu seçerken, gruptakilerden doğrudan doğruya şahsen biriyle ilgili konuları seçmemesine dikkat etmesi gerekir. Ayrıca yönetmenlik gönüllülüğü titizlikle dikkati nazara alması gerekir ve kendiliğinden kimseyi seçip tayin etmemeli.

4. Bu alıştırma «Açıl susam açıl» oyununa eklenir.

Değişik şekli:
1. Oyun idareciliği ilkönce gönüllülerden birini, beş dakika sonra diğer ikisini içeri alabilir. Eğer oyun yönetmenliği gönüllülerden birinin çoğunluğun içine tek başına gelmesinde sakınca görürse gönüllülerin hepsini birden içeri alabilir.

2. Gönüllülerin sadece grup odasına gelmeleri rica olunur. Bunlara başka görev verilmez ve bunlar istedikleri gibi davranırlar. Bu durumun sakinleşmesine yol açar. Bu ancak çoğunluk grubun kendini şiddetli bir şekilde sınırlaması halinde tavsiye olunur.

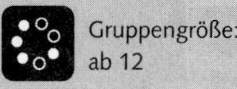 Gruppengröße: ab 12   1,5–2 Std.   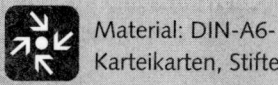 Material: DIN-A6-Karteikarten, Stifte

Heimat – Nation – Familie

Deutsch

Themen: Stereotypen, Verständigung, Wahrnehmung, Werte

Die Spielleitung bittet die TN Assoziationen aufzuschreiben, die ihnen spontan zu den von ihr genannten Begriffen einfallen. Mögliche Begriffe sind z. B.: Geschichte, Lernen, Familie, Erziehung, Schule, Kirche, Heimat, Nation, Revolution, Macht, Mann, Frau, Sport, Demokratie, Autorität etc. Die Spielleitung wählt die Begriffe je nach Zielgruppe und Interessenlage vorher aus. Die TN schreiben den genannten Begriff auf eine DIN-A6-Karteikarte und notieren dazu die Assoziationen, die ihnen einfallen. Wenn alle ihre Assoziationen notiert haben, gibt die Spielleitung einen neuen Begriff in die Gruppe. Nachdem acht bis zehn Begriffe vorgegeben und die Assoziationen dazu aufgeschrieben sind, werden die Begriffe einzeln besprochen und die Assoziationen bekannt gegeben.

Hinweise:
1. Die Assoziationsübung eignet sich vor allem für Begegnungen von zwei und drei Kulturen. Die Spielleitung muss allerdings vor dem Spiel die exakte Entsprechung der Begriffe in den vertretenen Fremdsprachen erfragen.

2. Für die Auswertung bietet es sich an, darauf zu achten, ob die Begriffe bei TN derselben Kultur gehäuft ähnliche Assoziationen ausgelöst haben. Dabei lässt sich dann fragen, inwieweit die genannten Assoziationen die Werte und Normen der jeweiligen Gesellschaft abbilden. Zum Beispiel lassen sich ggf. Vermutungen darüber anstellen, warum die TN aus einem Land den Begriff „Nation" positiv sehen, während andere ihn eher negativ bewerten.
3. Im Rahmen der Vorbereitung kann eher das Spiel „Unser Bild vom anderen Land" eingesetzt werden.

Home – Nation – Family
Number of participants: 12 plus • Duration: 1.5–2 hrs.
Material: A 6 index cards, pencils
Subjects: Stereotypes, communication, perception, values

The moderator asks the participants to write down their spontaneous associations with certain terms. Possible terms would be for example: history, learning, family, education, school, church, home, nation, revolution, power, man, woman, sports, democracy, authority etc. The moderator selects the terms beforehand depending on the target group and the members' interests. Participants write the respective term on an A 6 index card and add their associations. When everyone has noted down their associations the moderator gives them a new term. After 8 to 10 terms have been given and the associations noted down, the single terms are discussed and associations revealed.

Notes:
1. The association exercise is particularly suited to encounters between two and three cultures. Before the game starts, the moderator must, however, ask for the exact translation of the terms in the foreign languages involved.
2. For the purpose of evaluation it is advisable to pay attention to the question of whether the terms have frequently provoked similar associations among participants coming from the same culture. The question to be discussed then is: to what extent do the associations written down reflect the values and standards of the respective society? One could make assumptions for example on why the participants from a particular country have positive associations with the term "nation" while participants from another country assess the term rather negatively.
3. For preparation the game called "How do we see the other country" may be played.

Patrie – nation – famille
Nombre de participants : minimum 12 • Durée : 1,5–2 heures
Matériel : fiches DIN A 6, crayons
Thèmes : stéréotypes, information, perception, valeurs

Le coordinateur du jeu propose aux participants d'écrire les associations qui leur viennent spontanément à l'esprit lorsqu'ils entendent les termes qu'il énonce. Quelques exemples de termes : histoire, apprendre, famille, éducation, école, église, patrie, nation, révolution, pouvoir, home, femme, sport, démocratie, autorité, etc. Le coordinateur du jeu choisit auparavant les mots selon le groupe et les centres d'intérêts. Les participants écrivent le mot évoqué sur une fiche DIN A 6 et notent également les associations qui leur viennent spontanément à l'esprit. Lorsque tous ont noté leurs associations, le coordinateur du jeu donne un nouveau mot. Au bout de 8 à 10 termes au sujet desquels les associations ont été notées, les termes sont commentés un par un et les associations sont portées à la connaissance du groupe.

Remarques :
1. L'exercice des associations est adapté pour le genre de rencontres entre deux ou trois cultures. Le coordinateur du jeu doit cependant se renseigner avant du début du jeu sur la correspondance exacte des termes dans les langues étrangères représentées.
2. Pour l'évaluation, il serait intéressant d'étudier si les termes ont fréquemment provoqué les mêmes associations parmi les participants d'une même culture. La question se pose alors de savoir dans quelle mesure les associations mentionnées représentent les valeurs et les normes de la société correspondante. Par exemple, on peut se livrer à des suppositions pour savoir pourquoi les participants d'un même pays considèrent le mot « nation » positivement et d'autres, par contre, le considèrent plutôt négativement.
3. Dans le cadre d'une préparation, le jeu « Notre image de notre pays » est plus approprié.

Ojczyzna – naród – rodzina
Ilość uczestników: od 12 • Czas twania: od półtorej do dwóch godzin
Materiał: karty kartoteczne formatu A 6, pisaki
Tematy: stereotypy, zrozumienie się, postrzeganie, wartości

Prowadzący grę prosi grających o zapisanie skojarzeń, który nasuwają im się spontanicznie odnośnie wymienionych przez niego pojęć. Możliwe pojęcia: historia, uczenie się, rodzina, wychowanie, szkoła, kościół, ojczyzna, naród, rewolucja, władza, mężczyzna, kobieta, sport, demokracja, autorytet etc. Prowadzący grę dobiera pojęcia pasujące do grupy docelowej i stopnia zainteresowań. Grający notują podane pojęcie na kartce kartotecznej formatu A 6 i zapisują skojarzenia, jakie im się nasuwają. Kiedy wszystkie skojarzenia zostały zapisane, prowadzący grę wymienia grupie następne pojęcie. Kiedy grupa otrzyma 8 do 10u pojęć i zapisze swoje skojarzenia, pojęcia zostają szczegółowo omówione a skojarzenia podane do wiadomości.

Wskazówki:
1. Ta gra skojarzeniowa nadaje się zwłaszcza dla spotkań grup dwu- lub trzykulturowych. Prowadzący grę musi jednak skontrolować, jakie dokładne odpowiedniki mają te pojęcia w reprezentowanych w grupie językach obcych.
2. W celu analizy należy zwrócić uwagę na to, czy pojęcia te wyzwoliły u grających z tego samego kręgu kulturowego podobne, często powtarzające się skojarzenia. W danym przypadku należy się zapytać, na ile wymienione skojarzenia obrazują wartości i normy danego społeczenstwa. Na przykład można przypuszczać, dlaczego dla grających z jednego kraju pojęcie „naród" ma znaczenie pozytywne, podczas gdy inni określają go raczej negatywnie.
3. W ramach przygotowywania można zastosować raczej grę „Nasze wyobrażenie o innym kraju".

Patria – nazione – famiglia
Numero di partecipanti: da 12 in su • Tempo: 1,5–2 ore
Occorrente: DIN A 6 -Cartelle da schedario, matite
Argomenti: stereotipi, concertare, percezione, valori

Chi dirige il gioco esprime dei concetti e chiede ai partecipanti di scrivere delle associazioni che sorgano loro spontanee in merito. Argomenti possibili sono p. es.: storia, apprendimento, famiglia, educazione, scuola, chiesa, patria, nazione, rivoluzione, potere, uomo, donna, sport, democrazia, autorità, ecc. Chi dirige il gioco sceglie in anticipo gli argomenti a seconda del gruppo target e degli interessi manifestati. I partecipanti scrivono l'argomento scelto su una cartella per schedario DIN A 6 e si annotano le associazioni che gli vengono in mente. Una volta fatto ciò, chi dirige il gioco propone un nuovo argomento. Dopo 8–10 argomenti e relative associazioni, gli argomenti vengono dibattuti uno ad uno e ne vengono illustrate le associazioni.

Note:
1. L'esercizio associativo è adatto soprattutto per incontri fra due o tre culture. Chi dirige il gioco deve comunque, prima di iniziare, verificare l'esatta corrispondenza degli argomenti nelle lingue straniere interessate.
2. Ai fini dell'analisi è bene appurare se gli argomenti hanno originato in partecipanti della stessa cultura associazioni simili, domandandosi poi in che misura le associazioni in questione rappresentino i valori e le norme della società interessata. P. es. si può ipotizzare perché i partecipanti di un paese vedano positivamente il concetto di «nazione», mentre quelli di un altro paese lo vedano invece negativamente.
3. In sede di preparazione si può ricorrere al gioco «la nostra idea di un altro paese».

Memleket – ulus – aile
Grubu oluşturanların sayısı: 12 kişiden itibaren • Süre: 1,5–2 saat
Malzeme: DIN A 6 fiş, kalem • Konu: Stereotip, anlaşma, algılama, değer

Yönetmenlik oyunculara bir kelime söyler ve oyunculardan bununla ilgili aniden yaptığı çağrışım'ı kaydetmelerini ister. Mümkün olan kelimeler, örneğin: tarih, öğrenmek, aile, eğitim, okul, kilise, memleket, ulus, devrim, iktidar, erkek, kadın, spor, demokrasi, otorite v.b. Yönetmenlik önceden kelimeleri gruplara ve ilgilere göre seçer. Oyuncular kelimeleri DIN A 6 fişine yazarlar ve akıllarına gelen çağrışımları buna not ederler. Herkes çağrışımlarını not ettikten sonra yönetmenlik gruba yeni bir kelime verir. 8–10 kelime verilip bunlarla ilgili çağrışımlar yazıldıktan sonra, kelimeler hakkında teker teker konuşulur ve çağrışımlar belirtilir.

Not:
1. Çağrışım alıştırması bilhassa iki üç çeşitli kültürel karşılaşmalarda uygun görülür. Yalnız idarecinin oyundan önce kelimenin temsil edilen dildeki tam anlamını itinalı bir şekilde sorup bilmesi gerekir.
2. Değerlendirme yapılırken aynı kültürel yörelerden gelen oyuncularda, kelimeler sık sık benzer çağrışım yapıp yapmadığı incelemeye elverişli olur. Belirtilen çağrışımlar ilgili toplumda değer ve normları ne derece ortaya çıkarır sorusu düşünülür. İcabı halinde bunun hakkında tahmin yürütülür, örneğin: niçin bir memeleketten gelen oyuncu, millet anlamını pozitif, diğer ülkeden gelen negatif karşılar.
3. Hazırlık çerçevesi içinde önce «Başka memleket hakkında görüşümüz» oynunu oynanır.

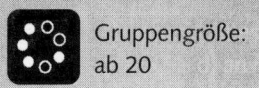 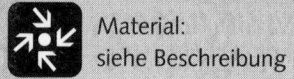
Stühle

Deutsch

Material: mind. 20 Stühle, ein Aufgabenzettel pro TN, ein großer Tagungsraum mit Fenster und einer vor dem Fenster zugänglichen Fläche. Themen: Kommunikation, Kooperation, Verständigung

Jede Person bekommt eine Aufgabe. Diese Aufgabe darf keiner anderen Person mitgeteilt werden. Während des Spiels ist es nicht erlaubt, zu reden. Die TN müssen im Laufe des Spiels selbst feststellen, dass sie teilweise die gleiche Aufgabenstellung haben.
Die Spielleitung verteilt unter den TN folgende drei verschiedene Aufgaben:
1. Stelle alle Stühle nach draußen.
2. Stelle alle Stühle im Kreis auf.
3. Stelle alle Stühle ans Fenster.
Alle TN machen sich an ihre Aufgabe. Einige tragen die Stühle nach draußen, andere versuchen einen Kreis zu formen, während wieder andere die Stühle vom Kreis zum Fenster tragen.

Hinweise:
1. Das Spiel simuliert scheinbare Interessengegensätze und zeigt, wie die TN damit umgehen. Versuchen sie sich durchzusetzen? Arbeiten sie gegeneinander? Oder versuchen sie sich auf nonverbale Weise zu verständigen?
2. Sollten die TN nach einiger Zeit beginnen sich durch Körpersprache miteinander zu verständigen, könnte es zu einer Zusammenarbeit von zwei oder gar allen drei Gruppen kommen. Ein Ergebnis wäre ein Stuhlkreis draußen am Fenster.
3. Mögliche Auswertungsfragen im Plenum können sein: Wie kam es zur Lösung? Habe ich zur Lösung beigetragen, wie? Habe ich mich ausgeklinkt, warum? Wie habe ich den Spielverlauf empfunden? (Gefühle, Aggression, Frustration, Rückzug, Gruppendynamik)
4. Wenn die räumlichen Erfordernisse nicht gegeben sind, müssen die Aufgabenstellungen so modifiziert werden, dass eine Gesamtlösung möglich bleibt (z. B. statt Fenster an die Tür, statt nach draußen auf den Flur).

Chairs

Number of participants: 20 plus • Duration: 30 minutes

Material: at least 20 chairs, 1 piece of paper for each participants with a task written on it, 1 spacious conference room with a window and an accessible area in front of the window.

Subjects: communication, co-operation, understanding

Each person is given a particular task. This task may not be revealed to the others. No talking is allowed during the game. In the course of the game participants themselves will discover that some of them have been given the same task.

The moderator distributes the following three tasks:

1. Carry all chairs out of the room.
2. Arrange all chairs in a circle.
3. Carry all chairs to the window.

All participants now start to carry out their task. Some carry the chairs out of the room, others try to form a circle while a third group carry the chairs from the circle to the window.

Notes:

1. The game simulates apparent clashes of interest and shows how participants deal with that situation. Do they try to assert themselves? Do they act against each other? Or do they try to communicate in a non verbal way?
2. If – after some time – participants try to communicate through gestures there might be some co-operation between two or even all three groups. One result might be a circle of chairs outside at the window.
3. The plenum could then discuss the following questions for evaluation: How did the solution come about? Did I contribute to that solution and if so, in what way? Did I withdraw and if so why? How did handle the game (emotions, aggression, frustration, withdrawal, group dynamics)?
4. In the absence of the spacious requirements, the tasks must be modified in such a way that a common solution remains possible (e. g. door instead of window, floor instead of outside).

Les chaises

Nombre de participants : minimum 20 • Durée : 30 minutes

Matériel : 20 chaises minimum, 1 feuille avec mission par participant, 1 grande salle de conférence avec fenêtre et un emplacement accessible devant la fenêtre

Thèmes : communication, coopération, information

Chaque personne a une mission à remplir qu'elle ne doit communiquer à personne. Il n'est pas permis de parler durant le jeu. Au cours du jeu, les participants doivent constater eux-mêmes qu'ils ont en partie la même mission.

Le coordinateur du jeu distribue parmi les participants les trois missions suivantes:

1. Mets toutes les chaises dehors.
2. Mets toutes les chaises en cercle.
3. Mets toutes les chaises près de la fenêtre.

Les participants commencent donc à accomplir leur tâche. Certains emmènent les chaises dehors, d'autres essaient de former un cercle, tandis que d'autres enlèvent les chaises du cercle pour les mettre près de la fenêtre.

Remarques :
1. Le jeu simule des intérêts apparemment contraires et montre comment les participants s'y prennent pour s'en sortir. Essaient-ils de s'imposer ? Travaillent-ils l'un contre l'autre ? Ou essaient-ils de s'entendre sans parler ?
2. Lorsque les participants commencent au bout de quelques temps à utiliser le langage corporel pour communiquer les uns avec les autres, cela pourrait signifier une coopération entre deux, voire trois groupes. Le résultat pourrait être un cercle de chaises, dehors, près de la fenêtre.
3. Quelques questions d'évaluation en plénum : Comment est-ce que la solution a été trouvée ? Est-ce que j'ai aidé à trouver la solution ? Comment ? Est-ce que je me suis retiré du jeu ? Pourquoi ? Comment ai-je ressenti le déroulement du jeu ? (sentiments, agression, frustration, retrait, dynamique de groupe).
4. Si les conditions extérieures ne sont pas remplies, les tâches doivent être modifiées de telle manière qu'une solution globale soit malgré tout possible (par exemple, au lieu de : près de la fenêtre, près de la porte ; au lieu de dehors, dans le couloir).

Polski

Krzesła
Ilość uczestników: od 20 • Czas trwania: 30 minut
Materiał: minimum 20 krzeseł, jedna kartka z zapisanym zadaniem dla jednego gracza, duże pomieszczenie konferencyjne z oknem i z wolnym dostępem do tego okna
Tematy: porozumiewanie się, współpraca, zrozumienie

Każda osoba dostaje jedno zadanie. Zadania tego nie wolno zdradzać żadnej innej osobie. Podczas gry nie wolno rozmawiać. Grający muszą w trakcie gry sami stwierdzić, że dostali częściowo te same zadania.
Prowadzący grę przydziela uczestnikom 3 różne zadania:
1. Ustaw wszystkie krzesła na zewnątrz
2. Ustaw wszystkie krzesła w koło
3. Ustaw wszystkie krzesła po oknem
Grający zabierają się do wykonania zadania. Jedni wynoszą krzesła na zewnątrz, inni próbują utworzyć koło, podczas kiedy jeszcze inni wynoszą krzesła z koła pod okno.

Wskazówki:
1. Gra sugeruje pozorną sprzeczność interesów i pokazuje, jak grający obchodzą się z tym problemem. Próbują postawić na swoim? Działają przeciwko sobie? Czy też próbują dojść do porozumienia bez użycia słów?
2. Jeśli po pewnym czasie grający zaczynają się porozumiewać przy pomocy gestów i mimiki, możliwe jest, że dojdzie do współpracy dwóch lub trzech grup. Jej rezultatem byłoby ustawienie krzeseł w kole pod oknem.
3. Możliwe pytania analizujące na plenum: Jak doszło do rozwiązania? Czy sam i jak przyczyniłem się do rozwiązania? Wyłączyłem się, dlaczego? Jak odczuwałem przebieg gry (uczucia, agresję, frustrację, wyłączenie się, dynamikę grupy)?
4. Jeśli nie zostaną podane założenia dotyczące pomieszczenia, zadania muszą być zmodyfikowane w taki sposób, aby możliwe było rozwiązanie ogólne (np. zamiast okna pod drzwiami, zamiast na zewnątrz na korytarz).

Sedie

Numero di partecipanti: da 20 in su • Tempo: 30 minuti

Occorrente: min. 20 sedie, 1 foglio con istruzioni per ciasc. partecipante, 1 grande salone per conferenze con finestra e una zona accessibile davanti alla finestra.

Argomenti: comunicare, collaborare, concertare

A ogni partecipante viene assegnato un compito che non si può dire a nessun altro. Durante il gioco non è consentito parlare. I partecipanti dovranno capire da soli che i compito sono in parte uguali.

Chi dirige il gioco assegna i seguenti tre compiti diversi:

1. Spostare tutte le sedie verso l'esterno.
2. Disporre tutte le sedie in cerchio.
3. Disporre tutte le sedie alla finestra.

Tutti i partecipanti si dedicano al compito loro assegnato: alcuni portano le sedie verso l'esterno, altri cercano di formare un cerchio, mentre altri ancora le portano dal cerchio alla finestra.

Note:

1. Il gioco simula interessi apparentemente in contrasto e mostra come si comportano i partecipanti. Cercano di imporsi? Agiscono l'uno contro l'altro? O cercano di accordarsi in modo non verbale?
2. Se dopo un certo tempo i partecipanti iniziano a comunicare con il linguaggio corporeo, si potrebbe creare una collaborazione fra due o addirittura fra tutti e tre i gruppi e ne risulterebbe un cerchio di sedie esterno in corrispondenza della finestra.
3. Domande possibili per l'analisi globale possono essere: come si è arrivati alla soluzione? Io vi ho contribuito, e come? Mi sono defilato, e perché? Come ho percepito l'andamento del gioco? (sensazioni, aggressione, frustrazione, ritiro, dinamica di gruppo)
4. Se non ci sono le condizioni spaziali occorre modificare i compiti in maniera che venga comunque garantita una possibile soluzione globale (p.es. invece della finestra la porta, invece che l'esterno il pavimento).

Sandalyeler

Grubu oluşturanların sayısı: 20 kişiden itibaren • Süre: 30 dakika

Malzeme: En az 20 sandalye, her oyuncu için birer ödev kâğıdı, büyük bir pencereli toplantı salonu ve pencerenin önünden gidilen yer

Konu: Komünikasyon, işbirliği, anlaşma

Herkese birer ödev verilir. Kimse kimsenin ödevini kimseye söylememesi gerekir. Oyunda konuşmaya müsaade edilmez. Oyuncular oyun sırasında kısmen aynı ödevi yaptıklarını kendi kendilerine farketmeleri gerekir. Yönetmenlik oyunculara aşağıdaki üç çeşitli ödevi dağıtır:

1. Sandalyelerin hepsini dışarı koy.
2. Sandalyelerin hepsini halka şeklinde yerleştir.
3. Sandalyelerin hepsini pencereye koy.

Oyuncular ödevelerini yapmaya başlarlar. Bazıları sandalyeleri dışarı taşırlar, bazılara daire şekillendirmeye uğraşırken bazılarıda sandalyeleri daireden alıp pencereye taşırlar.

Not:

1. Oyun göya oyuncuların görüşlerinin birbirine zıt olduğu gibi görünür ve oyuncuların bu durumu nasıl idare edeceklerini gösterir. Oyuncular istediklerini yerine getirmeyemi çalışıyorlar? Bunlar birbirine karşı mı çalışıyorlar? Veyahut hiç konuşmadan anlaşmayamı çalışıyorlar?
2. Şayet oyuncular bir müddet sonra işaretle anlaşmaya başlarlarsa, iki grup arasında hatta üç grup birden işbirliği yapabilir. Dışarıda pencerede bir sandalye dairesi, neticelerden biri olabilir.
3. Toplantıda mümkün olan değerlendirme soruları: Çözümleme nasıl yapıldı? Çözümlemeye benim de katkım oldumu, olduysa nasıl oldu? Ben geri mi çekildim, niçin? Oyunun gidişatını nasıl buldum? (Duygu, saldırganlık, sukuta uğrama, çekingen kalma, gruptan oluşan mekanızma).
4. Eğer oynanan yerin konumu buna müsait değilse, ödev, toplam bir çözümolarak kalabilecek şekilde değiştirilmelidir. Örneğin: Pencere yerine kapıya, dışarı yerine koridora).

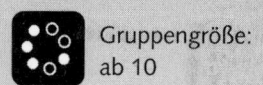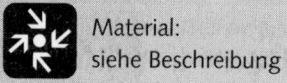
Zielscheibe

Deutsch

Material: Flipchart oder Pinnwand mit Plakatpapier, Filzstifte, evtl. Klebepunkte • Thema: Auswertung

Auf ein Plakatpapier wird ein großer Kreis gezeichnet. Wie bei einer Torte wird der Kreis in verschiedene Tortenstücke unterteilt und zwar so viele, wie Themen der Begegnung oder des Seminars bewertet werden sollen (z. B. Essen, Unterbringung, Gruppe, Inhalte, Methoden usw.). Die Spielleitung erklärt den TN den Aufbau der Zielscheibe. Jede Person darf zu jedem Thema einen Punkt aufkleben oder mit einem Stift ein Kreuz einzeichnen. Wie bei einer Zielscheibe kommt durch die Punkte bzw. Kreuze eine Bewertung zum Ausdruck: Je näher an der Mitte, desto besser („ins Schwarze getroffen"), je weiter außen am Rand, desto negativer die Bewertung.

Hinweise:
1. Die Methode eignet sich zur Zwischen- oder Endauswertung einer Veranstaltung und ist auch bei einer relativ großen TN-Zahl anwendbar. Die Methode eignet sich jedoch nicht zur qualitativen Auswertung, sondern höchstens als Einstieg, da sie einen guten visualisierten Überblick über die allgemeine Zufriedenheit der Gruppe bietet, ohne dass hierfür besondere Sprachkenntnisse erforderlich sind.
2. Da die Methode keine qualitativen Aussagen vorsieht, kann nach Gründen für die Bewertung nachgefragt werden. Bei sich häufenden negativen Einschätzungen sollte auf jeden Fall nach den Ursachen gefragt werden.

English

Target

Number of participants: 10 plus • Duration: 15 minutes
Material: Flipchart or pin board with paper for posters, felt tips, possibly adhesive points • Subject: evaluation

A large circle is drawn on a poster. As with a cake this circle is divided in different slice, the number of slices corresponding to the number of subjects to be assessed during that meeting or in that seminar (e. g., food, accommodation, group, contents, methods etc.). The moderator explains the structure of the target to the participants. Each person may stick one point on the target or make a cross using a pencil. As in the case of a target the points or crosses express an assessment: the closer to the centre the more positive the assessment, the closer to the border the more negative the opinion.

Notes:
1. This method is suited for an intermediate or final assessment of an event and may also be applied if the number of participants is relatively high. It is not suitable for a qualitative evaluation, but as an entry at most since it provides a good visualised overview of the group's general satisfaction with no special knowledge of languages being required.
2. Since the method does not use qualitative statements, participants may be asked to give their reasons for their judgement. In case of frequent negative assessments participants should in any case be asked to give reasons.

La cible
Nombre de participants : minimum 10 • Durée : 15 minutes
Matériel : paperboard ou tableau aide-mémoire avec papier affiche, feutres, éventuellement gommettes • Thème : évaluation

Sur un papier affiche est dessiné un grand cercle. Comme pour un morceau de tarte, le cercle est divisé en plusieurs parts : autant de parts que de thèmes de la rencontre ou du séminaire sont à évaluer. (par exemple, les repas, l'hébergement, le groupe, les sujets, les méthodes, etc.). Le coordinateur du jeu explique aux participants la structure de la cible. Chacun peut coller une gommette ou mettre une croix pour chaque sujet. Comme pour une cible, les points et les croix permettent d'évaluer : plus c'est près du centre, mieux c'est ; plus c'est éloigné du centre, plus l'estimation est négative.

Remarques :
1. La méthode est appropriée pour l'estimation intermédiaire ou finale d'une manifestation et est également utilisable lorsque le nombre de participants est relativement important. Cette méthode n'est cependant pas adaptée pour une évaluation qualitative, mais au plus pour une entrée en matière, car elle permet de donner un aperçu bien visuel sur la satisfaction du groupe sans qu'il soit nécessaire de disposer pour cela de connaissances linguistiques particulières.
2. La méthode ne prévoyant pas d'évaluation qualitative, il est possible de demander les raisons d'une telle évaluation. En cas d'avis négatifs répétés, il faudrait en tous cas en demander les raisons.

Tarcza strzelnicza
Ilość uczestników: od 10 • Czas trwania: 15 minut
Materiał: flipchart lub tablica do przyczepiania pinezek z papierem plakatowym, mazaki, ewentualnie punkty klejące • Temat. analiza

Na papierze plakatowym należy namalować duże koło. Koło należy podzielić na zasadzie dzielonego tortu na tyle części, ile części seminarium/spotkania ma być zanalizowanych (np. jedzenie, zakwaterowanie, grupa, tematyka, metody itd.). Prowadzący grę wyjaśnia graczom podział tarczy. Każda osoba może nakleić jeden punkt do każdego tematu lub narysować krzyżyk. Ocena wypada tak jak na tarczy strzelniczej: im bliżej środka tarczy postawiony krzyżyk lub punkt, tym lepsza ("trafione w środek"), im bliżej brzegu tarczy, tym gorsza ocena.

Italiano

Il bersaglio

Numero di partecipanti: da 10 in su • Tempo: 15 minuti
Occorrente: «flipchart» o bacheca con carta da manifesti, pennarelli, evtl. punti preincollati
Argomento: analizzare

Su un foglio di carta da manifesti si disegna un grande cerchio, che – a mo' di torta – viene diviso in un numero di fette pari al numero di argomenti da esaminare nell'incontro o seminario (p. es. vitto, alloggio, gruppo, contenuti, metodi, ecc.). Chi dirige il gioco spiega ai partecipanti la struttura del bersaglio. Ognuno può incollare un punto per ogni argomento o segnare una croce a matita. Come in un bersaglio, i punti e le croci esprimono una valutazione: quanto più ci si avvicina al centro tanto più essa è positiva («centrato»), quanto più se ne rimane lontani tanto più sarà negativa.

Note:
1. Il metodo è adatto per l'analisi intermedia o finale di un incontro ed è adottabile con un numero di partecipanti relativamente alto. Non è però adatto per un'analisi qualitativa: al massimo serve da avvio, perché offre una chiara idea generale della soddisfazione del gruppo senza richiedere particolari conoscenze linguistiche.
2. Dato che questo metodo non prevede giudizi di qualità, si può domandar ragione delle valutazioni date. Se esse sono preponderantemente negative occorrerà scoprirne le cause.

Türkye

Hedef levhası

Grubu oluşturanların sayısı: 10 kişiden itibaren • Süre: 15 dakika
Malzeme: Flipchart veyahut rabdiye tahtası, mürekkepli kalem, belki yapışkanlı nokta
Konu: Değerlendirme

Plakart kâğıdının üzerine büyük bir daire çizilir. Bu aynen bir pastada olduğu gibi çeşitli parçalara bölünür; parçaların sayısı karşılaşmadaki veyahut seminerde değerlendirilecek konuların sayısına bağlı (örneğin: yemek, konut, grup, içerikliliği, metotlar v. b.). Yöneticilik oyunculara hedef lefhasının kurumunu izah eder. Her kişi her konu hakkında bir nokta yapıştırabilir veyahut kalemle bir çapraz işareti çizebilir. Aynen bu bir hedef levhasında olduğu gibi, noktalar veyahut çapraz işaretleri bir değerlendirme ortaya çıkarır: Ortaya ne kadar yakın olursa okadar iyi («tam isabet etti»), nekadar dışa doğru olursa okadar negatif değerlendirilir.

Not:
1. Bu metot, ara veyahut sonuç değerlendirmelerinde, büyük müsamerelerde ve kalabalık oyunlarda da tatbik etmeye yarar. Fakat metot olarak nitelik değerlendirmesine uymaz da en fazla girişe yarar; zira oyuncuların özel bir dil bilgisi olması gerekmediği için ve göresel şekilde genel memnuniyetine iyi bir umumi bakış sağlar.
2. Bu metot nitelik değerlendirilmesini öngörmediği için, değerlendirmenin nedenleri sonradan sorulabilir. Şayet negatif takdirler çoğalırsa, bunun nedenleri sorulmalıdır.

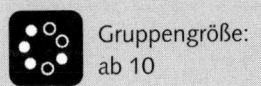 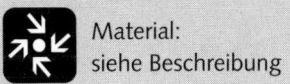
Zurück in den Alltag

Material: ein kopiertes Blatt Papier mit dem vorgesehenen Frageraster für jede Peson, Stifte, ein Briefumschlag pro Person

Themen: Auswertung, Nachbereitung

Die Spielleitung erstellt ein Raster mit fünf Spalten und fünf Zeilen, in die die folgenden Fragen eingetragen werden:
- Was will ich tun?
- Wie will ich das erreichen?
- Wann will ich das erreichen?
- Woran mache ich fest, ob ich das von mir Vorgenommene erreicht habe?
- Was ist der erste Schritt der Umsetzung

Die Spielleitung verteilt das auf einem Blatt Papier kopierte Raster an alle TN und bittet sie, individuell zu arbeiten. Sobald die TN ihre Zettel ausgefüllt haben, werden sie gebeten, ihr Blatt Papier zu kopieren und eine Kopie in den Umschlag zu stecken, den sie mit ihrer Adresse beschriften. Die Spielleitung wird die Umschläge bis zu drei Monate später an die TN verschicken.

Hinweis: Nach einer Auswertungsrunde am Ende eines Seminars oder einer interkulturellen Begegnung kann diese Methode helfen deutlich zu machen, dass der gemeinsame Lernprozess mit dem Ende der Veranstaltung noch nicht beendet ist und der weitere Umgang mit dem Erlernten in der Verantwortung der TN selbst liegt. Da es sich um eine auf die Zukunft ausgerichtete Methode handelt, die die TN motivieren soll, das Erlernte im Alltag umzusetzen, ist keine Auswertung nötig.

Die Methode eignet sich vor allem zur Reflexion des Erlernten und zur Vorbereitung eines individuellen Aktionsplans.

Variante: In festen Gruppen, die sich nach Abschluss der Begegnung wiedertreffen, können die Briefumschläge nach drei Monaten ausgeteilt und in der Gruppe gemeinsam besprochen werden.

Deutsch

Back to everyday life

Number of participants: 10 plus • Duration: 1 hr.

Material: 1 copied piece of paper per person with questions written on them, pencils, 1 envelope per person • Subjects: evaluation, reflection

The moderator draws up a grid made of five columns and five lines with the following questions written in the boxes:
– What do I want to do?
– In what way am I going to achieve that goal?
– By when do I want to achieve that goal?
– How do I find out whether I have achieved my goal?
– Which is the first step towards achieving my goal?

The moderator distributes the pieces of paper containing the grid of questions among the participants and asks them to work individually. After the participants have filled in the grid they are asked to copy their piece of paper and to put it in the envelope with their address written on it. The moderator will send the envelopes to the participants up to three months later.

Note: Following an evaluation session at the end of a seminar or an intercultural encounter this method can help to make it clear that the common learning process is not finished at the end of the event and that dealing further with what they have learned is the responsibility of the participants themselves. Since this is a future-orientated method that should motivate the participants to put the things they have learned into practice, an evaluation is not necessary.

The method is particularly suited to reflect the things participants have learned and to prepare an individual action plan.

Variation: Within fixed groups the envelopes may be distributed three months after the encounter to discuss the results in the group.

Retour au quotidien

Nombre de participants : minimum 10 • Durée : 1 heure

Matériel : 1 feuille de papier avec la grille à questions prévue par personne (copie), crayons, une enveloppe par personne • Thèmes : évaluation, reprise des résultats

Le coordinateur du jeu fait un tableau avec 5 colonnes et 5 lignes dans lesquelles sont inscrites les questions suivantes :
– Qu'est-ce que je veux faire ?
– Comment est-ce que je veux y arriver ?
– Quand est-ce que je veux y arriver ?
– Comment puis-je reconnaître si j'ai réussi ce que je me suis fixé ?
– Quel est le premier pas à faire vers la réalisation ?

Le coordinateur du jeu distribue des copies de sa feuille à tous les participants et leur demande de la remplir individuellement. Dès que les participants ont rempli leur feuille, ils sont priés d'en faire une photocopie et de mettre la copie dans une enveloppe adressée à leur adresse. Le coordinateur du jeu enverra les enveloppes aux participants au plus tard dans les trois mois suivants.

Remarque : Après un tour d'évaluation à la fin d'un séminaire ou d'une rencontre inter-culturelle, cette méthode peut aider à souligner que le processus d'apprentissage commun ne s'arrête pas avec la manifestation elle-même et que les participants sont responsables eux-mêmes des expériences qu'ils ont faites. Comme il s'agit d'une méthode orientée sur l'avenir, qui doit motiver les participants à mettre en pratique ce qu'ils ont appris, une évaluation n'est pas nécessaire.

La méthode est particulièrement appropriée à la réflexion sur l'apprentissage et à la préparation d'un plan d'action individuel.

Variante : Pour des groupes fixes qui se retrouveront à la fin de la rencontre, les enveloppes pour-ront être distribuées trois mois plus tard et leur contenu pourra être commenté ensemble au sein du groupe.

Powrót do dnia powszedniego
Ilość uczestników: od 10 • Czas trwania: 1 godzina
Materiał: 1 skserowana kartka papieru z przewidzianą tabelą pytań dla każdej osoby, pisaki, po jednej kopercie dla każdej osoby • Tematy: analiza, przygotowanie na później

Kierujący grę przygotowuje tabelę z pięcioma rubrykami i pięcioma linijkami, w które wpisane są następujące pytania:
– Co chcę robić?
– Co chcę osiągnąć?
– Kiedy chcę to osiągnąć?
– Z czym łączę fakt, że udało mi się osiągnąć te zamierzenia?
– Jaki jest pierwszy krok działania w tym kierunku?
Kierujący grą rozdziela skserowaną tabelę wszystkim grającym i prosi o jej indywidualne wypeł-nienie. Po wypełnieniu tabeli grający proszeni są o skserowanie swojej kartki papieru i włożenie kopii do koperty, na której piszą następnie swój adres. Kierujący grę prześle te koperty uczestni-kom w terminie do 3 miesięcy.

Wskazówka: Na zakonczenie rundy analizującej seminarium lub wielokulturowego spotkania metoda to może być pomocna w celu uwidocznienia grającym, że wspólny proces uczenia się nie konczy się w momencie zakończenia imprezy i że sposób, w jaki potraktują to, czego się nauczyli podczas spotkania zależy tylko od nich (sami przejmują za to odpowiedzialność). Ponie-waż chodzi tu o metodę związaną z przyszłością, motywującą uczestników do zastosowania tego, czego się nauczyli, w życiu powszednim, analiza nie jest konieczna.
Metoda ta nadaje się przede wszystkim jako zastanowienie się nad tym, czego grający się nauczyli i do przygotowania indywidualnego planu działania.

Wariant: W grupach stałych, których uczestnicy spotykają się po imprezie koperty mogą być rozdane po 3 miesiącach i omówione wspólnie na spotkaniu grupowym.

Ritorno alla vita di tutti i giorni
Numero di partecipanti: da 10 in su • Tempo: 1 ora
Occorrente: 1 foglio di carta con la griglia delle domande previste per ogni persona, matite, 1 busta da lettera per ogni persona • Argomenti: analizzare, ripetere

Chi dirige il gioco realizza una griglia con cinque colonne e cinque righe dove vengono ripor-tate le seguenti domande:
– Cosa voglio fare?
– Come voglio arrivarci?
– Quando voglio arrivarci?
– In base a cosa stabilisco se ho raggiunto il mio obiettivo?
– Qual è il primo passo di questa trasformazione?
Chi dirige il gioco distribuisce ai partecipanti un foglio di carta con la griglia delle domande e chie-de di lavorare individualmente. Quando i fogli sono compilati, essi vanno copiati e una copia va infilata nella busta, su cui verrà apposto l'indirizzo dell'interessato. Chi dirige il gioco spedirà le buste ai partecipanti entro al massimo tre mesi.

Nota: Dopo un giro di analisi alla fine di un seminario o di un incontro interculturale questo metodo può aiutare a chiarire che l'intero processo di apprendimento non finisce alla fine dell'incontro e che il resto del lavoro va fatto dagli stessi partecipanti. Dato che questo è un metodo mirato al futuro, che intende motivare i partecipanti a trasporre nella realtà quotidiana quanto hanno imparato, non occorre analisi.

E' un metodo adatto soprattutto a riflettere su quanto s'è imparato e a predisporre un piano d'azione individuale.

Variante: In gruppi fissi che si ritrovano dopo la fine dell'incontro si possono distribuire le buste dopo tre mesi e leggerle insieme nel gruppo.

Türkye

Günlük hayata dönüş

Grubu oluşturanların sayısı: 10 kişiden itibaren • Süre: 1 saat

Malzeme: Her oyuncu için 1 adet üzerinde soru çizelgesi bulunan kâğıdın kopyası, kalem, her kişiye birer zarf • Konu: Değerlendirme, sonradan işlem yapma

Aşağıdaki sorular üzerine doldurulması için oyun idareciliği beş sıralı ve beş aralıklı bir çizelge hazırlar.

– Ne yapmak istiyorum?
– Bunu nasıl gerçekleştirmek istiyorum?
– Buna ne zaman ulaşmak istiyorum?
– Talep ettiğime ulaşıp ulaşmadığımı neye bağlıyorum?
– Bunu gerçekleştirmek için ilk adım ne olabilir?

Oyun yönetmenliği bir sayfa kâğıda kopyası çekilmiş çizelgeden birer tane oyunculara dağıtıp bunu herkesin kendi şahsına göre doldurmasını ister. Oyuncular kâğıtlarını doldur doldurmaz, bunlardan kâğıtlarının kopyasını çekip bunu bir zarfa koymaları ve zarfın üstüne kendi adreslerini yazmaları talep edilir. Oyun idareciliği bu zarfları üç ay zarfında oyunculara gönderir.

Not: Bir seminer toplantısının sonunda veyahut interkültürel karşılaşmanın sonunda yapılan bu değerlendirmede bu metot, toplantılar bittikten sonra beraber öğrenme süreç'inin toplantılardan sonra bitmediğini apaçık ortaya koymaya yardım eder. Bundan sonra oyuncu şimdiye kadar öğrendikleriniden ne şekilde faydalanacağı sorumluluğunu üstüne alır. Bu istikbale yönlenmiş bir metot olduğu için, yani oyuncuların öğrendiklerini günlük hayatta kullanmalarını öngördüğü için, değerlendirme gerekmez. Her şeyden önce bu metot, öğrenilenleri yansıtmada ve bireysel faaliyetlerin hazırlanmasında uygun görülür.

Değişik şekli: Hep aynı olan ve oturumdan sonra bir daha buluşan gruplarda, zarflar üç ay sonra dağıtılıp üzerinde konuşulabilir.

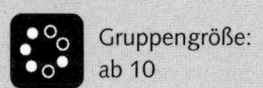
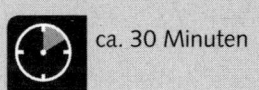
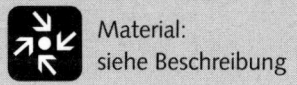
Sag es mit deiner Hand!

Material: DIN-A4-Papiere, Stifte, Klebeband, evtl. Moderationskarten
und großes Plakat • Thema: Auswertung

Die TN zeichnen auf einem leeren Blatt Papier einen Umriss ihrer Hand,
schreiben die nachfolgenden Fragen neben den entsprechenden Finger
und ihre Antworten in den Fingerumriss hinein. Anschließend werden die
Blätter an einer Wand aufgehängt und alle TN haben vor Beginn der Ab-
schlussrunde die Gelegenheit sich die Bilanz der einzelnen Gruppenmit-
glieder anzuschauen.
Folgende Auswertungsfragen werden den fünf Fingern der Hand zuge-
ordnet:
– Daumen (nach oben „Erfolg"): „Besonders gut gefallen hat mir ..."
– Zeigefinger („Hinweis"): „Anregungen und Lernerfahrungen für mich
  waren ..."
– Mittelfinger („F... you"): „Gar nicht gefallen hat mir ..."
– Ringfinger (Gefühl): „Die Atmosphäre hier war ..."
– Kleiner Finger (kurz): „Zu kurz gekommen ist mir ..."

Hinweise:
1. Bei Anwendung dieser Auswertungsmethode ist im kulturell gemischten Leitungsteam jedoch vorher zu prüfen, ob die Fingergesten für alle
   Beteiligten in ihrer Bedeutung identisch und akzeptabel sind.
2. Während das Ausfüllen von einzelnen Antwortzetteln erlaubt, dass die
   TN diese auch in der jeweiligen Muttersprache ausfüllen können, empfiehlt sich bei der Übertragung der Ergebnisse auf eine Riesenhand die
   Verwendung einer gemeinsame Sprache.

Variante: Die TN beantworten bereits im Laufe der Veranstaltung die oben
genannten Fragen und übertragen ihre einzelnen Antworten zum Abschluss stichwortartig auf Moderationskarten, die sie anschließend auf
einem Plakat, auf das eine Riesenhand gezeichnet wurde, anbringen. In
einer kurzen Pause kann die Spielleitung dann die verschiedenen Antworten nach Themenschwerpunkten sortieren und vor der Abschlussrunde in
einer verdichteten Form präsentieren.

Deutsch

Say it with your hand!

Number of participants: 10 plus • Duration: approx. 30 minutes

Material: A 4 pieces of paper, pencils, adhesive tape, possibly presentation cards and a big poster • Subject: evaluation

Participants draw around one of their hands on an empty piece of paper; they write the following questions next to the corresponding finger and the answers inside the finger contours. Then the pieces of paper are hung up on a wall to give each participant the opportunity to have a look at the end result of the single group members before the final round starts.

The following evaluation questions are allocated to the five fingers of one hand:

– Thumb up ("success"): "I particularly liked …"
– Index finger ("indication"): "I got ideas and learned from …"
– Middle finger ("F … you"): "I didn't like at all that …"
– Ring finger (= emotion): "The atmosphere here was …"
– Little finger (short): "… was not sufficiently dealt with"

Notes:

1. When this method of evaluation is applied the culturally-mixed leadership team must check beforehand whether the meaning of the finger gestures are identical for and acceptable to all participants.

2. When the single answer papers are being completed in the participants' respective native languages, the results should be written on a huge hand in one common language.

Variation: Participants reply to the above questions in the course of the event and at the end write the individual answers briefly on presentation cards which are then arranged on a poster onto which a giant hand is drawn. During a short break the moderator may sort the different answers by subject and present it to the participants in an abridged form.

Dis-le avec la main!

Nombre de participants : minimum 10 • Durée : environ 30 minutes

Matériel : feuilles de papier DIN A4, crayons, ruban adhésif, éventuellement des cartes de modération et une grande affiche • Thème : évaluation

Les participants dessinent sur une feuille de papier le contour de leur main, notent les questions suivantes à côté des doigts correspondants et les réponses à l'intérieur du contour des doigts. Les feuilles sont ensuite accrochées au mur et tous les participants ont alors la possibilité de lire les réflexions de tous les membres avant de conclure.

Les cinq doigts de la main apportent les réponses suivantes aux questions d'évaluation :

– le pouce (en haut, succès) : « Ce qui m'a particulièrement bien plus .... »
– l'index (remarque) : « Les suggestions et les expériences ont été pour moi … »
– le majeur (va te faire voir ailleurs) : « Ce qui ne m'a pas du tout plu … »
– l'annulaire (sentiment) : « L'ambiance était … »
– le petit doigt (court) : « Ce qui a été pour moi bien trop court … »

Remarques:
1. Avant d'employer cette méthode d'évaluation, se renseigner auprès d'un groupe d'encadrement de plusieurs cultures si les gestes avec les doigts ont pour tous la même signification et s'ils sont acceptables.
2. Alors qu'il est permis aux participants de remplir les fiches dans la langue maternelle, il est recommandé, pour retransmettre les résultats sur une grande main, d'utiliser une langue commune.

Variante : Au cours de la manifestation, les participants répondent déjà aux questions posées ci-dessus et, à la fin de la manifestation, retranscrivent brièvement leurs réponses sur des cartes de modération qu'ils accrochent sur l'affiche où une main géante est dessinée. Au cours d'une courte pause, le coordinateur du jeu peut classer les réponses par thèmes principaux et les regrouper avant la discussion de clôture.

Powiedz to ręką!
Ilość uczestników: od 10 • Czas trwania: ok. 30 minut
Materiał: papier formatu A4, pisaki, taśma klejąca, ewentualnie kartki moderujące i duży plakat
Temat: analiza

Uczestnicy rysują na pustej kartce papieru zarys swojej ręki, wpisują następujące po sobie pytania obok odpowiedniego palca, a odpowiedzi na nie w zarys tego palca. Następnie kartki zawieszane są na ścianie i wszyscy grający mają możliwość przed końcową rundą obejrzenia sobie bilansu poszczególnych uczestników gry.
Następujące pytania analityczne należy przyporządkować pięciu palcom ręki:
– kciuk (do góry „sukces"): „Najbardziej podobało mi się ..."
– palec wskazujący („Wskazówka"): „Bodzcami i pouczającymi doświadczeniami było ..."
– palec środkowy („F ... you"): „Wogóle nie podobało mi się ..."
– palec serdeczny (uczucie): „Atmosfera była ..."
– mały palec (krótko): „Za mało było dla mnie ..."

Wskazówki:
1. Przy stosowaniu tego typu analizy w przypadku mieszanym kulturowo zespołu prowadzący grę powinien najpierw sprawdzić, czy pokazywanie poszczególnych znaków palcami ma dla wszystkich uczestników to samo znaczenie i jest przez nich możliwe do przyjęcia.
2. O ile przy wpisywaniu odpowiedzi na pytania umieszczone na pojedynczych kartkach dozwolone jest stosowanie języka ojczystego po to, aby grający mogli je formułować także w swoim dowolnym języku obcym, o tyle zaleca się przy nanoszeniu wyników na plakat obrazujący olbrzymi zarys ręki stosowanie jednolitego języka.

Warianty: Grający odpowiadają na podane wyżej pytania już podczas przebiegu imprezy/spotkania i przenoszą swoje poszczególne odpowiedzi na zakończenie w formie słów hasłowych na kartki moderujące, które zamieszczają następnie na plakat obrazujący olbrzymią rękę. Podczas krótkiej przerwy kierujący grą może podzielić różne odpowiedzi według tematów i przedstawić je przed rundą finałową w skomasowanej formie.

Dillo con la mano!
Numero di partecipanti: da 10 in su • Tempo: ca. 30 minuti
Occorrente: carta DIN A4, matite, nastro adesivo, event. biglietti per la scaletta del moderatore e grosso tabellone • Argomento: analizzare

I partecipanti disegnano su un foglio bianco il profilo della loro mano, scrivono le domande seguenti vicino al relativo dito e le risposte all'interno del profilo del dito stesso. Successivamente i fogli vengono appesi ad una parete e tutti prima dell'inizio del giro finale hanno l'opportunità di prendere visione del bilancio fatto dai singoli membri del gruppo.
Alle cinque dita della mano vengono abbinate le seguenti domande:
– pollice (in alto = «successo»): «In particolare mi è piaciuto ...»
– indice («nota»): «Stimoli ed esperienze d'apprendimento sono stati per me ...»

– medio («F ... you»): «Non mi è piaciuto proprio per niente ...»
– anulare (sensazione): «Qui l'atmosfera era ...»
– mignolo (corto): «mi sono sentito penalizzato ...» (l'aggettivo «kurz» (corto) nell'espressione «zu kurz kommen» significa «essere svantaggiato/penalizzato» – N. d. T.)

Note:
1. Quando si adotta questo metodo d'analisi, verificare prima nel gruppo multiculturale se i gesti con le dita hanno lo stesso significato per tutti i partecipanti e sono quindi da tutti accettabili.
2. Mentre la compilazione dei bigliettini con le risposte consente ai partecipanti di utilizzare la propria lingua madre, nella fase di trasferimento dei risultati su una mano gigante sarà bene ricorrere a una lingua comune.

Variante: I partecipanti rispondono alle domande già durante l'incontro e trasferiscono le singole risposte alla fine in forma di parole-base su biglietti per la scaletta di moderazione, per applicarli poi su un tabellone che reca disegnata una mano gigante. In una breve pausa chi dirige il gioco può poi selezionare le varie risposte in base a punti-chiave dell'argomento e presentarle in forma riassuntiva prima del giro conclusivo.

Türkye

Elinle söyle
Grubu oluşturanların sayısı: 10 kişiden itibaren • Süre: 30 dakika
Malzeme: DIN A4 kâğıt, kalem, yapışkanlı bant, belki moderasyon kartı ve büyük plakart
Konu: Değerlendirme

Oyuna iştirak edenler elinin çevresini boş bir kâğıdın üzerine çizer, aşağıdaki soruları buna uyan parmağın yanına ve buna uygun cevapları da parmak çizgilerinin içine yazar. Nihayet kâğıtlar bir duvara asılır, oyuna katılanlara son müzakere başlamadan önce gruptaki diğer kişilerin rezümelerine bakmasına fırsat verilir. Elin beş parmağına aşağıdaki değerlendirme soruları yazılır.
– Başparmak (yukarı doğru «Başarı»): «Bilhassa ... hoşuma gitti»
– İşaret parmağı («İşaret»): «Benim için beni heveslendiren ve öğrenme tercübeleri ... dir»
– Orta parmak: (F ... you) «Hiç beğenmediğim ...»
– Yüzük parmağı (Duygu): «Buranın havası ... idi»
– Küçük parmak: (kısa): «Bana ... çok kısa geldi»

Not:
1. Bu değerlendirme metodunda kültürel karışık yönetim takımı önceden, jestik parmak hareketlerinin anlamı, oyuna katılan herkeste aynı mı ve bu kabul olunurmu diye izlenmesi gerekir.
2. Teker teker cevap kâğıtları doldurulurken oyuncular bunları kendi dillerinde de doldurabilirler, bütün neticeleri koskocaman bir ele kaydedebilmek için müşterek dil kullanılması tavsiye olunur.

Değişik şekli: Oyuncular toplantı esnasında yukarıda adı geçen soruları cevaplandırır ve sonunda cevaplarını teker teker not şeklinde moderasyon kartına yazarlar ve bunlar nihayet koskocaman el olarak çizilen bir plakarta yerleştirilir. Yönetmenlik kısa bir tenefüste çeşitli cevapları konulara göre seçip ayırarak son müzakereden önce yoğunlaştırılmış bir şekilde takdim eder.

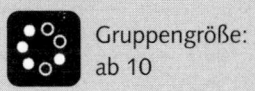 Gruppengröße:
ab 10

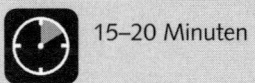 15–20 Minuten

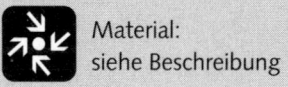 Material:
siehe Beschreibung

Verlaufskurve

Material: Wandzeitung oder großes Plakat, verschiedenfarbige Stifte
Thema: Auswertung

Auf eine große Wandzeitung wird ein Koordinatenkreuz aufgezeichnet und damit der Verlauf einer Veranstaltung dargestellt. Auf der horizontalen x-Achse werden in einer chronologischen Reihenfolge alle Programmpunkte bzw. Seminareinheiten aufgeführt. Auf der vertikalen y-Achse wird eine Notenskala von –3 bis +3 eingezeichnet. Anschließend werden die TN befragt, wie ihnen die einzelnen Programmpunkte gefallen haben. Die TN bewerten jeden einzelnen Programmpunkt nach der vorgegebenen Notenskala und verbinden anschließend die einzelnen Punkte zu einer persönlichen Verlaufskurve. Dabei verwenden die TN verschiedenfarbige Stifte und Markierungen (durchgehende Linie, gepunktete Linie ...).

Hinweis: Nachdem die TN ihre individuellen Verlaufskurven erstellt haben, kann in einem Gespräch auf die Gründe für die einzelnen Wertungen eingegangen werden. Dies empfiehlt sich vor allem dann, wenn die Ergebnisse auffallend niedrig ausgefallen sind oder weit auseinander gehen.

Course curve
Number of participants: 10 plus • Duration: 15–20 minutes
Material: Wall newspaper or big poster, pencils of different colours
Subject: evaluation

A coordinate system is drawn on a large wall newspaper showing the course of the event. All items on the agenda or seminar units are represented on the horizontal x-axis. The vertical y-axis is a points scale from –3 to +3. Then participants are asked to what extent they liked the individual items. Participants assess each item on the given scale and then connect these forming a personal course curve. Each participant uses different colours and markings (continuous lines, dotted lines etc ...).

Note: After the participants have drawn up their individual course curves, the reasons underlying the individual assessments may be discussed. This is particularly advisable if the results are particularly negative or if they differ widely.

Français

La courbe de déroulement
Nombre de participants : minimum 10 • Durée : 15–20 minutes • Matériel : journal mural ou grande affiche, crayons de différentes couleurs • Thème : évaluation

Sur un grand journal mural, un système d'axes de coordonnées représente le déroulement de la manifestation. Sur l'axe horizontal X figurent dans l'ordre chronologique tous les points du programme, par exemple les séminaires. Sur l'axe vertical figure une échelle avec des notes allant de −3 à +3. Il est demandé ensuite aux participants de donner leur avis sur les différents points du programme. Les participants donnent leur note d'appréciation pour chaque point du programme d'après l'échelle d'évaluation indiquée et relient ensuite les divers points pour obtenir une courbe personnelle. Ils utilisent pour ce faire des crayons de différentes couleurs et diverses méthodes de marquage (ligne, points, etc. ...).

Remarque : Une fois que les participants ont créé leur courbe individuelle de déroulement, il est possible d'entamer une discussion pour connaître les raisons des différentes appréciations. La discussion est recommandée lorsque les résultats sont, soit très faibles, soit très différents les uns des autres.

Polski

Wykres przebiegu spotkania
Ilość uczestników: od 10 • Czas trwania: 15 do 20 minut • Materiał: gazetka ścienna albo duży plakat, różnokolorowe ołówki • Temat: analiza

Na dużej gazetce ściennej narysowana jest oś współrzędnych obrazująca w ten sposób przebieg spotkania. Na osi poziomej x przedstawione są w porządku chronologicznym wszystkie punkty programu względnie części programowe seminarium. Na osi pionowej y zaznaczona jest skala ocen od −3 do +3. Następnie grającym stawia się zapytanie, jak podobały im się poszczególne punkty programowe. Grający dokonują oceny każdego punktu programu z osobna według podanej skali ocen, a następnie łączą poszczególne punkty w osobisty wykres przebiegu spotkania. Używają przy tym różnokolorowych kredek i oznakowan (linie ciągłe, linie przerywane ...).

Wskazówka: Kiedy grający zakończą rysowanie swoich indywidualnych wykresów przebiegu spotkania, możliwe jest przejście na omówienie przyczyn wystawienia poszczególnych ocen. Zalecane zwłaszcza w przypadku, kiedy wyniki wypadły wyjątkowo negatywnie albo za bardzo od siebie odbiegają.

Italiano

Il grafico delle vendite
Numero di partecipanti: da 10 in su • Tempo: 15–20 minuti • Occorrente: giornale murale o grosso tabellone, matite colorate varie • Argomento: analizzare

Su un grosso giornale murale viene tracciato un sistema di coordinate e vi si rappresenta l'andamento dell'incontro. Sull'asse x orizzontale vengono riportati in sequenza cronologica tutti i punti del programma e le unità seminariali. Sull'asse verticale y viene disegnata una scala di valutazione da −3 a +3. Poi si chiede ai partecipanti se e quanto hanno gradito i singoli punti del programma. Essi danno una valutazione di ogni singolo punto in base alla scala suddetta e li collegano a formare una curva, usando matite e linee di diversi colori (linea continua, punteggiata ...).

Nota: una volta che i partecipanti hanno realizzato la propria curva, si può effettuare un colloquio per approfondire le ragioni dei singoli giudizi, cosa consigliata soprattutto quando i risultati sono vistosamente scarsi o ampiamente discordanti.

Gelişme eğrisi

Grubu oluşturanların sayısı: 10 kişiden itibaren • Süre: 15–20 dakika • Malzeme: Duvara asılan kâğıt veyahut büyük plakart, çeşitli renkte kalem • Konu: Değerlendirme

Duvarda büyük bir kağadın üstüne koordinat sistemi çizilir. Bunun üzerinde bir toplantının gidişi gösterilir. Yatay X akisi üzerine kronolojik sıra ile bütün programın konuları veyahut seminerin kısımları kaydedilir. Dikey Y akisinin üzerine −3 ten +3 e kadar not ıskalası kaydedilir. Bunu müteakıp oyunculara, bütün teker teker program konularını nasıl buldukları sorulur. Oyuncular her konuyu teker teker değerlendirip ve belirtilen not ıskalasına notlarını kaydederler. Son olarak teker teker noktaları birleştirip şahsi değerlendirmen eğrisini çizerler. Oyuncular çizimde çeşitli renkli kalem ve işaret (kesiksiz çizgi, noktalardan oluşan çizgi) kullanırlar.

Not: Oyuncular şahsi gelişme eğrisini çizdikten sonra, bir konuşmada teker teker değerlendimelere değinilebilir. Bu bilhassa sonuçlar göze çarpacak kadar negatif veyahut çok ayrıntılı olursa teklifde bulunur.

 Gruppengröße: 15–20   30–40 Minuten  Material: große Bogen Papier, Stifte

Gegenbild

Themen: Perspektivenwechsel, Selbstbilder/Fremdbilder, Vorbereitung, Wahrnehmung

Die TN stellen sich ihr Gegenbild vor, malen es auf und geben ihm einen Namen. Das Gegenbild ist die Person, die der Spieler/die Spielerin absolut nicht leiden kann, mit der er/sie überhaupt nichts anfangen kann und die es schafft, ihn/sie mit den kleinsten Kleinigkeiten zu nerven. Wenn alle ihr Gegenbild gemalt haben, werden die Bilder zu einer Ausstellung aufgehängt und gegenseitig vorgestellt.

Hinweise:
1. Mögliche Auswertungsfragen können sein: Was halten die anderen von den Gegenbildern? Finden sie sie auch so schlimm? Was würde ich tun, wenn ich mit meinem Gegenbild zusammen eine Aufgabe lösen müsste?
2. Ziel der Übung ist es, sich mit seinem Gegenbild zu befassen, um zu einer Auseinandersetzung mit sich selbst zu kommen und Wege der Kooperation zu finden.

Anti-image
Number of participants: 15–20 • Duration: 30–40 minutes
Material: large pieces of paper, pencils • Subjects: change of perspectives, self-image/perceived image, preparation, perception

Participants imagine their anti-image draw it on the paper and give it a name. The anti-image is a person who the participants do not like at all, who does not mean anything to them and who gets on their nerves at every opportunity. As soon as all anti-images are ready, the pictures are hung up in an exhibition and presented to each other.

Notes:
1. Possible questions for evaluation may be: what do the others think of my anti-image? Do they find it as dreadful as I do? What would I do if I had to carry out a task together with my anti-image?
2. It is the aim of this exercise to deal with one's anti-image in order to have a good look at oneself and to find ways of co-operation.

L'antagoniste
Nombre de participants : 15–20 • Durée : 30–40 minutes
Matériel : grande feuille de papier, crayons
Thèmes : changement de perspectives, perception de soi/perception des autres, préparation, perception

Les participants imaginent leur propre « antagoniste », le peignent et lui donnent un nom. L'antagoniste est une personne que le participant ne peut absolument pas souffrir, avec qui il n'a aucun point commun et qui arrive à l'énerver pour un rien. Une fois les portraits antagonistes peints, les peintures sont accrochées au mur pour être exposées et expliquées à chacun.

Remarques :
1. Quelques exemples de questions d'évaluation possibles: Que pensent les autres des « portraits antagonistes » ? Est-ce qu'ils les trouvent eux-mêmes aussi terribles ? Que ferais-je si je devais résoudre un problème avec mon « antagoniste » ?
2. Le but du jeu est de se poser des questions sur son antagoniste, pour en venir à se poser des questions sur soi-même et trouver des voies de coopération.

Obraz własnego przeciwieństwa
Ilość uczestników: 15 do 20 • Czas trwania 30 do 40 minut
Materiał: duże arkusze papieru, ołówki
Tematy: zmiana perspektyw, wizerunek własny i innych, przygotowanie, postrzeganie

Grający wyobrażają sobie własne przeciwieństwo, malują je i nadają mu imię. Jest to wizerunek osoby, której grający absolutnie nie może znieść, z którą wogóle nie może dojść do ładu i która jest w stanie zdenerwować go najmniejszym drobiazgiem. Po narysowaniu tych wizerunków grający zawieszają je w formie wystawy i wzajemnie je sobie przedstawiają.

Wskazówki:
1. Możliwe pytania analizujące: Co myślą inni o przedstawionych wizerunkach? Czy oceniają te osoby również jako złe? Co zrobiliby, gdyby musieli z przedstawioną osobą rozwiązać wspólnie zadanie?
2. Celem ćwiczenia jest zajmowanie się wizerunkiem swojego przeciwienstwa w celu rozliczenia się ze samym sobą i znalezienia dróg możliwości współpracy.

L'antiritratto
Numero di partecipanti: 15–20 • Tempo: 30–40 minuti
Occorrente: grossi fogli di carta, matite
Argomenti: cambiare prospettiva, autoritratto/ritratto altrui, predisporre, percezione

I partecipanti si immaginano il loro antiritratto, lo dipingono e gli danno un nome. L'antiritratto è la persona che il giocatore/la giocatrice assolutamente non può soffrire, col quale non può combinare proprio nulla e che cerca di innervosirlo/-a con le minime piccolezze. Quando tutti hanno dipinto il proprio antiritratto, i quadri vengono appesi in esposizione e presentati vicendevolmente.

Note:
1. Domande possibili per l'analisi possono essere: cosa ne pensano gli altri degli antiritratti? Anche loro li trovano cosI brutti? Cosa farei se dovessi svolgere un compito col mio antiritratto?
2. Scopo dell'esercizio è interessarsi del proprio antiritratto per confrontarsi con se stessi e trovare un modo di collaborazione.

Zıt resim
Grubu oluşturanların sayısı: 15–20 • Süre: 30–40 dakika
Malzeme: Büyük tabaka kâğıt ve kalem
Konu: Değişik perspektif, kendi resmin/ başkasının resmi, hazırlık, algılama

Oyuncular kendine zıt bir resim düşünürp bunu çizerler ve buna bir isim takarlar. Bu zıt resim oyuncunun hiç sevmediği birisi ve görmek istemediği, onun en ufak hareketine kızdığı biri. Bütün zıt resimler yapıldıktan sonra toplanıp sergilenir ve karşılıklı birbirlerine takdim edilir.

Not:
1. Mümkün olan değerlendirme soruları şunlar olabilir: Diğerleri zıt resimler hakkında ne düşünüyorlar? Onlarda bunu o kadar fena mı buluyorlar? Eğer ben zıt resimle bir ödev çözecek olsam ne olur?
2. Bu alıştırmanın amacı, kendi zıt resmi ile igilenip böylece esaslı bir şekilde tetkik edip kişiliğini ve kooperasyona yol bulmaktır.

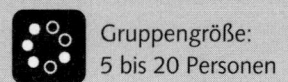 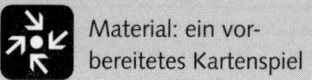
Kartenspiel

Deutsch

Themen: Kommunikation, Vorbereitung, Wahrnehmung

Ein einfaches Kartenspiel wird so vorbereitet, dass die obersten vier Karten Herz 8, Karo 7, Herz 7 und Karo 8 sind. Die Karten sind für die Mitspieler nicht sichtbar. Nun kündigt die Spielleitung einen Zaubertrick an und bittet die TN genau zu beobachten, wie sie das anstellt. Es gilt dabei ein Sprechverbot. Nun darf eine Person die beiden obersten Karten vom Stapel nehmen und sie den anderen zeigen. Es sind Herz 8 und Karo 7. Dann steckt sie die Karten irgendwo an verschiedenen Stellen in den Stapel. Nun klopft der Spielleiter auf den Stapel und deckt nach einer kurzen Pause die beiden obersten Karten auf, nämlich Herz 7 und Karo 8.

Hinweis: In der Regel ist die Verblüffung groß, weil alle glauben, die gleichen Karten zu erkennen, die vorher gezeigt wurden – obwohl es andere sind. Das Spiel macht deutlich, wie schnell Missverständnisse entstehen können, weil man Dinge nicht richtig wahrnimmt.

English

Game of cards
Number of participants: 5 to 20 persons • Duration: 15 minutes
Material: a prepared game of cards
Subjects: communication, preparation, perception

A common game of cards is prepared in such a way that the four cards on top are 8 of hearts, 7 of diamonds, 7 of hearts, 8 of diamonds. The participants cannot see the cards. Now the moderator tells them to perform a magic trick and asks them to observe exactly what he/she does. No talking is allowed at this stage. One person takes the 2 uppermost cards from the pack and shows them to the others. They are 8 of hearts and 7 of diamonds. The participant then puts the cards back into the pack anywhere and in different positions. Now the moderator knocks onto the pack, pauses for a short while, then takes the two uppermost cards which are, of course, 7 of hearts and 8 of diamonds.

Note: Normally participants are astonished because they think to recognise the same cards previously shown to them. The game reveals how easily misunderstandings come about because of a wrong perception.

Jeu de cartes

Nombre de participants : 5 à 20 personnes • Durée : 15 minutes • Matériel : un jeu de cartes préparé • Thèmes : communication, préparation, perception

Un jeu de carte normal est préparé de telle manière que les 4 cartes supérieures soient: 8 de cœur, 7 de carreaux, 7 de cœur, 8 de carreaux. Les joueurs ne peuvent pas voir les cartes. Le coordinateur du jeu annonce alors un tour de magie et demande aux participants de regarder attentivement ce qu'il fait. Il est interdit de parler. Une personne tire deux cartes supérieures et les montre aux autres : il s'agit du 8 de cœur et du 7 de carreaux. Elle remet alors ces deux cartes dans le jeu mais à deux endroits différents. À son tour, le coordinateur du jeu joue avec ses doigts sur le jeu de cartes et après une courte pause, il prend les deux cartes supérieures qui sont à nouveau le 8 de cœur et le 7 de carreaux.

Remarque : En règle générale, la surprise est grande car chacun croit reconnaître les cartes qui avaient été tirées auparavant, alors qu'il s'agit d'autres cartes. Le jeu montre comment des malentendus peuvent se créer facilement lorsqu'on ne perçoit pas vraiment les choses.

Gra w karty

Ilość uczestników: 5 do 20 osób • Czas trwania: 15 minut • Materiał: przygotowana gra w karty • Tematy: komunikacja, przygotowanie, postrzeganie

Przygotowana zostaje łatwa gra w karty w ten sposób, że na samym szczycie stosu kart umieszczone są cztery karty: ósemka kier, siódemka karo, siódemka kier i ósemka karo. Współgrający nie widzą tych kart. Następnie kierujący grą zapowiada czarodziejską sztuczkę i prosi grających o dokładne przyglądanie się, w jaki sposób ją robi. Obowiązuje zakaz rozmowy. Jedna osoba może wziąć kartę leżącą na samym wierzchu i pokazać ją innym. Są to ósemka kier i siódemka karo. Następnie osoba ta wkłada karty z powrotem do talii w dowolnej kolejności. Prowadzący grę puka w stosik kart i odkrywa po krótkiej przerwie dwie karty leżące na samym wierzchu talii, a mianowicie siódemkę kier i ósemkę karo.

Wskazówka: Z reguły zdumienie jest duże, ponieważ wszystkim się wydaje, że rozpoznali te same karty, które zostały uprzednio pokazane, aczkolwiek są to inne karty. Gra ta uwidacznia, jak szybko dochodzi do nieporozumień, jeśli rzeczy nie są postrzegane właściwie.

Gioco di carte

Numero di partecipanti: da 5 a 20 • Tempo: 15 minuti • Occorrente: un gioco di carte preparato • Argomenti: comunicare, predisporre, percezione

Un semplice gioco di carte viene preparato in maniera che le quattro carte in alto siano 8 di cuori, 7 di quadri, 7 di cuori e 8 di quadri. I giocatori non le possono vedere. Poi chi dirige il gioco dice che ora farà un trucco magico e prega i partecipanti di osservare esattamente cosa succede. Non si può parlare. Ora una persona prende dal mazzo le due carte più alte e le mostra agli altri. Sono l' 8 di cuori e il 7 di quadri. Poi questa stessa persona infila le carte in punti diversi del mazzo. Adesso chi dirige il gioco batte sul mazzo e dopo una breve pausa scopre le due carte superiori, che sono il 7 di cuori e l' 8 di quadri.

Nota: Di norma lo stupore è grande, perché tutti credono di riconoscere proprio le carte che hanno visto prima, anche se invece sono altre. Il gioco evidenzia come è facile equivocare perché non si fa bene attenzione.

Kâğıt oyunu

Grubu oluşturanların sayısı: 5–20 • Süre: 15 dakika • Malzeme: Hazırlanmış kâğıt oyunu Konu: Komünikasyon, hazırlama ve algılama

En üstteki dört kâğıt, kupa 8, karo 7, kupa 7 ve karo 8 olmak üzere basit bir kâğıt oynu hazırlanır. Kâğıtlar oynuyanlar tarafından görülmez. Oyun idaresisi bir sihirbazlık yapacağını ve bunu nasıl yaptığını oyuncuların iyice izilemesini söyler. Konuşmak yasaktır. Bir kişi destenin üstündeki iki kâğıdı alır ve bunları diğerlerine gösterir. Bunlar kupa 8 ve karo 7 dir. Daha sonra bu kişi kâğıtları yığının çeşitli yerlerine koyar. Bundan sonra yönetmen bu desteye tık tık vurur ve kısa bir tenefüsten sonran bu iki üstteki kâğıdı açar yani kupa 7 ve karo 8 ortaya çıkar.

Not: Normalde herkes çok şaşırır, çünkü herkes bunlar başka kâğıt olduğu halde, daha önce gösterilen kağatların olgunu zanneder. Oyun bazı şeylerin tam algılanılmadıkları için yanlış anlıyabilmenin ne kadar kolay olduğunu ortaya çıkarır.

Monolog und Dialog

Deutsch

Themen: Kommunikation, Verstehen, Vorbereitung

Eine Person aus der Gruppe erhält eine Zeichnung mit Quadraten in einer bestimmten Anordnung (vgl. unten I), die sie nach kurzer Bedenkzeit der Gruppe beschreiben soll. Dabei darf sie lediglich die Sprache als Medium benutzen, Gestik und Zeigen der Zeichnung sind verboten. Die Gruppenmitglieder haben die Aufgabe, die beschriebene Figur nach den verbalen Anweisungen zu Papier zu bringen. Im ersten Versuch sind keine Rückfragen erlaubt.

Anschließend werden die Teilnehmer gefragt, wie viele Quadrate sie glauben korrekt gezeichnet zu haben.

In einem zweitem Versuch wird eine neue Zeichnung vorgegeben (vgl. unten II), diesmal sind Rückfragen und Mimik und Gestik erlaubt. Am Ende werden die Originalzeichnungen gezeigt und die Anzahl der richtigen Lösungen abgefragt.

Hinweis: Die Übung eignet sich um die Bedeutung der verschiedenen Elemente der Kommunikation und den Vorteil von Dialogen gegenüber Monologen deutlich zu machen.

Variante: In multikulturellen Gruppen können TN mit guten Kenntnissen der anderen Sprache dies auch in der Fremdsprache versuchen.

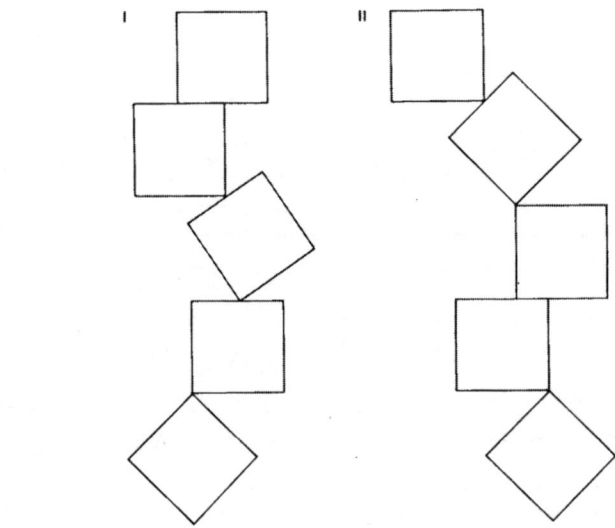

Monologue and dialogue
Number of participants: 12–15 • Duration: 30–40 minutes
Material: Writing pads and pencils
Subjects: communication, understanding, preparation

Each person from the group is given a drawing showing squares arranged in a certain order (see I below) which they are asked to describe to the group after a short while. The only medium they are allowed to use is language; gestures are not allowed neither is showing the drawing to the others. The group members' task is to draw the figure described following the verbal instructions. During the first round, group members are not allowed to ask questions.

Then the participants are asked how many squares they think they have drawn correctly.

In a second trial a new drawing is given (see II below); this time questions may be asked and facial expressions and gestures used. Finally the original drawings are shown and participants are asked how many squares they drew correctly.

Note: This exercise is aimed at clarifying the importance of different elements of communication and the advantage of dialogues compared to monologues.

Variation: In multi-cultural groups participants having a good knowledge of the other language may try to play the game in the foreign language.

Monologue et dialogue
Nombre de participants : 12–15 • Durée : 30–40 minutes • Matériel : blocs et crayons
Thèmes : communication, compréhension, préparation

Une personne du groupe reçoit un dessin avec des carrés placés dans un ordre bien déterminé (comp. ci-dessous I). Après un court moment de réflexion, elle doit décrire au groupe ce qu'elle voit. Elle ne doit utiliser que la parole comme moyen de communication. Faire des gestes et montrer le dessin n'est pas autorisé. Les participants ont pour mission de représenter la figure géométrique d'après les informations qui leur ont été communiquées oralement. Dans un premier temps, aucune question n'est permise.

Il est demandé ensuite aux participants combien de carrés ils pensent avoir dessiné correctement. Dans un second temps, un nouveau dessin est distribué (comp. ci-dessous II). Il est possible cette fois de poser des questions, de faire des gestes et des mimiques. Finalement, les dessins originaux sont montrés et il est demandé le nombre de réponses exactes.

Remarque : Cet exercice permet de mettre en valeur l'importance des différents éléments de la communication ainsi que l'avantage des dialogues par rapport aux monologues.

Variante : Pour les groupes multiculturels, les participants disposant de bonnes connaissances d'une autre langue peuvent essayer de faire l'exercice dans cette langue étrangère.

Monolog i dialog
Ilość uczestników: 12 do 15 • Czas trwania: 30 do 40 minut
Materiał: bloki rysunkowe i pisaki • Tematy: porozumiewanie się, rozumienie, przygotowanie.

Jedna osoba z grupy dostaje rysunek kwadratów w określonym położeniu (porównaj u dołu I), które po krótkim namyśle ma opisać grupie. Wolno jej przy tym posługiwać się językiem jako środkiem przekazu, gestykulacja i pokazywanie rysunku są zabronione. Członkowie grupy dostają jako zadanie naniesienie na papier tej figury, opisywanej w sposób werbalny. Przy pierwszej próbie pytania nie są dozwolone.
Następnie grający są pytani, ile kwadratów według własnego uznania narysowali właściwie. Przy drugiej próbie oddany zostaje do opisu nowy rysunek (porównaj u dołu II); tym razem pytania, mimika i gestykulacja są dozwolone. Na koncu pokazywane są rysunki oryginalne a grający są pytani o ilość właściwych rorwiązan.

Wskazówka: Cwiczenie to nadaje się do uwidocznienia dwóch aspektów: znaczenia poszczególnych elementów porozumiewania się oraz przewagi dialogu nad monologiem.

Wariant: W grupach wielokulturowych grający z dobrą znajomością innych języków mogą próbować opisów także w tych językach.

Monologo e dialogo
Numero di partecipanti: 12–15 • Tempo: 30–40 minuti
Occorrente: bloc notes e matite • Argomenti: comunicare, comprendere, predisporre

A un partecipante viene dato un disegno con dei quadrati disposti in un certo modo (vedi sotto I), che egli/ella, dopo essersi concentrato/-a per breve tempo, deve descrivere al gruppo usando solamente la parola (è vietato usare gesti e mostrare il disegno). I membri del gruppo devono disegnare la figura illustrata verbalmente. La prima volta non sono ammesse domande.
Successivamente ai partecipanti viene chiesto quanti quadrati credono di aver disegnato correttamente. La seconda volta viene proposto un nuovo disegno (vedi sotto II) e adesso si possono porre domande ed usare la mimica e la gestualità. Alla fine i disegni originali vengono mostrati e si vede quanti hanno imbroccato la soluzione.

Nota: L'esercizio è adatto per chiarire il significato dei vari elementi della comunicazione e il vantaggio dei dialoghi rispetto ai monologhi.

Variante: In gruppi multiculturali i partecipanti con buone conoscenze di altre lingue possono spiegare il tutto anche nelle lingue che conoscono.

Monolog ve dialog
Grubu oluşturanların sayısı: 12–15 • Süre: 30–40 dakika • Malzeme: Blok ve kalem
Konu: Komünikasyon, anlama ve hazırlık

Gruptan bir kişiye belirli bir sıraya göre düzenlenmiş (aşağıdaki I le mukayese et) karelerle bir çizim verilir. Bunu oyuncu kısa bir süre düşündükten sonra gruba izah etmesi gerekir. Bu arada oyuncunun sadece dil aracılığı ile izah etmesi gerekir, yani jestik hareketler yapmak veyahut çizimi göstermek yasaktır. Gruptakilerin vazifeleri, sözlü olarak izah edilen şekli kâğıda kaydetmeleridir. İlk denemede soru sormaya müsaade verilmez. Daha sonra iştirak edenlere kaç kareyi doğru çizdiklerine inandıkları sorulur. İkinci bir denemede yeni bir çizim belirtilir (aşağıda II ile mukayese et), bu defasında soru sorma, mimik ve jestik hareketler yapmaya müsaade verilir. En sonunda orjinal çizim gösterilir ve kaç tane doğru çözüm olduğu sorulur.

Not: Alıştırma komünikasyonun çeşitli unsurlarının önemini ve dialog'un monolg'a karşı olan faydalarını açıkça ortaya çıkmasına yarar.

Değişik şekli: Mültikültürel gruplarda iyi yabancıdil bilgisi olan kişiler bunu yabancıdilde de deneyebilir.

Nachzeichnen

Deutsch

Themen: Kommunikation, Sprache, Verstehen, Vorbereitung

Die TN bilden Paare und erhalten einen Block und einen Stift. Das erste Paar setzt sich nun so hin, dass sie einander nicht sehen können. Die eine Person zeichnet einen Gegenstand ihrer Wahl und beschreibt ihn, ohne den Gegenstand zu benennen. Die zweite Person zeichnet nach den mündlichen Anweisungen den Gegenstand nach und soll ihn erraten, darf aber nichts sagen oder nachfragen. Hierfür hat das Paar drei Minuten Zeit. Im zweiten Durchgang mit dem nächsten Paar darf diejenige Person, die nachzeichnet, drei Verständnisfragen stellen, aber nicht mehr. Im dritten Durchgang dürfen die Spieler während der zwei Minuten uneingeschränkt miteinander reden.

Hinweis:
1. Im Plenum kann diskutiert werden, wer das beste Ergebnis hatte und warum.
2. Die Übung eignet sich, um die Bedeutung der verschiedenen Elemente der Kommunikation und den Vorteil von Dialogen gegenüber Monologen deutlich zu machen.

Variante: In multikulturellen Gruppen können TN mit guten Kenntnissen der anderen Sprache dies auch in der Fremdsprache versuchen.

English

Copying
Number of participants: three times two persons • Duration: 30–45 minutes • Material: writing pads, pencils
Subjects: communication, language, understanding, preparation

Participants form pairs and are given one writing pad and one pencil. The first pair now sits down in so that they cannot see each other. One of them draws an object of his/her choice and describes that object without naming it. The second person draws the object according to the first person's instructions and has to guess what the object is without talking or asking questions. The pairs are given three minutes to complete the task. In the second round with the next pair, the person who copies is allowed to ask three (but not more) questions. In the third round, players are allowed to talk to each other without any restrictions.

Français

Le dessin

Nombre de participants : trois fois deux personnes • Durée : 30–45 minutes
Matériel : blocs, crayons • Thèmes : communication, langage, compréhension, préparation

Les participants forment des couples et reçoivent chacun un bloc et un crayon. Le premier couple s'assoit de telle manière que les deux partenaires ne peuvent se voir. Une des deux partenaires dessine un objet de son choix et le décrit sans nommer l'objet. L'autre partenaire dessine l'objet d'après les descriptions orales et doit deviner de quoi il s'agit sans dire ou demander quoi que ce soit. Le couple dispose de trois minutes pour cela. Au tour suivant, avec le second couple, la personne qui dessine d'après les descriptions peut poser 3 questions, pas une de plus. Au troisième tour, les joueurs peuvent discuter entre eux sans restriction pendant deux minutes.

Remarque :
1. Il est possible en plénum de savoir qui a obtenu le meilleur résultat et pourquoi.
2. Cet exercice permet de mettre en valeur l'importance des différents éléments de la communication ainsi que l'avantage des dialogues par rapport aux monologues.

Variante : Pour les groupes multiculturels, les participants disposant de bonnes connaissances d'une autre langue peuvent essayer de faire l'exercice dans cette langue étrangère.

Polski

Rysunek według opisu

Ilość uczestników: trzy razy dwie osoby • Czas trwania: 30 do 45 minut
Materiał: bloki rysunkowe i pisaki
Tematy: komunikacja, język, z rozumilie, przygotowanie

Grający tworzą pary. Każda para dostaje blok rysunkowy i pisak. Pierwsza para siada tak, aby się nawzajem nie widzieć. Pierwsza osoba rysuje wybrany przez siebie przedmiot i opisuje go, nie podając nazwy przedmiotu. Druga osoba rysuje ten przedmiot według ustnych wskazówek i ma odgadnąć, jaki to przedmiot, nie wolno jej jednak nic mówić ani stawiać pytań. Para ma trzy minuty czasu. W drugim podejściu następnej pary osoba rysująca może zadać nie więcej niż trzy pytania wyjaśniające .
W trzecim podejściu grający mogą rozmawiać ze sobą bez ograniczeń przez dwie minuty.

Wskazówka:
1. Na plenum można dyskutować, kto miał najlepszy wynik i dlaczego.
2. Cwiczenie nadaje się do wyjaśnienia znaczenia dwóch rzeczy: poszczególnych elementów poszczególnych elementów porozumiewania się oraz przewagi dialogu nad monologiem.

Wariant: W grupach wielokulturowych grający z dobrą znajomością języków obcych mogą próbować opisów także w innych językach.

Disegnare in base a un modello
Numero di partecipanti: 3 × 2 • Tempo: 30–45 minuti • Occorrente: bloc notes, matite
Argomenti: comunicare, il linguaggio, comprendere, predisporre

I partecipanti formano coppie e vengono loro dati un bloc notes e una matita. La prima coppia si sistema in modo che i due membri non si possano vedere. Una persona disegna un oggetto qualunque e lo descrive senza dire che cos'è. L'altra disegna anch'essa l'oggetto in base alle istruzioni verbali e lo deve indovinare, ma non può dire nulla né porre domande. La coppia ha tre minuti di tempo. Al secondo giro con la seconda coppia chi riproduce il disegno può porre tre domande esplorative, ma non di più.
Al terzo giro i giocatori possono parlare liberamente per due minuti.

Nota:
1. Tutt'insieme si può discutere su chi ha ottenuto il risultato migliore e perché.
2. L'esercizio è adatto per chiarire il significato dei vari elementi della comunicazione e il vantaggio dei dialoghi rispetto ai monologhi.

Variante: In gruppi multiculturali i partecipanti con buone conoscenze di altre lingue possono spiegare il tutto anche nelle lingue che conoscono.

İzaha göre çizim
Grubu oluşturanların sayısı: üç defa iki kişi • Süre: 30–45 dakika
Malzeme: Blok, kalem • Konu: Komünikasyon, dil, anlama ve hazırlık

Oyuna iştirak edenler birer çift olurlar, ve bunlara birer kalem ve blok verilir. İlk çift birbirlerini göremeyeceği bir şekilde oturur. Bir kişi kendi arzu ettiği gibi, ismini söylemeden herhangi bir cisim çizer ve bunu izah eder. Eşi sözlü izaha göre bu cismi çizmeye çalışır, ve bunun ne olduğunu bulması fakat bunu söylemeyip sormaması gerekir. Çiftlere bunun için üç dakika süre verilir. İkinci safhada, yani öbür çiftin sırası gelince, cismi bulup çizmeye çalışan kişi ancak üç kavram sorusu sorabilir. Üçüncü safhada oyuncular iki dakika içinde birbirleri ile sınırsız konuşabilirler.

Not:
1. Toplantıda en iyi neticeye kimin ulaşmış olduğu ve niçin konusu tartışılır.
2. Alıştırma komünikasyonun çeşitli unsurlarının önemini ve dialog'un monolog'a karşı olan faydalarını açıkça ortaya çıkmasına yarar.

Değişik şekli: Mültikültürel gruplarda iyi yabancı dilbilgisi olan kişiler bunu yabancıdilde de deneyebilirler.

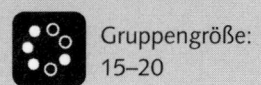 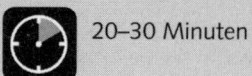
Nähe und Ferne

Deutsch

Themen: Kommunikation, Kulturen entdecken, Landeskunde, Unterschiede und Gemeinsamkeiten entschlüsseln, Vorbereitung

Die TN bilden Paare, die sich auf zwei gedachten Linien im Raum gegenüberstehen. Die beiden Linien sind ca. drei bis vier Meter auseinander.
Auf ein Zeichen der Spielleitung bewegen sich alle Personen von der einen Linie (Gruppe A) langsam auf ihren Partner/ihre Partnerin (Gruppe B) zu. Die Mitglieder der Gruppe B sollen die Mitglieder der Gruppe A stoppen, wenn sie in der richtigen Entfernung stehen, um z. B. folgende Szene darzustellen: Ansprache eines Unbekannten, um in einer fremden Stadt nach dem Weg zu fragen.
Wenn alle aus Gruppe B Stopp gesagt haben, kann geprüft werden, ob es in der Gruppe Unterschiede in den Distanzen gibt und wie groß diese sind. Dann geht es weiter mit Szenen wie: Begrüßung des unbekannten Chefs, des eigenen Vaters, Begrüßung eines guten Freundes etc.

Hinweise:
1. Bei zwei- und multikulturellen Gruppen sollten die Mitglieder einer Kultur nach Möglichkeit eine der beiden Gruppen bilden.
2. In allen Szenen können noch die Mitglieder der Gruppe A gefragt werden, ob sie mit der „Distanzregelung" einverstanden sind oder ob sie eine andere Regelung von Nähe und Ferne bevorzugen würden.
3. Nach Absolvierung aller drei Durchgänge kann geprüft werden, ob es zwischen den drei Stufen „Unterschiede in der Distanz" gibt und wie groß diese sind.

English

Closeness and distance
Number of participants: 15–20 • Duration: 20–30 minutes
Material: none • Subjects: communication, discovering cultures; geography, identifying differences and similarities, preparation

Participants form pairs standing opposite each other on two fictitious lines in the room. The lines are approx. 3 to 4 meters apart.
On the moderator's signal all persons move from one line (group A) slowly towards their partner (group B). Members of group B have to stop members of group A as soon as they reach the right distance required to represent the following scene: contact a stranger to ask the way in an unfamiliar city.

As soon as everyone of group B has said stop, any differences within the group with regard to distances and how big these differences are can be checked. Then the game continues with scenes like: greeting your own father's boss, greeting a good friend etc.

Notes:

1. In groups consisting of members from two or more cultures, persons from one culture should possibly form one of the two groups.
2. In all scenes the members of group A are asked whether they agree with the, "distance regulation" or if they would prefer another arrangement.
3. Following all of these three rounds any "differences in distance" and how great these differences are can be checked.

La proximité et l'éloignement

Nombre de participants : 15–20 • Durée : 20–30 minutes • Matériel : aucun
Thèmes : communication, découverte des cultures; civilisation, décodage des différences et des points communs, préparation

Les participants se mettent par deux et se placent face à face sur deux lignes choisies dans la pièce. Les deux lignes sont éloignées l'une de l'autre d'environ 3–4 mètres.
Sur un signe de le coordinateur du jeu, toutes les personnes d'une ligne (groupe A) se déplacent vers leurs partenaires (groupe B). Les membres du groupe B doivent arrêter les membres du groupe A lorsque ceux-ci sont à la bonne distance pour représenter par exemple la scène suivante: aborder un inconnu pour demander son chemin dans une ville étrangère.
Une fois que toutes les personnes du groupe B ont dit stop, il est possible de comparer s'il y a des différences dans l'écart entre tous les couples et l'importance de cet écart. Puis, le jeu continue avec une autre scène: saluer le chef inconnu de son père, saluer un bon ami, etc.

Remarques :

1. Dans des groupes biculturels et multiculturels, les membres d'une même culture devrait dans la mesure du possible former un des deux groupes.
2. Dans toutes les scènes, il est possible de demander aux membres du groupe s'ils sont d'accord avec le règlement d'éloignement et s'ils préfèreraient un autre règlement.
3. Une fois les trois tours réalisés, il est possible de comparer s'il y a des différences dans l'éloignement et l'importance de ces différences.

Bliskość i odległość

Ilość uczestników: 15 do 20 • Czas trwania: 20 do 30 minut • Materiał: niepotrzebny
Tematy: porozumiewanie się, odkrywanue kultur, krajoznawstwo, rozszyfrowywanie różnic i cech wspólnych, przygotowanie

Grający tworzą pary, które ustawiają się naprzeciwko siebie na dwóch wymyślonych liniach w sali. Linie przebiegają od siebie w odległości 3 do 4 metrów. Na znak dany przez kierującego grą wszystkie osoby stojące na jednej linii (grupa A) poruszają sie wolno w kierunku swoich partnerów (grupy B). Członkowie grupy B mają zastopować członków grupy A w momencie, kiedy stoją oni we właściwej odległości, aby przedstawić np. następującą scenę: zagadnięcie nieznajomej osoby w celu zapytania o drogę w obcym mieście. Kiedy wszystkie osoby z grupy B powiedziały już „stop" należy sprawdzić, czy w grupie są różnice w odstępach i jak duże są te różnice. Następnie grane są dalej inne sceny, jak powitanie nieznanego szefa własnego ojca, powitanie dobrego przyjaciela itp.

Italiano

Vicino e lontano

Numero di partecipanti: 15–20 • Tempo: 20–30 minuti • Occorrente: nulla
Argomenti: comunicare, scoprire culture; geografia, differenze e comunanze, predisporre

I partecipanti formano coppie disposte l'una di fronte all'altra su due linee immaginarie (distanziate di 3–4 metri) nella stanza.
A un segnale di chi dirige il gioco tutti i componenti di una linea (gruppo A) si muovono lentamente verso i compagni e compagne (gruppo B). I membri del gruppo B devono fermare quelli del gruppo A quando si trovano alla distanza giusta p.es. per rappresentare una scena tipo: rivolgersi a uno sconosciuto per chiedere la strada in una città straniera.
Quando tutti quelli del gruppo B hanno detto «stop» si può controllare se nel gruppo le distanze sono diverse e di quanto. Poi si prosegue con scene tipo: salutare il capo del proprio padre, salutare un buon amico, ecc.

Note:
1. Nei gruppi bi- o multiculturali i membri di una cultura devono possibilmente formare uno dei due gruppi.
2. In tutte le scene si può chiedere ai membri del gruppo A se sono d'accordo sulla regola della distanza oppure se preferirebbero un'altra regola di vicinanza e lontananza.
3. Una volta fatti i tre giri si può controllare se fra le tre fasi le distanze sono diverse e di quanto.

Türkye

Yakınlık ve uzaklık

Grubu oluşturanların sayısı: 15–20 • Süre: 20–30 dakika • Malzeme: Gerekmez
Konu: Komünikasyon, kültürel bilgiler edinme, yurt bilgisi, farklı ve aynı yönleri bulma ve hazırlık

Oyuna iştirak edenler birer çift olup odada düşünülen iki hayali çizgide karşı karşıya dururlar. Bu çizgilerin aralarındaki mesafeler takriben üç dört metreyi bulur. Oyun idareciliğinin bir işareti üzere bütün oyuncular bir çizgiden yavaş yavaş (grup A) eşlerine doğru (grup B) hareket ederler. Aşağıdaki oyunu temsil edebilmeleri için B grubundaki oyuncular A grubundaki oyuncuları eğer tam doğru mesafede iseler durdurmaları gerekir, örneğin: yabancı birinin tanımadığı bir şehirde yol sorması. B grubunda herkes istop dedikten sonra grup içinde mesafe farkı olup olmadığı ve bunun ne dereceye kadar olduğu incelenir. Daha sonra oyun şu sahnelerle devam eder: kendi tanımadığı, babasının şefi ile selamlaşma; iyi bir arkadaşı ile selamlaşma v. b.

Not:
1. İki veyahut mültikültürel gruplarda bir kültüre ait kişiler mümkünse bu iki gruptan birini kurmaları gerekir.
2. Bütün sahnelerde A grubundaki oyunculara «Mesafe farkı» tanzimini kabul edip etmedikleri veyahut yakın ve uzaklığa ait başka bir düzen şekli tercih edip etmedikleri sorulur.
3. Bu yekün üç sıra oyun bittikten sonra, bu üç kademede «Mesafe farkı» olup olmadığı ve bunun ne kadar olduğu incelenebilir.

Alphabetisches Verzeichnis der Spiele

Kategorien

Deutsch

English

Français

Polski

Italiano

analizzare 107, 110, 117, 140, 143, 145, 153, 204, 207, 211, 214
apprendere 35, 37, 39, 45, 47, 56, 62, 67, 69, 99, 101, 112, 114, 117, 119, 124, 126, 156, 174
aquisire fiducia 101, 103, 145, 150
autoritratto/ritratto altrui 54, 56, 77, 83, 88, 164, 217
collaborare 42, 45, 56, 58, 64, 73, 103, 105, 121, 131, 148, 150, 164, 181, 184, 188, 201
cambiare prospettiva 50, 83, 101, 193, 217
comprendere 50, 222, 225
comunicare 42, 50, 62, 69, 73, 79, 107, 119, 121, 138, 145, 148, 150, 156, 181, 201, 219, 222, 225, 228
concertare 42, 47, 50, 103, 105, 184, 188, 197, 201
differenze e uguaglianze 85, 90, 92, 97, 177, 181, 228
discriminare 50, 193
formare piccoli gruppi 47, 67
geografia 52, 58, 75, 79, 85, 88, 135, 164, 167, 171, 228
identità 160
il linguaggio 45, 58, 79, 92, 107, 184, 188, 225
percezione 83, 103, 197, 217, 219
predisporre 42, 52, 94, 99, 101, 135, 138, 160, 193, 217, 219, 222, 225, 228
pregiudizi 64, 77, 83, 94, 135, 160
razze 77, 83, 97, 181, 184, 188
ripetere 110, 207
scorpire comunanze 114
scoprire culture 64, 75, 90, 92, 97, 99, 107, 138, 160, 164, 167, 171, 181, 184, 188, 228
stereotipi 135, 197
valori 97, 99, 101, 105, 177, 181, 197

Türkye

algılama 83, 103, 197, 217, 219
anlaşma 42, 47, 50, 103, 105, 185, 188, 198, 201, 222, 225
avadaki farkılık ve müşterek yönleri bulmak 86, 90, 92, 97, 178, 181, 228
Cinsiyet 77, 83, 97, 181, 185, 188
değer 97, 99, 101, 105, 178, 181, 197
Değerlendirme 108, 110, 117, 141, 143, 145, 153, 204, 208, 212, 215
değişik perspektifle görüş 50, 83, 101, 193, 217
dil 45, 58, 80, 92, 108, 185, 188, 225
Diskriminasyon 50, 193
güvem 101, 103, 129, 145, 150
hacırlık 42, 52, 95, 99, 101, 135, 138, 160, 193, 217, 219, 222, 225, 228
işbirliği 42, 45, 56, 58, 65, 73, 103, 105, 122, 129, 132, 148, 150, 164, 181, 185, 188, 201
Kendi vesmim/diğerinin vesmi 54, 56, 77, 83, 88, 164, 217
Komünikasyon 42, 50, 62, 69, 73, 80, 108, 119, 122, 129, 138, 145, 148, 150, 156, 181, 201, 219, 222, 225, 228
küçük gruplaşma ve 47, 67
kültürel bilgi edinme 65, 90, 92, 97, 99, 108, 138, 160, 164, 168, 171, 181, 185, 188, 228
ortklaşa yönleri keşfetme 115
sonradan hazırlanma 110, 208
stereotip 135, 197
Tanışma 34, 37, 39, 45, 47, 56, 62, 67, 69, 99, 101, 112, 115, 117, 119, 124, 126, 156, 174
tynılık 160
ve anlama 50
ve önyargı 65, 77, 83, 95, 135, 160
yurt bilgisi 52, 58, 80, 86, 88, 135, 164, 168, 171, 228

SERVICE

1. Kontaktadressen der Herausgeber

Die Herausgeber sind gerne bereit, diejenigen durch weitere Bildungs- und Beratungsangebote zu unterstützen, die durch die „Global Games" Interesse bekommen haben, sich in diesem Sinne als ‚Global Player' zu engagieren.

Martin Kaiser
Politisch-soziales Bildungswerk – Christen für Europa e.V. (CfE)
Wachwitzer Höhenweg 10
01328 Dresden
Tel.:   0049 (0) 3 51/2 63 22 08
Fax: 0049 (0) 3 51/2 15 00 28
E-Mail: cfe@online.de

Joachim Sauer
Referent für internationale Jugendarbeit und europäische Jugendpolitik des BDKJ-Bundesvorstandes
Carl-Mosterts-Platz 1
40477 Düsseldorf
Tel.:   0049 (0) 2 11 46 93-1 74
E-Mail: Jsauer@bd:kj.de
Internet: www.BDKJ.de

Alfons Scholten
Projekt interkulturelle politische Bildung
c/o arbeitsstelle für jugendseelsorge
Carl-Mosterts-Platz 1
40477 Düsseldorf
Tel: 0049 (0) 2 11/48 47 66-19
Fax: 0049 (0) 2 11/48 47 66-22
E-Mail: bildung-wjt@aksb.de
Internet: www.aksb.de und www.afj.de

Bernhard W. Zaunseder
Jugendpastoral Euregio
Abteilung Kinder- und Jugendpastoral
Bischöfliches Generalvikariat Trier
Hinter dem Dom 6
54290 Trier
Tel.:   0049 (0) 6 51/71 05-3 13
Fax: 0049 (0) 6 51/71 05-4 06
E-Mail: bernhard.w.zaunseder@bgv-trier.de
Internet: http://www.jugend.bistum-trier.de und
          http://www.jugendpastoral-euregio.org

2. Literaturempfehlungen für die Weiterarbeit

Centrum Informatieve Spelen – Leen Laconte (JINT): Intercultural Games. – Leuven/Belgien 1998 – ISBN 90-75835-02-7 (in englisch, französisch und spanisch)

Harles, Lothar; Wirtz, Peter (Hg.): Lernen über Grenzen. Politische Bildung als internationale Jugendarbeit. – Schwalbach/Ts. 2003 –

Internet: Ein umfassendes Praxishandbuch, das vor allem für die Vorbereitung geeignet ist, befindet sich im Internet unter: http://www.dija.de/ikl

Losche, Helga: Interkulturelle Kommunikation: Sammlung praktischer Spiele und Übungen. – Alling 1995

Nick, Peter; Sladek, Brigitte: Farbe ins Spiel bringen. Ratgeber für Leitungsteams. – Neuss 1995

Rademacher, Helmolt; Wilhelm, Maria: Spiele und Übungen zum interkulturellen Lernen. – Berlin 1991

Scholten, Alfons: Ratgeber für Leitungsteams: Internationale Begegnung, Neuss 2001

Schroll-Machl, Sylvia: Die Deutschen – Wir Deutsche. Fremdwahrnehmung und Selbstsicht im Berufsleben. – Göttingen 2002

Taylor, Mark: Methoden internationaler Jugendarbeit – Bausteine inhaltlicher Gestaltung, in: Otten, Hendrik; Treuheit, Werner (Hg.): Interkulturelles Lernen in Theorie und Praxis. Ein Handbuch für Jugendarbeit und Weiterbildung. – Opladen 1994, 59–127

Wuttke, Gisela; Jagusch, Birgit: Internationale Jugendbegegnungen – interkulturell und antirassistisch. Reader für MultiplikatorInnen in der Jugend- und Bildungsarbeit. – hgg. Vom Informations- und Dokumentationszentrum für Antirassismusarbeit (IDA) e.V. – Düsseldorf 2003

3. Serviceangebote des jugendhaus düsseldorf e.v.

ABC internationale Jugendarbeit. Eine Arbeitshilfe zur internationalen Jugendarbeit. – Düsseldorf 2001, kostenlos erhältlich beim
jugendhaus düsseldorf e.v.
Carl-Mosterts-Platz 1
40477 Düsseldorf
E-Mail: bestellung@jugendhaus-duesseldorf.de

Für die Internationale Jugendarbeit bietet das Jugendhaus Düsseldorf ein Service- und Beratungsangebot, das Institutionen der kirchlichen Jugendarbeit in allen Fragen, die mit der Beantragung von Zuschüssen und der Programmplanung zusammenhängen, berät und unterstützt:
jugendhaus düsseldorf e.v.
Frau Julia Schäfer
Carl-Mosterts-Platz 1
40477 Düsseldorf
Tel.: 02 11/46 93-1 05
E-Mail: jschaefer@jugendhaus-duesseldorf.de

Biographien

Martin Kaiser

Martin Kaiser ist Referent für internationale Jugendarbeit und freiwillige soziale Dienste beim politisch-sozialen Bildungswerk Jugend für Europa e.V./CFE in Dresden. Er ist seit über 15 Jahren im Bereich der internationalen Jugendarbeit tätig. Schwerpunkte seiner Tätigkeit sind interkulturelle Trainings, biographisches Lernen, Vergangenheitsbearbeitung und interreligiöser Dialog. Zahlreiche Veröffentlichungen zu diesen Themen.

Regina Rieger

Abitur 2003 in Augsburg; 2003/04 Europäischer Freiwilligendienst in der Euregio (Zusammenschluss mehrerer Bistümer im grenznahen Bereich aus Deutschland, Frankreich, Belgien und Luxemburg auf Ebene der Jugendarbeit) beim Centre de Pastorale des Jeunes in Luxemburg.
E-Mail: regina@jugendpastoral.org

Joachim Sauer

Studium der Geschichte und Russistik in Bochum; seit 1988 auf dem Gebiet des internationalen Jugendaustauschs aktiv, 1995–97 Pädagogischer Mitarbeiter beim Internationalen Bildungs- und Begegnungswerk e.V. (IBB), Dortmund; seit 1997 Referent für internationale Arbeit und europäische Jugendpolitik beim Bund der Deutschen Katholischen Jugend (BDKJ) – Bundesstelle, Düsseldorf.
E-Mail: jsauer@bd:kj.de

Alfons Scholten

Studium der Geschichte und kath. Theologie in Bochum und Nantes; Zusatzstudium „Deutsch als Fremdsprache" und Fortbildung zum Praktischen Betriebswirt; mehrere Jahre Referent für deutsch-französische und internationale Arbeit in der Bundesleitung der Deutschen Pfadfinderschaft Sankt Georg (DPSG) in Paris und Neuss, seit 2002 Referent im Kooperationsprojekt interkulturelle politische Bildung der Arbeitsgemeinschaft katholisch-sozialer Bildungswerke in der Bundesrepublik Deutschland (AKSB) und der Arbeitsstelle für Jugendseelsorge der Deutschen Bischofskonferenz (afj).
E-Mail: Scholten@aksb.de

Bernhard W. Zaunseder

Studium der Theologie und Pädagogik an den Universitäten Eichstätt, Passau, Maynooth (Irland) und Würzburg, seit 1981 auf dem Gebiet des internationalen Jugendaustauschs aktiv; 1990–92 Bundesgeschäftsführer und Bildungsreferent der Aktion West-Ost im BDKJ, 1992–1994 Personalreferent bei der Arbeitsgemeinschaft für Entwicklungshilfe (AGEH), seit 1994 in der Abteilung Kinder- und Jugendpastoral des Bischöflichen Generalvikariats Trier, zuletzt seit 1999 als Abteilungsleiter, in dieser Funktion auch Sprecher der grenzüberschreitenden jugendpastoralen Zusammenarbeit „EUREGIO".
E-Mail: kijupast-trier-bwz@web.de

Gudrun Zipper

Ausbildung zur Erzieherin. Studium der Germanistik und kath. Theologie in Bonn. Seit 2000 Weiterbildung zur Psychodramaleiterin. Von 1994–99 in der Jugendbildungsarbeit verschiedener Bildungsträger. Seit 2000 freiberufliche Trainerin insbes. für interkulturelles Lernen und Konfliktmanagement, Coaching/Beratung in beruflichen und persönlichen Fragen.
E-Mail: GudrunZipper@compuserve.de

LET'S SING

INTERNATIONALES SPIRITUAL SONG BOOK – MEHRSPRACHIG

Für internationale Begegnungen bietet dieses neue Liederbuch eine Zusammenstellung der wichtigsten und schönsten neuen geistlichen Songs für junge Leute. Sie stammen buchstäblich aus der ganzen Welt: aus vielen Sprachen, aus West- und Osteuropa, Nord- und Südamerika, aus Afrika und Asien.

Mit dieser Auswahl mehrsprachiger spiritueller Lieder wird jeder Gottesdienst, jede Andacht und jedes Treffen nachhal(l)tig zum unvergesslichen Erlebnis. Die Auswahl der Lieder wurde vom Arbeitskreis „Neues Geistliches Lied" getroffen.

Ideal auch zur Vorbereitung auf den XX. Weltjugendtag 2005 in Köln.

Let's sing – International Spiritual Song Book – mehrsprachig, Hg. Matthias Balzer, Bernhard Zaunseder, 13,5 x 21,5 cm; ca. 128 Seiten, Paperback, ca. 99 Lieder,
ISBN 3-451-24281-2 (Herder)
ISBN 3-7761-0118-0 (Verlag Haus Altenberg)